Toi et moi à jamais

Ann Brashares

Toi et moi à jamais

TRADUIT DE L'AMÉRICAIN
PAR VANESSA RUBIO

GALLIMARD JEUNESSE

Titre original : *The Last Summer (of you and me)*
Édition originale publiée aux États-Unis par Riverhead Book
groupe Penguin
375 Hudson Street, New York,
New York 10014, USA
Tous droits réservés
© Ann Brashares, 2007, pour le texte
© Éditions Gallimard Jeunesse, 2008, pour la traduction française

Pour mon père, avec tout mon amour

Nul n'oublie la première injustice; nul sauf Peter. Il s'y heurtait souvent mais l'oubliait toujours. C'est là, je suppose, que réside sans doute la différence entre lui et tous les autres enfants.

Peter Pan, J. M. Barrie
Traduction Henri Robillot

CHAPITRE UN

Attendre

Alice attendait Paul sur le quai. Il avait laissé un message inaudible sur le répondeur, pour prévenir qu'il arriverait par le ferry de l'après-midi. C'était tout lui. Il ne pouvait pas préciser s'il prenait celui de 13 h 20 ou celui de 15 h 55. Elle était là depuis une éternité, plantée devant le panneau des horaires, à essayer de deviner ses intentions.

En se maudissant intérieurement, Alice s'était postée sur le ponton dès 13 h 20, sachant pertinemment qu'il ne serait pas à bord du premier bateau. Elle avait vaguement regardé défiler les visages des passagers qui en descendaient, en se répétant que, de toute façon, elle était venue pour rien. Elle s'était assise sur un banc un peu à l'écart, pieds nus, son livre sur les genoux, pour éviter d'avoir à entrer en contact avec quiconque. En pensée, elle le détrompait : « Je sais que tu n'es pas dans ce bateau, Paul ! Ne va pas t'imaginer que je me fais des idées. » Mais même là, sous son contrôle, il restait taquin et imprévisible.

Avant l'arrivée du ferry de 15 h 55, elle étala du baume sur ses lèvres et se brossa les cheveux. Le suivant était à 18 h 10, ce que Paul aurait raisonnablement appelé « le soir ». À moins qu'il n'ait raté le « ferry de l'après-midi », comme il disait, ce qui était fort possible.

Elle essayait souvent d'imaginer ce qui pouvait se passer dans sa tête. Elle attachait trop d'importance à ce qu'il pensait, restait marquée par ses avis péremptoires alors qu'il les avait sans doute depuis longtemps oubliés.

C'était une chose d'essayer de pénétrer son esprit quand il se trouvait là, devant elle, et que chacun de ses mots lui fournissait un indice pour confirmer ou infirmer ses hypothèses au fur et à mesure. Mais après trois ans de silence toute supposition devenait hasardeuse. Dans un sens, c'était plus difficile, mais d'un autre côté, cela lui simplifiait la tâche : elle était libérée de son emprise. Libre de s'approprier ses pensées et de les interpréter à sa guise.

Il avait été absent deux étés de suite. Elle avait du mal à en comprendre la raison. Sans lui, l'été n'était que l'ombre de lui-même. Toute émotion semblait atténuée, à peine ressentie, si vite passée. Les souvenirs s'effaçaient aussitôt. Il n'y avait rien de neuf depuis la dernière fois. Elle se retrouvait sur ce ponton, à l'attendre, sur un banc de bois ou sur l'autre. En fait, elle n'avait jamais cessé de l'attendre.

En son absence, elle n'arrivait pas à se représenter son visage. Chaque été, il revenait avec la même tête, dont elle ne se souvenait jamais.

D'un œil distrait, elle voyait les gens arriver, partir, attendre. Elle faisait signe à ceux qu'elle connaissait, en général les parents de ses amis. Le souffle du vent atténuait la morsure du soleil sur ses épaules. Lentement, avec l'ongle de son gros orteil, elle gratta le bois du banc, détachant une longue écharde.

Quand il s'agissait d'attendre, Riley avait toujours mieux à faire. Paul était pourtant son meilleur ami. Il lui manquait, mais elle n'aimait pas attendre. Alice non plus n'aimait pas attendre. Personne n'aime attendre. Mais Alice était la plus jeune des deux sœurs. Elle n'avait pas encore le réflexe de refuser quelque chose simplement parce que ça ne lui plaisait pas.

Elle guettait le ferry, petit triangle blanc surgissant à l'autre bout de la baie. Tant qu'il n'était pas là, elle arrivait à peine à se le figurer. Comme s'il n'allait jamais arriver. Puis, soudain, il apparaissait et prenait forme rapidement. Il finissait toujours par arriver.

Elle se leva. C'était plus fort qu'elle. Abandonnant son livre sur le banc, la couverture battant au vent. Serait-il là ? Était-il à bord ?

Elle se détacha les cheveux, tira son débardeur sur ses hanches. Elle voulait qu'il voie tout d'elle. Elle voulait qu'il ne voie rien d'elle. Qu'il soit ébloui par chaque détail, aveugle à l'ensemble. Qu'il ait une vision globale, pas morcelée. Ses désirs semblaient inconciliables.

Elle trépignait d'impatience. Croisa les bras. Elle vit approcher une femme entre deux âges. À son sarong rose, elle reconnut la prof de yoga de sa mère.

– Tu attends quelqu'un, Alice ?

C'était tellement évident que la question en devenait pernicieuse.

– Non, personne, mentit-elle, gênée.

Le visage bronzé de cette femme lui était très familier, pourtant elle ne connaissait pas son nom. Elle savait que son caniche s'appelait Albert et que, dans ses cours, on chantait beaucoup. Sur l'île, les enfants n'avaient pas à se soucier du prénom des adultes, alors que les adultes connaissaient toujours le leur. Cette relation symétrique se perpétuait malgré le temps qui passait car pour les gens d'ici, les enfants restaient des enfants, quel que soit leur âge.

La femme regarda ses pieds, qui eux n'auraient su mentir. Si Alice avait prévu d'embarquer à bord du ferry de 15 h 55, elle aurait porté des chaussures.

Elle erra jusqu'à la zone de fret pour tenter de se donner une contenance. Elle n'avait pas le mensonge facile. Mentir créait une connivence qui la mettait mal à l'aise. Elle préférait garder ses mensonges pour les gens dont elle connaissait le prénom.

Elle n'osait pas regarder le bateau. Elle se rassit sur le banc, bras et jambes croisés, tête baissée.

C'était un petit village, sur une petite île, avec ses us et coutumes particuliers. Le mode de vie estival se résumait à un adage : « Ni clés ni portefeuille ni chaussures. » Il n'y avait pas de voitures et – autrefois, tout du moins – personne ne fermait sa porte à clé. Le seul commerce était l'épicerie de Waterby, qui vendait surtout des glaces et des bonbons, et où l'on payait en donnant simplement son nom. Quant à ceux qui portaient des chaussures, trois options : ils venaient d'arriver, repartaient ou allaient faire un tennis. Même au yacht-club. Même aux soirées. C'était une véritable fierté locale d'avoir les pieds assez calleux pour supporter les chemins de planches pleins d'échardes. On en attrapait toujours autant ; c'était inévitable. Mais on ne s'en plaignait pas, c'était comme ça. Tous les enfants le savaient. À la fin de l'été, Alice avait la plante des pieds constellée de vieux bouts d'écharde. Ils finissaient par disparaître, Dieu sait comment. « Ils sont assimilés par le corps », lui avait un jour confié Sawyer Boyd d'une voix savante, du haut de ses sept ans.

Tous les échanges se jouaient dans un rythme et un ordre qui n'appartenaient qu'à l'île. On voyait les gens qui arrivaient, repartaient, attendaient. Et leurs affaires entassées sur le quai avant d'être emportées chez eux dans un chariot. On pouvait savoir quelle marque de papier toilette ils achetaient. Pour Alice, le « triple épaisseur » était un luxe qui en disait plus long sur une personne que son sac à main ou ses chaussures. Les gens chargés de sacs Fairway*, de livres et de journaux descendaient ici, à Waterby, ou bien à Saltaire. Ceux qui se rendaient à Kismet avaient toujours des provisions de bière.

La voiture préserve l'intimité. Sans véhicule, on vit au grand jour. Tout le monde sait où l'on va et avec qui. Qui on attend sur le quai. Pour qui on se brosse les cheveux. On est exposé aux regards, mais aussi en sécurité.

La liberté régnant sur l'île avait toujours attiré les idéalistes, même les plus superficiels. « Débarrassons-nous des voitures, et adieu le réchauffement planétaire, les guerres au Moyen-Orient, l'obésité et l'essentiel de la criminalité », se plaisait à dire son père.

* NdT : chaîne de supermarchés proposant des produits d'épicerie fine, souvent venus d'Europe, pour des consommateurs aisés et amateurs de gastronomie.

Le ferry théâtralisait les arrivées et les départs. Les adultes ne cessaient d'aller et venir, mais souvent Alice et Riley ne faisaient l'aller-retour qu'une fois dans la saison. Elles arrivaient avec leur peau blanche, leurs cheveux fraîchement coupés, leurs pieds tendres et leur timidité. Elles repartaient avec la peau bronzée, couvertes de taches de rousseur et de piqûres de moustiques, la plante des pieds plus épaisse qu'un pneu et une assurance frôlant l'insolence.

Elle se rappelait les retrouvailles et plus encore les au revoir. La tradition voulait que ceux qui restent sur l'île saluent le départ de leurs amis en plongeant dans l'eau au moment où le bateau quittait le quai.

Elle entendit justement le ferry approcher dans son dos. Elle dénoua ses bras et posa les mains sur le banc. La houle battait les piliers du ponton. Elle déplia ses jambes et posa un talon sur le sol.

Alice aurait préféré être celle qui arrive, plutôt que celle qui attend. Elle aurait préféré être celle qui part, plutôt que celle qui reste, mais les choses ne se passaient jamais ainsi. Bizarrement, c'était toujours Alice qui attendait et Alice qui plongeait.

*

Paul se tenait sur le pont supérieur, affrontant les embruns, tandis que les monstrueuses villas de la côte sud de Long Island s'éloignaient, cédant la place à l'eau sombre.

Dès qu'on montait sur le ferry, l'air semblait s'épaissir. Tout devenait poisseux. Sentant ses cheveux lui gifler le visage, Paul eut la vision d'Alice fourrageant dans son sac à la recherche d'un élastique. Il l'imaginait, pinçant toutes sortes de choses entre ses lèvres pendant qu'elle se faisait une tresse. À l'époque, il avait les cheveux courts et, bien qu'impressionné par son habileté à se coiffer ainsi en pleine tempête – quel garçon n'est pas fasciné par les nattes ? –, il avait toujours pensé que ça ne servait à rien. Mais maintenant, il avait les cheveux longs.

La première chose qu'on apercevait, c'était l'obélisque Robert Moses, puis le phare tout dégingandé. Bon, il n'était pas vraiment dégingandé. En fait, pour lui, ce phare était la référence en matière de phare. Tous les autres lui paraissaient gros et courtauds en comparaison. On préfère toujours ce que l'on connaît. Il n'y a rien à faire. Il avait essayé de lutter, pourtant, mais en vain.

Elle serait là. Si Alice était toujours Alice, elle serait là. Si Riley était toujours Riley, elle ne serait pas là. Il avait appelé, donc si Alice ne venait pas, ce serait un signe. Si elle venait, ce serait également un signe. Il regrettait un peu d'avoir appelé, dans un sens. Toute cette mise en scène éventée l'agaçait un peu, mais il ne pouvait pas arriver sans prévenir Alice.

Il était aussi possible qu'elle n'ait pas écouté le répondeur, mais la connaissant, il était sûr qu'elle vérifiait régulièrement les messages, comme si elle attendait toujours la bonne ou la mauvaise nouvelle à venir.

Et voilà que le contour familier de l'île se dessinait, émergeant de la baie juste à temps pour son arrivée. Il distinguait le large bras incurvé du ponton avec quelques silhouettes dessus. Il savait que Riley n'aurait pas changé. D'après les lettres qu'elle lui écrivait, il savait qu'elle serait toujours la même, aussi bien pour le physique que pour le caractère. Mais l'idée même d'une Alice de vingt et un ans l'effrayait un peu.

Leurs parents seraient-ils là ? Supporterait-il d'être confiné avec toute la famille sur un lambeau de terre si étroit, pris en étau entre l'océan et la baie* ?

Les formes des maisons grandissaient, se précisaient et, sur le quai, les visages se tournaient vers le bateau, pleins d'espoir – simples taches claires sans traits précis au départ. Il se décolla du banc, déplia ses jambes. Il sentait la moiteur de ses doigts noués autour de la bandoulière de son sac.

Il commença à scruter les visages. Les plus âgés étaient les plus familiers. Le champion de double messieurs qui tentait de dissimuler son crâne chauve sous sa mèche, comment s'appelait-il déjà ? Et le gars aux épaules voûtées qui entretenait les camions de pompiers. Et la brune avec le chien sous le bras. Le prof de tennis, Don Rontano, avec son polo immaculé, son col relevé, qui s'entendait si bien avec les femmes esseulées. En revanche, impossible d'identifier les enfants. Quant à ceux qui étaient entre les deux, il redoutait de les dévisager. Les cheveux d'Alice avaient-ils pu foncer à ce point ? Et son corps avoir pris cette forme ?

Non et non, c'était évident. À cette distance, en approchant à cette vitesse, on reconnaissait une personne à son allure générale, à certains détails indéfinissables – allure et détails qui n'étaient pas et ne pouvaient en aucun cas être les siens. Peut-être n'était-elle pas venue. Peut-être n'était-

---

* NdT : l'île de Fire Island est une bande de terre de 48 km de long sur 1 km de large, qui barre la baie sud de Long Island, dans l'État de New York.

elle même pas sur l'île. Mais quelle raison aurait pu empêcher Alice de venir ?

Il y avait une dernière silhouette – une fille, semblait-il – à demi recroquevillée sur un banc, une jambe repliée sous les fesses. Mais elle était de dos et, contrairement aux autres, elle ne se retourna pas à l'arrivée du bateau.

Il scruta de nouveau le petit groupe, irrité par les mouvements incessants de ses yeux. Et si elle avait radicalement changé ? Au point qu'il soit obligé d'effacer l'ancienne image qu'il gardait d'elle ?

Tandis que le ferry contournait le coude du ponton, la fille qui était assise se leva. Ses cheveux volaient au vent, cachant son visage. Sans doute était-ce pour cela qu'il n'arrivait pas à l'identifier, même de si près.

Pendant un instant, à la fois calme et survolté, il la regarda attentivement, et un déclic se fit. Il sentit ses neurones s'emballer dans la zone de son cerveau dédiée à la perception et, en même temps, dans la zone de la mémoire.

Ce qui explique peut-être pourquoi, quand il la reconnut sans la reconnaître, il fut submergé par des idées et des émotions qu'il aurait préféré ignorer.

*

– Salut ! lui dit-il.

Elle le serra dans ses bras, posant son menton sur son épaule, le visage tendu vers le phare. Jamais elle n'aurait fait cela avant. Ce n'était pas tant un geste d'affection que la nécessité de ne plus l'avoir dans son champ de vision, juste un instant.

Elle ne sentait plus rien, elle ne pouvait fixer son regard sur rien. Son corps était engourdi et ses yeux affolés. Dans un éclair de lucidité, elle se dit qu'il allait sentir son cœur battre à tout rompre et s'écarta vivement.

Elle baissa la tête en montrant son seul bagage.

– C'est tout ? demanda-t-elle au sac.

– C'est tout.

Son ton était presque mélancolique. Elle aurait voulu voir son expression mais, comme il la regardait, elle n'osa pas.

Qu'est-ce qui lui prenait ? Ce n'était que lui ! Ce bon vieux Paul. Mais en même temps, ce n'était plus lui. C'était le plus étrange des étrangers – un étranger qui se trouvait être son meilleur ami.

– C'est lourd ? dit-elle sans réfléchir.

– Non, ça va, répondit-il et elle crut entendre comme une envie de rire dans sa voix.

Il se moquait d'elle ? C'était quelque chose qu'il faisait souvent avant. Il la taquinait et se moquait d'elle sans arrêt. Mais s'il se mettait à rire maintenant, elle en mourrait.

Elle avait l'intention de se montrer froide avec lui, cette fois-ci. Parce qu'il était parti si longtemps, qu'il l'avait oubliée. « Tu m'as oubliée ? » Si elle n'avait aucun mal à se mettre en colère après lui lorsqu'il n'était pas là, en sa présence, elle en était incapable.

Elle se mit en route d'un bon pas et il la suivit. Mme McKay ôtait l'antivol de son chariot et Connie, leur ancienne prof de natation, était en train de pêcher. Si elle levait la tête, elle verrait d'autres gens. Ils connaissaient tous Paul. Le reconnaîtraient-ils avec ses longs cheveux hirsutes et sa barbe drue ?

Ni les émotions qu'elle pensait éprouver, ni l'image qu'elle voulait donner d'elle, ni les phrases qu'elle avait répétées, rien ne se passait comme prévu.

– On va chercher Riley ? proposa-t-il dans son dos.

Un immense soulagement envahit son cœur. Voilà ce qu'ils allaient faire, et qui donnerait un sens à tout ça.

Elle lui prêta le vélo de sa mère et prit le sien. Il posa son sac marin en travers du panier et grimpa sur l'étroit trottoir avec la grâce d'un natif de l'île. Il avait déjà réussi à monter sur trois vélos à la fois. Il savait faire une roue avant sans les mains. Pour elle, Paul était le dieu du vélo autrefois.

Ils se rendirent directement à la plage de l'océan. Il ôta ses chaussures et ses chaussettes sans même ralentir. Il marqua cependant un temps d'arrêt en haut des escaliers, au sommet de la dune, pour contempler le paysage, tandis qu'elle s'attardait quelques mètres derrière lui, impatiente de voir de quel type de plage il s'agissait aujourd'hui.

Enfants, ils avaient inventé des dizaines de noms pour décrire la plage, comme les Esquimaux pour la neige, et ils n'en avaient jamais suffisamment. Un sable blanc, serein, bordé d'une eau turquoise scintillante, et c'était une plage Tortola, en référence à une île des Caraïbes où sa mère avait traîné Paul en vacances. Ils n'avaient que mépris pour ce genre de plages. La plage à la Riley, aussi connue sous le nom de plage de combat, c'était celle dont les grains de sable vous fouettaient la peau comme des éclats de verre, où les vagues déferlaient rageusement. La plage à la Alice était vraiment rare, elle se caractérisait par les petits bassins que la marée laissait derrière elle.

Aujourd'hui, Alice espérait qu'elle serait comme il les

aimait. Une plage à la Paul : sable craquant de marée basse, eau profonde où l'on perd pied tout de suite et où les rouleaux verts s'enchaînent violemment. C'était une vieille habitude chez elle d'anticiper ses désirs. Ça au moins, ça n'avait pas changé.

Un jour, Paul lui avait dit que la plage était comme lui, elle changeait chaque jour sans faire aucun progrès. Elle se rappelait avoir pensé plus tard qu'une personne normale aurait plutôt formulé les choses dans le sens inverse en disant qu'elle était semblable à la plage.

Retenant d'une main ses cheveux en arrière, Alice réalisa qu'ils n'avaient pas encore de nom pour cette sorte de plage. Une plage agitée. Une plage en colère. Le sable était lisse, doux, mais les vagues déchaînées s'y brisaient en diagonale. Il fallait se résigner, pas moyen de se baigner. Tandis que Paul descendait l'escalier délabré, elle se tourna vers la chaise de surveillant où sa sœur était assise, sous le drapeau rouge interdisant la baignade.

Pourtant Paul ne se dirigea pas vers Riley mais fonça droit vers la mer. Étouffant un cri de surprise, Alice le regarda entrer dans l'eau tout habillé. Il plongea dans un rouleau vert olive. Elle scruta les flots, impatiente de voir sa tête émerger de l'écume rageuse. Elle jeta un regard à sa sœur qui s'était levée, tendant le cou, les mains sur les hanches, dans sa pose de sauveteuse en état d'alerte.

La tête de Paul réapparut enfin une vingtaine de mètres plus loin, au moins. Il avait dépassé le mur de vagues, mais était tout de même ballotté par le courant.

Alice vit Riley murmurer quelque chose à son coéquipier qui se tenait au pied du poste de sauvetage. Elle siffla deux fois.

– Sortez de l'eau ! hurla-t-elle en montrant le drapeau rouge. Connard, ajouta-t-elle à voix basse.

Au loin, Paul leva le bras et lui fit signe.

Alice aurait pu dire le moment précis où sa sœur comprit qu'il s'agissait de Paul. Riley poussa un si grand cri qu'elle l'entendit d'où elle se trouvait. Puis elle jeta un coup d'œil par-dessus son épaule et l'aperçut.

Elle se détendit un peu et laissa retomber son sifflet. Elle haussa les épaules, ce qui fit sourire Alice. Puis elle cria assez fort pour couvrir le bruit du vent :

– Paul est de retour, à ce que je vois !

*

– Laisse-le, recommanda Riley à son coéquipier. Il sait se débrouiller.

Elle se rassit dans sa chaise, suivant des yeux la petite tête de Paul ballottée par les vagues. Pas question d'aller à son secours. Qu'il se noie. De toute façon, c'était impossible qu'il se noie.

Paul avait suivi de bout en bout la formation de maître nageur sauveteur à ses côtés, déterminé à être toujours meilleur qu'elle. Elle ne lui aurait jamais avoué en face, mais il l'avait sans doute poussée à donner le meilleur d'elle-même. Elle ne se contentait pas de passer les épreuves, elle essayait de battre Paul. Et puis, le jour de l'examen – qui n'était plus qu'une formalité, un tour d'honneur –, Paul ne s'était pas présenté. Lorsqu'elle l'avait rejoint un peu plus tard près de l'embarcadère du ferry, il s'était contenté de hausser les épaules. C'était la consécration de sa vie, et lui se comportait comme si ça lui était tout bêtement sorti de la tête.

Mais, le jour où elle s'était perchée en haut de sa chaise pour la première fois, gonflée de fierté sous son maillot rouge de sauveteuse, Paul était présent. Ayant repéré un homme aux cheveux bruns qui dérivait dans le courant, elle avait bondi de la chaise, en donnant un coup de sifflet, rassemblé son équipement, crié des ordres, le sang battant aux tempes.

Lorsqu'elle avait atteint le nageur et découvert son identité, elle avait eu envie de le noyer de ses propres mains. Elle l'avait traité d'enfoiré avant de regagner le rivage, rouge de fureur. Mais là, elle s'était retrouvée nez à nez avec un attroupement de citoyens perplexes, dont son supérieur, au bord de l'apoplexie à l'idée qu'elle avait abandonné la pauvre victime. Et Paul qui continuait son cinéma ! Elle n'avait pas eu le choix. Elle avait dû faire demi-tour pour le sauver. En le traînant jusqu'au rivage, elle lui avait pincé méchamment la nuque. C'était la seule fois de sa vie qu'elle l'avait entendu gémir.

Quand ils étaient petits, Paul et Riley étaient pareils. Elle le comprenait sans le moindre effort. Parfois, ils se disputaient. L'été de leurs huit ans, elle lui avait donné une raclée qui l'avait laissé à terre. À dix ans, il l'avait envoyée valdinguer dans une porte, bilan : six points de suture au sourcil. Après ils n'en étaient plus jamais venus aux mains, même si, parfois, elle essayait de le provoquer. C'était sans doute la cicatrice qui le refroidissait. Elle l'aimait bien, cette cicatrice.

Après le collège, il avait commencé à devenir compliqué. Il se murait dans le silence et boudait sans raison apparente.

Elle persistait à croire qu'il aurait été plus heureux s'il avait passé l'examen de maître nageur sauveteur. Elle en était convaincue. Plus tard, il avait milité dans des groupuscules politiques et essayé de mobiliser des ouvriers venus d'Amérique centrale pour la cueillette des fruits, mais ils avaient trop les pieds sur terre pour adhérer aux âneries qu'il leur racontait.

« Je suis arrivé avec mes grands idéaux, mais la pauvreté et la misère les écrasent et les aliènent, lui avait-il écrit d'une ferme des environs de Bakersville. Hier soir, quelqu'un m'a volé mon portefeuille dans mon pantalon pendant que je dormais. Je me sens ridicule. »

Elle n'allait pas dire le contraire. « Tu aurais dû devenir sauveteur », lui avait-elle répondu.

Et pourtant, elle l'aimait. Elle souffrait autant que lui de ses déceptions, même quand elle n'approuvait pas ses choix.

– Tu peux me remplacer ? demanda-t-elle à Adam Pryce, son coéquipier, de six ans son cadet.

Il acquiesça. Elle sauta à bas de la chaise. Le cœur empli d'une joie enfantine, elle fendit les vagues et plongea dans un océan où jamais une personne saine d'esprit n'aurait trempé un orteil. Elle rejoignit Paul en quelques mouvements de crawl.

Et ils barbotèrent ensemble dans la mer déchaînée, esquivant les courants, narguant les vagues tandis qu'Alice les regardait depuis la plage.

CHAPITRE 2

Prends garde
ou tu deviendras
comme tout le monde

Au bon vieux temps, Paul débarquait en pyjama afin de participer à la grande bataille pour le meilleur paquet de céréales. Alice devinait que c'était l'un des rares combats dont l'issue lui était égale. L'essentiel, pour lui, était d'arriver tôt.

Son immense villa se dressait entre la leur et l'océan. Les deux maisons étaient si proches que, le soir, quand la mer était calme, chaque famille profitait des disputes de l'autre et vice versa. Chez lui, tout était d'une propreté immaculée, il y avait sept chambres, une télévision et une étagère pleine de bons paquets de céréales. Mais aussi loin qu'Alice s'en souvienne, il n'avait jamais été question d'aller prendre le petit déjeuner là-bas et encore moins de se battre pour leurs Fruity Pebbles*.

* NdT : grains de riz soufflés aromatisés aux fruits.

Ce matin-là, Paul débarqua, fidèle au rendez-vous, mais pas en pyjama cependant. Il avait un pantalon si jaune et si raide qu'Alice faillit éclater de rire. Mais elle se retint, craignant que ce genre de réaction ne soit déplacé désormais.

Il arriva par le chemin habituel, sortant de chez lui par la porte de derrière pour entrer chez elles par l'arrière également. En prenant le chemin classique, il fallait faire au moins cent cinquante pas sur les planches, plus dans le cas d'Alice, et moins dans celui de Paul, qui était un fieffé menteur. Mais par le passage des dunes, entre les roseaux, il y avait tout au plus trente pas, à l'abri des regards.

– Tu as pris ton p'tit déj ? lui demanda-t-elle d'un ton dégagé, mais toujours trop attentive aux petits détails.

– Non.

Il avait l'air tout timide brusquement.

– Mais ça va, tu n'es pas obligée de me nourrir.

Elle poussa le paquet de Rice Krispies sous son nez, avec un bol et une cuillère. Oubliant visiblement ce qu'il venait de dire, il se servit.

– Du lait ? proposa-t-elle.

– Merci.

Un coude sur la table, le menton dans la main, Alice regarda Paul manger. Ça ne l'avait jamais dérangé qu'on le regarde.

– Qu'est-ce qui est arrivé à tes cheveux ? demanda Riley en traversant la cuisine pour se rendre à la buanderie.

– Ils ont poussé, répondit-il en mastiquant avec suffisance.

– Comme ça ?

– Ouais, comme ça.

– Les miens ne poussent pas comme ça, fit valoir Alice.

– Sans doute parce que tu les laves et que tu les brosses.

– Effectivement, oui, ça m'arrive.

– Tu vois.

– C'est franchement pas terrible, remarqua Riley, une serviette de toilette coincée sous le bras.

Il s'agissait d'une simple constatation, et non d'un jugement.

– Je sais, répondit Paul en tortillant une mèche entre ses doigts. En plus, ça me démange. Je crois que je vais les couper pour l'été.

Il lâcha sa cuillère et leva les yeux vers Alice.

– Tu as toujours tes ciseaux de barbier ?

Elle secouait le paquet de céréales, pour vérifier qu'il en restait assez pour un autre bol.

– Oui, tu veux que je te les prête ?

– Tu ne voudrais pas le faire, plutôt ?

Elle reposa le paquet de céréales. Décroisa les jambes. Se mordit l'intérieur de la joue.

– Tu veux que je te fasse une coupe, c'est ça ?

– Ouais.

Autrefois, il lui était arrivé de lui couper les cheveux. Et à Riley aussi. Même à d'autres enfants, à l'occasion. Elle les débarrassait des chewing-gums et des nœuds, pour rendre service. Non qu'elle possédât un quelconque talent pour la chose, mais simplement parce que son oncle Peyton lui avait offert un nécessaire de barbier avec de bons ciseaux.

Si elle pouvait lui faire une coupe ? Avait-elle une bonne raison de refuser ?

– Rien d'extraordinaire, précisa-t-il.

– Une petite coupe au bol, suggéra Riley.

– Oui, pourquoi pas…, répondit Alice hésitante.

Il se leva, enthousiaste.

– Tout de suite ? s'étonna-t-elle.

Elle aurait préféré plus tard, il aurait eu le temps d'oublier.

– Oui, ça te va ?

D'un pas un peu mécanique, elle le suivit dans l'escalier. Il n'y avait qu'une salle de bains, et avec Riley, elles se livraient à un perpétuel bras de fer sur les tours de corvée de nettoyage. Paul s'assit sur le rebord de la baignoire, exactement comme autrefois.

Riley s'appuya contre l'embrasure de la porte, un sourire au coin des lèvres.

Les ciseaux étaient là, au fond de l'armoire de toilette, sans une trace de rouille, dans leur étui en plastique d'origine. Alice aurait aimé qu'ils arrêtent de la suivre des yeux. Elle se sentait un peu ridicule d'être aussi maniaque avec ses ciseaux.

– Bon. Alors…, commença-t-elle. On va juste, euh…

– Coupe tout.

Il passa son tee-shirt par-dessus sa tête, ce qui ne fit rien pour la mettre à l'aise. Elle dut se forcer pour s'approcher de lui. Il avait maintenant le visage à hauteur de sa poitrine, à l'inverse du schéma habituel. Elle eut soudain l'impression d'être réduite à une paire de narines.

– Pas tout, quand même… ?

L'idée de le raser totalement lui était inconcevable.

– Les dreadlocks, surtout. Fais comme tu sens.

– À mon avis, tu vas trouver quelques échantillons de faune là-dedans, commenta Riley.

Alice hocha la tête. Ce n'était pas ce qui l'inquiétait. On ne pouvait pas être chochotte quand on avait grandi avec Riley.

Ils avaient de drôles de sujets de conversation tous les trois. En général, ils s'en tenaient aux choses concrètes. Concrètes ou métaphysiques, rarement entre les deux. Or c'était justement tous les sujets intermédiaires qui se mettaient à vous préoccuper, en grandissant.

La veille au soir, tandis que la pluie battait les bardeaux de la toiture, ils avaient discuté pendant des heures, assis par terre sur le sol du salon. Des grandes tempêtes, des maisons qui avaient été emportées, du sentier qui longeait autrefois la côte sauvage et gisait maintenant au fond de la mer. Ils avaient parlé du caractère immuable de leur île, malgré sa forme toujours changeante. Alice était soulagée que ses parents ne soient pas là ; cela leur permettait de se retrouver tous les trois, comme avant. Ainsi, ils étaient libres de laisser la conversation vagabonder et s'effilocher. Ils étaient libres de laisser certains sujets totalement de côté, par exemple ce qu'ils avaient fait au cours des trois dernières années.

Alice brandit ses ciseaux et les actionna dans le vide. Elle posa la main sur le crâne de Paul. Elle sentit sa chaleur, et le frottement de sa barbe naissante sur son avant-bras. Il lui avait tellement manqué ! Une envie de pleurer lui monta à la gorge. Maintenant qu'elle était sûre qu'il se souvenait d'elle, elle pouvait digérer la tristesse d'avoir été un moment oubliée.

– Bon, c'est parti, fit-elle d'une petite voix.

Elle empoigna une touffe de cheveux bruns, et coupa. La

musique des lames aiguisées au contact des cheveux la ravissait : un pépiement doux, rythmé, qu'elle avait toujours aimé.

Sous la crasse, malgré les mauvais traitements qu'il leur avait infligés, les cheveux de Paul étaient toujours aussi beaux que quand il était enfant. Chaque mèche, qu'elle coupait juste avant qu'elle ne se transforme en dreadlocks, formait une boucle. Ses cheveux étaient ce qu'il y avait de plus docile, de moins compliqué chez lui.

– Qu'est-ce que tu en dis ? demanda-t-elle en se tournant vers sa sœur.

Riley s'était tenue tranquille exceptionnellement longtemps. Elle regarda les mèches et les nœuds éparpillés sur le lino.

– Il n'a plus qu'à passer le balai.

Le ton, amical, était visiblement un signe d'approbation.

Puis elle redescendit au rez-de-chaussée et ils entendirent la porte grillagée claquer.

Alice saisit une mèche au creux de sa nuque, et il frissonna. Délicatement, elle dégagea ses oreilles, en admirant le pâle duvet soyeux qui les ourlait. Ce n'était pas la première fois qu'elle le remarquait. Ces détails-là avaient toujours eu de l'importance pour elle.

– C'est bien, tu es sage, le félicita-t-elle.

Elle crut d'abord qu'il ne l'avait pas entendue, même si elle n'était qu'à quelques centimètres de son oreille.

– J'essaie, dit-il enfin.

Elle s'attaqua au devant en dernier, ayant pris de l'assurance dans son rôle de coiffeuse. Elle tint son menton pour affirmer son geste, ce qui n'était peut-être pas indispensable. Elle détailla ses pommettes, sa mâchoire, rassurée de le sentir si proche.

À la fin du CM1, sa grand-mère Ruth lui avait appris à tricoter. Alice avait passé tout un hiver à tricoter un bonnet à Paul. Elle avait voulu garder un lien avec lui pendant les longs mois glacés où il n'était pas là, où la distance qui les séparait et les relations tendues entre leurs parents en faisaient presque un étranger. L'hiver suivant, elle lui avait fait une écharpe vert, bleu et gris pour lui rappeler la mer. Elle la lui avait envoyée pendant sa première année de pension. Grâce à ce fil de laine, par procuration, elle avait pu le toucher, lui tenir chaud, exister dans sa mémoire.

Alice se perdit dans ses pensées, bercée par le bruit de ses ciseaux. Elle tailla, égalisa, mit en forme, lissa. Une impression de plénitude l'envahit. Elle sentit la nuque de Paul qui se relâchait, sa tête qui s'abandonnait entre ses mains, s'en remettait à elle.

Depuis combien de temps n'avait-elle pas éprouvé cette sensation ? Elle avait oublié l'effet que cela faisait.

Elle était remplie de compassion à son égard. Depuis toujours. Même s'il était plus âgé qu'elle. Même s'il ne se gênait pas pour être méchant, l'envoyer balader, ou pire, l'oublier, elle avait toujours mal pour lui. Était-ce parce que son père était mort ? Ou parce que Lia n'avait pas été une mère au sens classique du terme ? La mère d'Alice lui avait raconté qu'en cas de problème, quand il était petit, Paul se tournait vers elle, et non vers Lia.

– Ça me touchait qu'il me laisse prendre soin de lui, mais ça me faisait de la peine, aussi, avait précisé Judy. Un enfant dont la mère s'occupe normalement n'a pas besoin d'une telle affection.

– Elle en a bavé, disait souvent son père à propos de Lia, tout en admettant qu'il fallait « se la taper ».

Orpheline à quinze ans, Lia avait grandi en Italie. Elle appelait Paul *Paolo*, mais personne d'autre n'en avait le droit. Lorsque Alice ou Riley s'y risquaient, Paul les bourrait de coups de poing. Apparemment, sa mère avait tenu à lui donner le nom d'un oncle à la conduite héroïque, un prétendu espion, mort pendant la Seconde Guerre mondiale, tandis que son père, Robbie, avait voulu rendre hommage à Paul McCartney.

Alice ne savait pas ce qui était inscrit sur son acte de naissance. Elle trouvait curieux que Paul prétende ne pas parler italien, alors qu'elles avaient la preuve du contraire.

Alice savait aussi que les grands-parents paternels de Paul n'aimaient pas Lia. Ils la jugeaient responsable de ce qui était arrivé à Robbie. Or, si Alice admettait qu'elle était tout sauf irréprochable, peut-être ce reproche-là n'était-il pas mérité.

Étant leur seul petit-fils, Paul était censé hériter d'une jolie fortune, que Lia dilapidait sans compter. Tout cela, Alice l'avait appris par ses parents, jamais par Paul. Sa grand-mère avait un jour appelé Judy pour lui demander d'intercéder en leur faveur. Riley s'en souvenait encore.

– C'est Lia que vous devriez appeler, avait répondu Judy.

La grand-mère avait refusé. Et c'était les avocats qui s'étaient chargés d'appeler Lia.

Paul gardait ses distances avec ses grands-parents. S'il ne s'entendait pas avec sa mère, il refusait de la trahir. Pour autant qu'Alice pût en juger, c'était à peu près la seule manière qu'il avait trouvée de l'aimer.

Depuis que Paul avait quitté le lycée, Lia vivait principalement en Italie. Quand elle était aux États-Unis, elle se plaignait de tout – la nourriture, le rythme de vie, la langue, la musique. Alice s'imaginait que Lia était plus heureuse en Italie, mais Paul lui avait assuré qu'elle s'y lamentait tout autant.

Alice n'avait pas de souvenirs de Robbie, le père de Paul. Elle n'avait que quelques mois lorsqu'il était mort. Riley, elle, en avait conservé quelques souvenirs – sa barbe, ses sandales en plastique, ses doigts qui savaient faire toutes sortes de nœuds.

Alice était terrifiée à l'idée d'aborder le sujet, parce qu'elle savait des choses qu'elle était censée ignorer, et que Paul ignorait sans doute lui-même. Elle détestait cette situation, et elle en voulait à sa mère pour ces révélations. Judy plaçait le droit à l'information au-dessus de tout, elle avait tendance à croire que les faits étaient neutres simplement parce qu'ils étaient vrais.

– C'est mon côté journaliste, soutenait-elle, trouvant le moyen de se lancer des fleurs tout en se justifiant.

Dans les très rares occasions où Paul parlait de son père, il se comportait comme s'il se souvenait parfaitement de lui. Mais il n'abordait jamais les petits détails. Elle soupçonnait qu'il n'était pas vraiment capable de se le représenter, de même qu'elle n'arrivait pas à se représenter Paul quand il était absent. Peut-être en allait-il ainsi avec les gens qu'on aimait le plus.

Alice laissa tomber ses ciseaux dans le lavabo avec un cliquetis. Elle resta sans bouger, les mains posées sur la tête de Paul, l'une sur son oreille, l'autre sur sa nuque. Son cœur manqua un battement lorsqu'il laissa lentement aller sa tête contre elle, pour la poser juste en dessous de ses seins.

Elle le garda là, penchée vers lui. Elle sentait les os de sa joue et de son menton contre sa chemise, les poils de sa barbe qui se prenaient dans le tissage du coton, son souffle qui se concentrait dans les plis.

Il était avec elle ; il était là. Elle n'osait même plus respirer.

La porte grillagée de la cuisine grinça. Il releva la tête. Elle recula d'un pas. Et voilà, il n'était plus avec elle.

La bulle qui, l'espace d'un instant, les avait isolés du monde venait d'exploser. Il la regarda un moment sans rien dire. Elle reprit ses ciseaux et les rangea d'une main tremblante dans leur étui en plastique.

Il se leva et s'examina dans la glace.

– Beau boulot, commenta-t-il.

Et elle se rendit compte qu'elle avait retrouvé le Paul qu'elle connaissait. Cette transformation, ils l'avaient réalisée ensemble. D'étrange, d'étranger, Paul était redevenu le Paul exigeant, bien-aimé d'autrefois.

Mais il y avait eu un moment dans l'intervalle, un moment suspendu, où il avait établi le contact. Ce moment-là, elle n'avait pas fini d'y penser.

*

Pour la première fois depuis des mois, sa tête reposait confortablement sur l'oreiller et son cuir chevelu ne le démangeait pas. Paul n'arrivait pas à dormir pour autant, ce qu'il mettait également sur le compte de sa nouvelle coupe de cheveux.

Il visualisa, ou plutôt il imagina l'orteil d'Alice butant contre son pied. Il sentit la pression de sa paume sur sa tête et ses doigts sous son menton. Lorsqu'elle s'était penchée vers lui, il avait respiré sa nouvelle odeur, plus propre, peut-être, que celle de l'Alice d'autrefois, mais toujours reconnaissable ; et cela l'avait profondément remué.

C'était cette odeur qui l'avait submergé, lorsqu'il avait appuyé sa tête contre son ventre. Pourquoi l'avait-il fait ? Qu'est-ce que cela signifiait ? Ce n'était pas le genre d'attitude qu'on se permettait avec une vieille copine. Il ne pouvait pas revenir en arrière. Juste essayer de ne pas en tenir compte. Faire comme si de rien n'était. Mais c'était là, entre eux. Heureusement (car n'était-ce pas un soulagement ?), le reste de la journée avait semblé sceller un accord tacite sur une amnésie commune.

Ces pensées, où se mêlaient angoisse et plaisir, donnèrent naissance à plusieurs questions inquiètes. Et s'il avait eu tort de revenir ?

L'objectif était de garder ce qu'il avait sans le détruire, si possible. Mais était-ce seulement faisable ? Pouvait-on interrompre le cycle ? Arrêter le temps ?

Son amour pour Alice n'avait rien de nouveau. Il l'avait toujours aimée, même lorsqu'il se montrait dur avec elle. Il s'en souvenait, et on le lui avait souvent dit. Il l'aimait déjà bien avant qu'elle n'en soit consciente. N'était-ce pas la manière la plus facile d'aimer quelqu'un ? Toute petite, bébé potelé et sans paroles, elle le rassurait. Il la baladait partout dans ses bras. Le psychiatre de Lia lui avait expliqué qu'Alice constituait pour Paul une sorte d'objet transitionnel, de doudou réconfortant.

À quatre ans, quand son père était mort, il avait su qu'il n'aurait jamais de frères et sœurs, et Riley l'avait compris aussi.

– Ça ne fait rien, lui avait-elle dit, on peut se partager Alice.

Riley était son égale, sa rivale, son alter ego et sa meilleure amie. Par certains côtés, il avait du mal à la distinguer de lui-même. Ils avaient le même âge; pendant des années, ils avaient fait la même taille. Ils avaient porté les mêmes pantalons. Il avait eu l'impression de la trahir lorsqu'il avait continué à grandir, et pas elle.

Alice, elle, n'était pas son amie, même s'il savait qu'elle le souhaitait depuis toujours. Elle représentait autre chose; ni plus, ni moins, juste quelque chose de différent.

Lorsqu'il pensait à elle, en particulier lorsqu'il était allongé dans son lit, il songeait souvent à l'été de leurs treize ans, à Riley et à lui. De tous côtés, leurs vieux copains devenaient bêtes et superficiels, perdant tout intérêt pour ce qui avait compté jusque-là. Des gamins comme Megan Cooley et Alex Peterson avaient commencé à organiser des parties de jeu de la bouteille ou d' « action-vérité » dans l'arrière-salle de la bibliothèque du village.

Riley détestait ces jeux idiots, et Paul en avait peur. Ce qu'ils avaient découvert chez leurs parents ne les rendait que plus déterminés à rester du bon côté de l'adolescence. Alice, à dix ans, avait calqué son indignation sur la leur.

Leur bande avait superposé un monde magique sur la topologie de cette étroite langue de terre. De l'océan jusqu'à la baie, ils l'avaient peuplée de lieux et de créatures, les uns bienfaisants, les autres malfaisants, et une bonne part de l'enchantement tenait au pouvoir de changer de camp selon les besoins du jeu. Paul et Riley savaient bien que ce monde était fragile. S'ils ne restaient pas vigilants, il coulerait au fond de la mer sans laisser de trace. Il fallait y croire, et ils étaient de moins en moins nombreux à le faire.

Avec un mélange de dégoût affiché et de crainte inavouée, Riley et lui avaient scellé un pacte. Partout autour d'eux, l'adolescence faisait des ravages, mais chacun des deux était là pour rappeler à l'autre ce qui était vrai. Tant qu'ils s'obligeaient mutuellement à rester honnêtes, avaient-ils décidé, il ne leur arriverait rien. Ils se ligoteraient au mât du bonheur sans nuages de l'enfance et résisteraient ainsi à la tempête. Ils avaient eu le panache de dire : « Voilà notre vérité. » Et si quelqu'un devait un jour leur soutenir le contraire, ils sauraient que c'était le mal qui leur soufflait à l'oreille et que l'ennemi était proche. Ils garderaient le silence. Ils ne céderaient pas. Ils porteraient toujours sur eux la capsule de cyanure et l'avaleraient, s'il le fallait.

Mais que se passerait-il lorsqu'ils auraient traversé la tempête ? Jusque-là, ils n'y avaient pas vraiment réfléchi. Ils n'avaient pas pris conscience que, en misant sur un aspect de leur vie, ils risquaient de miner tous les autres. En choisissant à titre préventif cette version infantile d'eux-mêmes, ils se condamnaient à douter de toutes leurs futures identités.

Alice, à dix ans, avait été facile à enrôler. Elle ne savait pas, alors, où cela la mènerait.

Le principe était de regarder en arrière. D'essayer de se rappeler ce qui était vrai, plutôt que de le chercher. Ils étaient des moines étudiant la Bible, des juges interprétant leur constitution. Ils étaient à l'écoute d'un temps plus calme et plus juste.

Mais les années continuaient à passer, inexorablement, et les saisons se succédaient. Ce qui n'était pas en accord avec le pacte, Paul le taisait à Riley et à Alice. Les ambitions, les petites préoccupations insignifiantes, l'amour qu'il avait fait avec une fille de son cours d'histoire en première année de fac. Ces expériences, il les avait vécues tout en sentant que sa vraie vie était ici, sur cette plage, avec Riley et Alice.

Ce qui était séduisant à treize ans, et même à dix-sept, aurait pu devenir un peu bizarre à vingt-quatre, et pourtant le pacte, par sa nature, était durable. Il existait toujours entre eux. Paul le sentait en ce moment même. Il pouvait s'absenter pendant des mois, des années, le pacte perdurait, lié à ce qu'il aimait, le liant à ce qu'il aimait

Il soupçonnait qu'Alice le respectait par loyauté. Pour Riley, ce n'était pas vraiment un choix. Et pour lui ?

Pour lui, ce qu'il avait ici sur cette île, avec elles, était ce qu'il avait de mieux, de plus stable dans la vie.

CHAPITRE 3
Jeux d'enfants

Cela faisait neuf ans que Paul ne l'avait pas appelée par son prénom. Depuis ses douze ans, c'était « minus », « la puce » ou « Hé, toi ! ». Elle s'en aperçut seulement lors de sa première soirée en tant que serveuse au yacht-club.

C'était un vendredi, et elle n'était pas franchement ravie de voir arriver ses parents. Maintenant qu'elles n'étaient plus au lycée, Ethan et Judy avaient pris l'habitude de les laisser passer la semaine toutes seules sur l'île pour venir les rejoindre par le très bondé et très festif ferry du vendredi soir. Durant l'année scolaire, son père était prof d'histoire dans un établissement privé de Manhattan, mais pour mettre du beurre dans les épinards, il passait son mois de juillet et presque tout son mois d'août à donner des cours de soutien et à animer des stages de rattrapage. Quant à sa mère, elle relisait et corrigeait des manuels scolaires. Elle était également censée proposer des articles sur l'éducation des enfants et autres sujets du même genre à la poignée de rédacteurs en chef qu'elle connaissait. Elle en parlait beaucoup durant la phase d'élaboration et de réflexion, pour ensuite les abandonner à l'état de projet, sans même les rédiger et encore moins les vendre.

– Je voudrais un hamburger au bacon. Et qu'est-ce que vous avez en pression ?

Alice avait les bras croisés, le crayon dans la bouche, et son bloc-notes sous le bras. Voilà qui résumait bien sa vie : les premiers clients qu'elle allait servir seraient ses parents.

– Papa, tu sais très bien ce qu'ils ont, répliqua-t-elle à voix basse.

Elle réprima une terrible envie de lever les yeux au ciel mais l'agacement perçait malgré tout dans sa voix.

– OK, je vais prendre une Bass, alors.

Son père avait les cheveux poivre et sel, très fournis. La plupart des gens font peu de cas de ce qu'ils ont pour s'appesantir lourdement sur ce qui leur manque. Sur ce point, son père était un original. Il misait tout sur ce qu'il possédait, ne manquant pas une occasion de faire remarquer sa chevelure abondante pour son âge, avec autant d'énergie que d'autres en mettent à masquer leur calvitie.

Sa mère était blonde. Elle s'autorisait aujourd'hui à se faire décolorer, ayant été blonde quand elle était jeune. Elle dénigrait les fausses blondes sur qui, justement, ça ne faisait « pas du tout naturel ».

Alice avait hérité de ses cheveux, en un peu plus roux et ondulés, et leur blondeur résistait au temps. Mais elle se doutait qu'ils fonceraient le jour où elle arrêterait de passer ses étés à la mer. L'année prochaine, par exemple, lorsqu'elle serait en stage dans un cabinet d'avocats. Et toutes les suivantes. Riley continuerait à former des moniteurs sportifs durant l'hiver, et à être maître nageur sauveteur l'été, tandis qu'elle resterait enfermée dans un bureau.

Mais Riley avait beau passer son temps dehors, elle n'avait jamais été blonde. Elle avait des cheveux bruns qui s'emmêlaient facilement, Alice était bien placée pour le savoir, elle qui avait souvent essayé de les dompter. Même quand elle était petite, Riley refusait que sa mère les lui brosse. Ils étaient éternellement coupés au carré, quelque part entre le menton et les épaules, et souvent tirés en arrière, ce qui lui donnait l'air plus jeune qu'elle ne l'était – impression renforcée par ses taches de rousseur.

Depuis ses treize ans environ, Alice s'était habituée à ce qu'on la prenne pour la grande sœur. Ça ne la dérangeait pas. Ce qui était pénible, c'était les hauts cris que poussaient les gens lorsqu'elle corrigeait leur erreur. Ça la mettait mal à l'aise, plus pour sa sœur que pour elle-même, d'ailleurs. Mais en réalité, elle n'était même pas sûre que cela atteigne Riley.

– Il n'y a pas de plat du jour ? demanda sa mère avec un sourire machiavélique.

Elle posait la question juste pour le plaisir de l'entendre réciter, alors qu'elle s'en moquait complètement. On mangeait très mal au yacht-club, et ce depuis toujours. Seuls les clients qui venaient pour la première fois se risquaient à commander autre chose qu'un hamburger. Alice retourna en cuisine. Plus vite elle passerait la commande, plus vite elle serait débarrassée d'eux.

Du fond du restaurant, elle vit la deuxième de ses quatre tables se remplir. Les Kimball accompagnés d'amis qu'elle n'avait jamais croisés. Ils la regardaient en souriant, comme des parents fiers de leur progéniture.

– Je vous sers quelque chose à boire ? demanda-t-elle, toute gênée.

C'était fou, elle connaissait la vie de tout le monde, ici. Elle savait, par exemple, que les Kimball avaient perdu un enfant encore bébé.

Dans tout ce que disait, faisait, portait Mme Kimball, sa façon de servir au tennis ou de commander un verre de vin, Alice sentait sa douleur.

Elle savait également que M. Barger, qui venait de s'asseoir à la table quatre, avait quitté sa femme le jour même où leur plus jeune fils, Ellie, était entré à la fac. Maintenant, il avait une nouvelle maison sur la plage, avec une nouvelle femme qui s'était visiblement fait refaire les dents et, sur l'île, chacun était conscient du danger qu'il y avait à laisser approcher l'ex-Mme Barger trop près de la nouvelle. Par solidarité avec Ellie, qui ne pouvait pas la sentir, Alice ne rendit pas son sourire à Mme Dents-Blanches.

– Qu'elle est mignonne ! éructa la nouvelle Mme Barger.

En acceptant ce job, Alice savait qu'elle devrait porter un polo bleu marine et un béret de matelot, mais elle ne se doutait pas que ce serait humiliant à ce point.

Elle n'avait pas vraiment d'autre choix pour se faire un peu d'argent sur cette île. Elle avait dû emprunter une très grosse somme pour payer ses études de droit, et il lui fallait encore gagner de quoi vivre. En plus, ici, les salaires étaient tellement bas qu'il fallait travailler deux fois plus. C'était aussi mal payé parce que la plupart des familles étaient aisées et que leurs enfants ne travaillaient que pour épater la galerie. Dans la journée, elle faisait du baby-sitting, mais le soir… il n'y avait pas tellement d'opportunités.

Il était difficile de se faire embaucher dans les restaurants chics de Fair Harbour ou d'Ocean Beach où les clients laissaient de vrais pourboires. Au yacht-club, au contraire, les professionnels ne restaient jamais bien longtemps, les enfants de l'île défilaient donc tour à tour, s'amusant à servir leurs parents. Les deux autres filles qui bossaient avec elle étaient on ne peut plus superficielles.

Le même problème se posait pour le baby-sitting, généralement sous-payé, comme s'il s'agissait d'une faveur de faire travailler la fille des voisins, qui n'était rien d'autre qu'une grande enfant, après tout. Alice en avait conclu que voisinage et copinage ne faisaient pas bon ménage avec les affaires.

En revenant au bar pour passer la commande des Kimball, elle s'aperçut qu'elle avait complètement oublié de servir ses parents. Bah! de toute façon, ils ne laisseraient même pas de pourboire, si ça se trouve…

À neuf heures, ses parents étaient partis à une fête, et elle avait les pieds en sang. Petit à petit, des amis à elle arrivaient au bar et, enfin, Paul fit son apparition, comme elle l'avait tant espéré – et redouté. Elle dut rassembler tout son courage pour le regarder dans les yeux avec son béret de marin sur la tête.

– Oh! Alice, souffla-t-il.

Soudain, elle se figea. C'était étrange… En filant dans la cuisine pour se ressaisir, elle comprit pourquoi: il avait prononcé son nom. D'un côté, elle était touchée qu'il lui donne tous ces petits surnoms (même si son cœur se serrait lorsqu'il les employait pour d'autres gamins). Mais en même temps, elle s'était toujours demandé pourquoi il n'arrivait pas à l'appeler par son prénom. À croire qu'il ne s'en souvenait pas.

Elle sentait encore sa joue contre sa poitrine. Comme il pouvait être proche, comme il pouvait être loin, alors qu'elle attendait, toujours à la même place.

Et là, il venait de dire son nom, et elle ne parvenait pas à savoir si ça les rapprochait ou si ça les éloignait.

*

Sa bière à la main, Paul se dirigea vers la salle de jeux, au fond du yacht-club. Il retrouvait presque l'odeur de sa transpiration d'adolescent. Les innombrables verres renversés et les traces de pieds nus et collants donnaient au sol sa patine si particulière. Paul se rappelait comme ses pieds devenaient noirs chaque été. Sa mère s'en apercevait un peu toujours au même moment et ça l'exaspérait. Chez Riley, on n'était jamais obligé de se laver les pieds avant d'aller au lit. Il y avait des dizaines d'années de crasse accumulées sur ce parquet. Et c'était pareil pour les murs : pas question de poncer ou de lessiver avant de vernir ou de repeindre, on se contentait d'étaler une nouvelle couche par-dessus l'ancienne.

Mais le décor délabré et crasseux du yacht-club lui plaisait. Il aimait l'air vicié et enivrant, le joyeux claquement de la porte battante. Il aimait les conditions d'adhésion au club : il suffisait de régler régulièrement sa note pour être membre. Et ce qui le ravissait par-dessus tout, c'est qu'il n'y avait pas un seul yacht dans les environs, pour la bonne et simple raison que le port n'était pas assez profond pour les accueillir.

Il avait sans doute hérité cela de son père. Un fils à papa qui voulait se la jouer cool. Mais Robbie avait poussé les choses beaucoup plus loin, lui. Il avait pris de la drogue, posé pour le fichier de la police, fait un « voyage spirituel » en Inde. Il vivait à une époque plus propice aux expériences limites. Et, plus sérieusement, pour son père, l'autodestruction n'était pas qu'un jeu, c'était une pulsion profonde. Après avoir disparu pendant trois jours, quand Paul avait quatre ans, Robbie était mort d'une overdose, tout seul, à l'hôpital.

Près de la fenêtre, le feutre vert du billard avait été lacéré et massacré par des générations de piètres joueurs. La table de ping-pong, à l'autre bout de la pièce, n'était utilisée pour cette fonction qu'occasionnellement, quand quelqu'un pensait à rapporter des balles du continent. Elles étaient toujours perdues, cabossées ou écrabouillées en moins de temps qu'il ne fallait pour le dire. Paul se rappelait avoir fait des parties avec des balles rebondissantes, et même des balles de tennis. L'été s'étirait, interminable, si bien qu'on pouvait passer un après-midi à adapter les règles de ping-pong au matériel disponible. Riley était très douée pour imaginer de nouveaux jeux. Elle avait toujours de bonnes idées. Certains enfants attachaient trop d'importance aux règles, même à celles qui venaient d'être inventées cinq minutes plus tôt. Mais Riley n'était pas comme ça. Elle aimait les règles, mais savait les faire évoluer au gré du jeu pour s'amuser.

L'estrade et son rideau bleu en lambeaux servaient au concours de jeunes talents qui se tenait chaque année au début des vacances, puis au spectacle du Labor Day, qui marquait la fin de la saison*. C'était l'occasion pour les filles de se maquiller et de porter des tenues moulantes à paillettes en faisant du play-back sur les plus mauvais tubes de l'été. À quinze ou seize ans, Paul et Riley avaient décidé de ne plus y participer, de ne même plus y aller. Lorsqu'ils entendaient les applaudissements charitables ou les acclamations finales (« Dieu merci, c'est terminé ! ») qui résonnaient jusqu'à la plage, ils marmonnaient « Tiens, c'est vrai », en faisant mine d'avoir oublié jusqu'à l'existence de cet événement.

La salle de jeux abritait également la séance de cinéma jeune public du jeudi soir. Les enfants entassés dans l'obscurité, le visage éclairé par la lumière de l'écran, les rires, les chuchotements, tout cela concourait à créer une ambiance féerique. Paul aurait été incapable de raconter un seul film qu'il avait vu là-bas, mais la magie du moment lui restait en mémoire. En grandissant, les enfants se rassemblaient toujours le jeudi soir, mais sans aller voir le film. Comme leurs parents profitaient de cette soirée pour faire la fête, ils savouraient leur liberté pendant qu'ils étaient censés être sagement assis devant l'écran.

En général, c'était une gouvernante qui s'occupait de Paul durant les vacances, tandis que sa mère rendait visite à ses amis, aux quatre coins de l'Europe. Il eut ainsi une gouvernante différente chaque été, de douze à dix-huit ans. Sans doute sa mère préférait-elle éviter qu'il ne s'attache à l'une

*NdT : aux États-Unis, les vacances d'été s'étendent traditionnellement de la fête nationale, le 4 juillet, à celle du travail, le Labor Day, célébrée le premier lundi de septembre.

d'elles par crainte de perdre sa place dans le cœur de son fils. De toute façon, Paul passait la majeure partie de son temps chez les voisins.

Ici, les enfants gagnaient une certaine indépendance bien plus tôt qu'ailleurs. Le principal prédateur des bambins et cervidés étant la voiture, biches et gamins s'y ébattaient en toute liberté puisqu'il n'y avait aucune voiture sur l'île. Un jour, Judy, l'accro des faits divers, avait affirmé :

– C'est l'un des rares endroits au monde où l'on n'a pas à craindre les enlèvements.

– Et si on se fait enlever par des extraterrestres, alors ? avait répliqué Riley.

Car c'était arrivé, sur l'île. En tout cas, c'est ce qu'il leur avait semblé. Rosie Newell, par exemple, avait dû se faire laver le cerveau par un alien ! Paul se rappelait cette soirée fatidique où elle avait voulu que tous les enfants forment un cercle. Le projecteur était en panne pour le troisième jeudi de suite et les plus petits étaient rentrés chez eux. Il restait une quinzaine de gamins entre onze et treize ans. Ainsi qu'Alice, bien sûr, qui devait avoir dix ans à l'époque. Il était assis entre les deux sœurs, il s'en souvenait très bien. Riley portait le tee-shirt qu'ils avaient peint au centre de loisirs l'année d'avant. Ils ne se doutaient absolument pas de ce que Rosie avait derrière la tête jusqu'au moment où, entourée par sa petite bande de mâcheuses de chewing-gum au nombril à l'air, elle avait brandi une bouteille vide d'un geste théâtral. Une bouteille de bière – de la Corona, pour être précis.

– Je suis prems, avait-elle décrété.

– Prems à quoi ? avait rétorqué Riley, d'un ton soupçonneux.

– C'est pourtant clair.

Rosie s'était tournée vers ses copines, des filles comme Becca Fines et Megan Cooley, en levant les yeux au ciel. Elle avait alors fait une petite démonstration.

– Tu fais tourner la bouteille. Si c'est une fille qui joue et qu'elle tombe sur une fille, elle recommence, avait-elle expliqué. Pareil pour les garçons.

– Et Riley alors, comment elle fait ? avait finassé Becca.

Toute sa petite bande avait ricané bêtement, en faisant mine de se cacher derrière sa main.

Ignorant l'insulte, Paul regardait dans le vide. Il voulait faire comme s'il n'avait rien entendu. Comme si Riley n'avait rien entendu non plus. Les tempes battantes, il n'osait plus remuer un cil.

– La ferme, Becca ! avait glissé Alice entre ses dents.

– Dégage, Alice, avait répliqué l'autre.

Paralysé, Paul gardait les yeux rivés droit devant lui, tandis que la bouteille tournait, tournait… et s'arrêtait.

– C'est tombé sur Paul ! annonça Rosie alors que la bouteille était plus près d'Alice.

Riley était déjà debout. Rosie se leva également, en fixant Paul d'un air aguichant.

– Faut que tu l'embrasses sur la bouche ! cria Jessica Loomis.

Cette nouvelle tira Paul de sa torpeur. Apercevant Rosie qui fonçait droit sur lui, il se mit debout et recula d'un pas.

– Tu n'as pas le choix, Paul. C'est le jeu, affirma Becca en mâchonnant son chewing-gum avec force.

– Il n'a jamais dit qu'il voulait jouer, répliqua Riley d'une voix calme.

– Je ne joue pas, c'est débile, ce jeu, annonça-t-il en regrettant de ne pas savoir, comme elle, conserver sa dignité. On s'en va.

– Poule mouillée, se moqua Rosie.

Riley se tourna vers leurs amis, Alex, Michael, Jared, Miranda. Paul s'attendait à ce qu'ils se lèvent pour les suivre, mais ils ne bougèrent pas. Les pestes du genre de Rosie en avaient toujours voulu à Riley parce que c'était une meneuse de bande et la seule fille avec qui les garçons voulaient jouer. Mais il fut surpris par la réaction des autres. Seule Alice leur emboîta le pas.

Après cet épisode, il se rappelait qu'ils avaient piqué trois barres au chocolat à l'épicerie, puis qu'ils étaient allés faire des ricochets sur la plage et que Riley avait battu tous les records. Enfin ils s'étaient baignés dans une mer si déchaînée qu'Alice avait failli se noyer. Mais cela n'avait pas suffi à leur changer les idées.

*

Le dimanche après-midi, Alice lisait sur la plage quand sa sœur la rejoignit. Elle se laissa tomber sur sa serviette et s'allongea à côté d'elle, en lui chatouillant les mollets du bout des orteils. Alice ne protesta pas car Riley n'allait pas rester, elle le savait. À part dans sa chaise de surveillante de baignade, elle ne tenait pas en place bien longtemps. Elle nageait sans arrêt, surfait si la mer s'y prêtait, c'était la reine du body surf ! Elle aimait jouer au beach-volley et, plus jeune, elle adorait construire des châteaux de sable. Même aujourd'hui, elle ne supportait pas de lézarder au soleil et ne lisait jamais, pas même des magazines.

Alice, elle, aimait lire. Elle se revoyait, assise à la petite table de la cuisine, dans leur appartement de New York. À l'époque, Judy corrigeait un gros bouquin pour un éditeur scolaire. Il y avait des tonnes d'épreuves empilées sur la table. C'était l'hiver car Alice portait de grosses chaussettes au lieu d'être pieds nus, elle s'en souvenait encore.

Ils habitaient le même trois-pièces sur la 98e rue Ouest, entre Amsterdam et Columbus Avenue, depuis qu'Alice était bébé. C'était tout près du groupe scolaire où Ethan enseignait l'histoire, et qu'Alice fréquentait depuis le CP. Riley y était allée aussi, jusqu'en CM2. C'était une bonne école privée et ils payaient moitié prix, ce qui expliquait peut-être en partie pourquoi ils avaient mis tant de temps à l'orienter vers une école spécialisée.

La scène se déroulait peu après Noël, car Riley avait reçu un album sur les dauphins qu'elle avait laissé traîner dans la cuisine. Alice l'avait ouvert pour faire la lecture à sa mère. Elle faisait son intéressante, elle le savait et elle en avait honte, rétrospectivement. En CE1, elle arrivait déjà à lire des livres destinés aux CM1 ou aux CM2. Elle avait déchiffré tous les mots, même les plus compliqués, sans aucune difficulté, et sa mère l'avait félicitée. Alice ne s'était pas aperçue de la présence de sa sœur, jusqu'à ce qu'elle la voie approcher, les lèvres serrées.

Riley lui avait arraché le livre des mains avec une telle violence qu'elle en était restée bouche bée.

– C'est à moi, avait-elle rugi avant de quitter la pièce à grands pas.

Alice avait toujours mieux supporté les échecs que sa sœur.

Elle revint à la plage, au soleil, avec sa sœur à côté d'elle, épaule contre épaule. Riley se pencha pour voir le titre de son livre.

– *Middlemarch*. C'est bien ? demanda-t-elle comme si elle envisageait de le lire.

– Génial.

– George Eliot était une femme, n'est-ce pas ?

– Oui, confirma Alice.

C'était agréable de sentir sa sœur tout contre elle. Quelles que soient leurs différences, elles avaient toujours été à l'aise ensemble, proches l'une de l'autre. Comme si le corps de sa sœur n'était pas vraiment distinct du sien. En se concentrant vraiment, elle arriverait sans doute à faire plier le genou de Riley. Tendrement, Alice appuya la tête contre l'épaule de sa sœur, comme quand elle était petite.

– Ça te dirait d'aller à Ocean Beach ? lui proposa Riley. Il y a le concours de châteaux de sable.

– C'est aujourd'hui ?

– Oui, j'ai vu l'affiche à l'épicerie. La remise des prix est à quatre heures.

– Allons-y ! décida Alice.

C'était l'un de leurs rituels au début de l'été. Riley se leva d'un bond et tendit les mains à sa sœur.

Ensemble, elles avaient construit des châteaux incroyables. Dès leur deuxième année de participation, elles avaient remporté le premier prix – et pas dans la catégorie enfant ! Alice avait encore la cocarde et la photo de leur chef-d'œuvre punaisée sur son panneau de liège, à New York.

Riley avait des idées audacieuses et ambitieuses. C'était une architecte talentueuse et une ouvrière forcenée. Alice, elle, avait la patience nécessaire à la construction, une grande capacité de concentration et savait suivre les ordres à la lettre. « Elle pourrait y passer des heures ! » s'était vantée Riley alors que l'un des juges regardait sa sœur lisser les murs avec application.

Leur château était un trésor de fantaisie et de légèreté, une prouesse architecturale. Véritable dentelle de sable, il n'avait pas cet air massif qu'ont la plupart des grands châteaux de sable. Mais leur plus extraordinaire projet était encore à venir : l'été suivant, alors qu'Alice avait quinze ans, elles s'inspirèrent librement du Chrysler Building* pour construire le célèbre Coquillage Building. Leur tour était tellement haute que les filles durent grimper sur un échafaudage en sable pour la terminer. Elle était entièrement recouverte de coquillages, que Riley avait ramassés et Alice minutieusement mis en place.

Mais elles s'étaient approchées trop près du soleil. Leur chef-d'œuvre atteignait de tels sommets niveau taille, finitions et splendeur qu'en comparaison les autres paraissaient ridicules. Le président du jury, agacé et au bord de l'insolation, les avait disqualifiées parce qu'elles n'étaient pas résidantes d'Ocean Beach et avait attribué le premier prix aux frères Pody, pour leur château fort médiéval on ne peut plus banal. Pire encore, le Coquillage Building avait été mystérieusement détruit avant qu'Ethan n'arrive avec son appa-

---

* NdT : célèbre gratte-ciel de Manhattan datant de 1930, haut de 319 m.

reil photo. Le monument ne demeura donc qu'un souvenir gravé dans les mémoires qui, au fil du temps, le magnifièrent et le grandirent encore.

– Je me demande si les frères Pody se sont inscrits, murmura Alice alors qu'elles longeaient le bord de mer.

– Ils sont nuls, répliqua Riley qui sautillait d'un pied léger à ses côtés.

Comme toujours, elle allait, venait, tournait autour de sa sœur qui avait au contraire tendance à marcher droit.

– Mais non ! protesta Alice.

– Si !

– Ils nous ont quand même battues.

– C'était de la triche.

– Jim Brobard, lui, il est vraiment nul.

– T'as raison.

– C'est lui qui a détruit le Coquillage Building.

– Comment peux-tu le savoir ?

– Je le sais, c'est tout.

Alice se pencha pour ramasser une pince de crabe.

– Tu la veux ?

Quand elles étaient petites, elles faisaient des échanges pour leurs collections respectives. Pour Riley, c'était facile. Elle collectionnait tout ce qui venait peu ou prou de la mer : coquilles et coquillages, pinces, étoiles de mer, dents et os. Une fois, elle avait déniché un fragment de mâchoires de requin qui avait empuanti toute la maison. Pas sentimentale pour un sou, elle jetait tout à la fin de l'été et recommençait sa collection l'année suivante. À l'inverse, Alice ne recherchait qu'un seul type de chose : des cailloux polis, translucides, d'un rose orangé bien précis. Elle les conservait soigneusement d'une année sur l'autre.

– Non, merci.

Riley lança la coquille marron foncé dans l'eau.

Elles commençaient à apercevoir un attroupement de gens en maillot de bain. Il y avait là une demi-douzaine de châteaux en compétition, qu'elles examinèrent un par un d'un œil expert.

– Celui-là, on dirait plus une grotte qu'un château, remarqua méchamment Riley.

– J'aime bien celui-ci. Classique, mais pas mal, fit Alice en désignant une réplique grossière du Panthéon.

– Arrête, il tombe en ruine !

Alice se tourna alors vers une construction sophistiquée, un peu à l'écart des autres.

– Les frères Pody ont remis ça ! Ils ont trop regardé *Le Seigneur des anneaux.*

Riley s'esclaffa.

– Où sont-ils ? C'est lequel qui t'avait proposé un bain de minuit sans maillot ?

Alice leva les yeux au ciel.

– Le plus jeune.

Il avait eu le culot de lui demander ça juste après l'incident de la tour – il avait encore son ruban bleu de vainqueur autour du cou.

– Bon, on y va ?

Alice n'avait pas envie qu'il continue à la reluquer. En plus, ce concours lui rappelait de mauvais souvenirs, finalement.

Elles continuèrent leur promenade sur la jetée, Alice choisissant soigneusement chaque pierre sur laquelle elle posait le pied, tandis que Riley bondissait comme un cabri. Elles s'assirent tout au bout, les pieds dans le vide, drapées dans un nuage d'embruns, eau et vent mêlés.

Plus tard, sur le trajet du retour, Riley se pencha pour ramasser un caillou.

– Regarde, Alice.

Elle le rinça dans les vaguelettes et le brandit à la lumière, ses doigts mouillés étincelant au soleil.

– Oh !…

Elle le posa au creux de sa paume pour que sa sœur puisse l'examiner.

– Il est parfait, non ?

Alice hocha la tête, toute contente.

– Parfait de chez parfait

C'était un caillou translucide du plus beau rose orangé, en forme de cœur ou presque. Une pièce de choix pour sa collection.

CHAPITRE 4

L'art de ne pas grandir

Le mardi suivant, Alice se retrouva soudainement sans enfant à garder, la famille pour qui elle travaillait étant partie sur le continent pour la journée. Elle aurait dû balayer le sable qui envahissait la maison ou expédier à sa mère les papiers qu'elle avait oubliés sur son bureau, mais elle préféra s'acheter un sandwich œufs-bacon à l'épicerie et aller se promener sur la plage. Elle finit son sandwich en haut des escaliers, sur la dune, pour éviter que Riley ne lui reproche d'avoir mangé sur la plage. La sœur de la sauveteuse en chef devait donner l'exemple.

Là-haut, elle avait une vue panoramique sur les environs, tout en étant au calme. Dans leurs maillots rouges tout droit sortis d'un épisode d'*Alerte à Malibu*, les surveillants de baignade écoutaient religieusement les bulletins météo et autres alertes qui leur étaient spécifiquement destinés. Ils y mettaient une certaine solennité, un protocole qui l'agaçait un peu et l'avait dissuadée de suivre les pas de sa sœur. Sans compter qu'elle avait un gros problème avec la brasse papillon.

La dernière bouchée de son sandwich graisseux avalée, elle s'accroupit pour se rincer les mains dans le pédiluve, étant donné que la douche était cassée. Elle était hors service depuis si longtemps que, si ça se trouve, elle avait été réparée, mais Alice ne pouvait pas le savoir car elle n'essayait même plus de tourner le robinet.

Finalement, elle ne descendit pas sur la plage comme prévu, mais se rassit en haut des marches, le menton dans une main. Peut-être parce que Paul était revenu, le monde paraissait avoir subitement changé et tout lui semblait un peu lointain.

En voyant Riley au milieu de ses collègues, elle fut frappée par sa petite taille. Elle le savait – sa sœur avait au moins dix centimètres de moins qu'elle –, mais d'habitude elle ne s'en rendait pas compte.

Sa mère affirmait qu'elle était plus petite que les autres membres de la famille à cause d'une maladie qu'elle avait eue enfant. Alice ne se rappelait plus le nom précis, mais elle savait que sa sœur avait failli mourir. Et que sa mère était tombée enceinte d'elle peu de temps après. Judy mettait également la dyslexie de Riley sur le compte de cette maladie. C'était son expression : « la dyslexie de Riley », comme elle aurait dit « le pull de Riley » ou « le poisson rouge de Riley ». À croire qu'elle tenait à mettre ses gènes hors de cause. Ou alors c'était encore une façon de compter les points avec son mari.

Alice avait toujours été fière de sa sœur parce qu'elle avait du cran et de l'énergie à revendre. Les faiblesses de filles comme la cellulite ou les chagrins d'amour, ce n'était pas pour elle. Elle ne se forçait pas à rire quand elle trouvait que ce n'était pas drôle (alors qu'Alice oui). Elle n'avait pas peur de l'eau. Elle ne ruminait pas des années quand elle était victime d'une injustice.

Alice était toujours aussi fière d'elle, mais aujourd'hui, avec du recul, elle se sentait aussi triste pour elle. Riley avait été la plus jeune surveillante de baignade de l'île. Maintenant, elle était sans doute la plus vieille. À vingt-quatre ans, rares étaient ceux qui pouvaient se permettre de passer tout l'été sur la plage. Les autres sauveteurs flirtaient, roulaient des mécaniques, elle le voyait bien, mais pas Riley. Ces nouveaux surveillants n'étaient visiblement pas là pour les mêmes raisons qu'elle à l'époque. Est-ce qu'elle était mieux intégrée avant, plus en phase avec ses collègues ? Ou Alice manquait-elle de recul alors pour s'apercevoir du décalage ?

Elle se sentait soudain le devoir de protéger sa sœur – quel retournement de situation.

Certaines personnes possèdent des dons qui ont une valeur inestimable dans l'enfance. C'était le cas de Riley. Elle n'avait peur de rien et elle montrait un sens aigu de la justice. Elle était naturellement douée pour le skate, la voile, la course et savait pêcher un poisson avec n'importe quel hameçon. Et grâce à ses talents de lanceuse, elle avait mené son équipe de base-ball à la victoire sept ans de suite. Elle était toujours la première à se mettre debout sur sa planche de surf. Elle était même douée pour des activités telles que les tours de cartes ou les jeux vidéo. C'était le genre de gamine avec qui tout le monde rêvait d'être ami, mais jamais elle n'abusait de son pouvoir.

Riley leur ouvrait la porte de mondes insoupçonnés : anciens cimetières, récifs inconnus, vallées, montagnes, trésors engloutis et même les créatures qui rampaient sous les planches de la promenade, trop immondes pour être nommées.

Riley leur donnait l'impression d'être les dieux de leurs mondes, mais sa sœur savait qu'elle en était l'unique déesse.

Elle avait une telle imagination qu'elle ne s'embêtait pas à distinguer ce qui était réel de ce qui ne l'était pas. Plus les autres grandissaient, plus ils attachaient d'importance à cela, mais pas Riley. Elle s'en moquait complètement.

La première année où, grâce à elle, l'équipe avait gagné le championnat de base-ball, Riley avait remporté deux coupes, et le soir, elle était venue dans la chambre d'Alice et lui avait tendu la plus grande.

– Tiens, c'est pour toi.

Ravie, Alice avait posé la coupe sur son étagère, au milieu des récompenses qu'elle avait reçues « pour sa participation ». Elle s'était dit que cette magnifique coupe en attirerait d'autres.

Mais rien ne s'était produit, et jour après jour, cette énorme coupe semblait narguer ses minuscules trophées. Si bien que, l'été suivant, Alice l'avait discrètement reposée sur l'étagère surchargée de sa sœur. Elle n'avait rien dit à Riley et elle ignorait si elle l'avait remarquée. Sa sœur avait beau être généreuse, Alice avait compris qu'elle ne pouvait lui faire partager ce qui comptait le plus.

La définition du mot « succès » semblait évoluer au fil du temps. Les filles très « girly » qui étaient mises à l'écart autrefois virent leur heure de gloire arriver l'été suivant la classe de quatrième, car les garçons commençaient à s'intéresser a celles qui avaient de la poitrine et mettaient du gloss.

Plus tard, c'est la réussite scolaire qui prit de l'importance : on cherchait à savoir qui était admis dans telle ou telle université. Puis leurs anciens amis se mirent à ne plus penser et à ne plus parler qu'argent et boulot.

Alice trouvait injuste que les dons si précieux dans l'enfance aient perdu tout leur prestige, réduits au statut de hobbies, tout au plus. Ce qui autrefois faisait la gloire de Riley n'avait plus de valeur aujourd'hui et elle était à mille lieues de tout ce qui était devenu important.

Alice glorifiait les qualités que possédait sa sœur. Elle vénérait Riley, qui assumait son rôle d'idole bienveillante et prenait toujours soin d'elle. Paul aussi, à sa manière, prenait soin d'elle. En retour, Alice mettait toute son énergie et ses maigres talents à les imiter, à aimer tout ce qu'ils aimaient, à rejeter tout ce qu'ils détestaient. Elle faisait de son mieux.

Mais elle eut l'impression de trahir Riley lorsqu'elle s'aperçut, bien plus tard, que ses qualités naturelles – son goût pour la communication, son sens de l'observation, sa prudence, son empathie – la préparaient mieux que sa sœur au monde adulte.

Et puis il y avait Paul. Qui cumulait tous les talents, ceux de l'enfance et ceux de l'âge adulte. C'était un bon élève, doté d'une plume subtile. Il avait un sens aigu de l'ironie et une façon d'être virile et élégante. Il avait de l'argent, un nom prestigieux – même s'il n'avait aucun respect ni pour l'un ni pour l'autre. Il était équipé pour passer triomphalement d'un âge de la vie à l'autre, et pourtant aucune période ne semblait lui convenir.

Mal à l'aise, Alice restait là, à regarder sa sœur, appuyant là où ça faisait mal, comme on titille une dent cariée. C'est extrêmement perturbant de plaindre une personne que l'on admire. Et c'est encore plus dérangeant de savoir que cette personne ne se rend pas compte qu'elle est à plaindre. Alice aurait préféré être comme elle, ne pas savoir. Elle refusait que les rapports s'inversent.

Mais elle avait le sentiment que, tout superficiels qu'ils étaient, les collègues de sa sœur avançaient dans la vie, comme elle, alors que Riley, fidèle à elle-même, n'évoluait pas.

*

– Le vent se lève, on pourrait sortir le catamaran, proposa Riley juchée sur son vélo, en rattrapant sa sœur qui rentrait d'un baby-sitting chez les Cohen.

– OK, allons-y, répondit Alice.

Elle n'avait pas le niveau de Riley, mais elle aimait la voile. Elle avait même remporté quelques prix… en équipe avec sa sœur, bien sûr.

– Je vais chercher Paul.

– Je crois qu'il travaille sur son mémoire.

Riley se retourna en souriant.

– Et alors ?

Alice s'efforçait tant bien que mal de sortir le voilier lorsqu'ils la rejoignirent, preux chevaliers sur leurs montures rouillées. Comme autrefois, ils prirent la relève, préparant nœuds et voiles avec des gestes vifs et précis. Puis ils mirent habilement le bateau à l'eau.

– Grimpe, Alice ! lui lança Riley.

Alice se tapit sur le trampoline, pour éviter le passage de la bôme. Paul poussa une dernière fois le cata avant de monter à bord d'un bond, suivi de Riley. La mer était agitée, et Alice était contente d'avoir un gilet de sauvetage. Elle aurait bien aimé que sa sœur l'imite, mais autant essayer de lui faire porter une jupe hawaïenne.

– You-hou ! s'écria Alice tandis que le voilier prenait de la vitesse, filant vers la haute mer.

Il gîtait déjà, en appui sur une seule coque. Alice se cramponnait à l'autre tandis que sa sœur s'affairait sur le trampoline, bordant les voiles comme si la gravité n'avait aucune prise sur elle. Même Paul s'écarta pour lui laisser les commandes.

– C'est un jour à sortir le spi... si on en avait un, remarqua-t-elle gaiement.

Il n'y avait qu'elle pour vouloir aller encore plus vite.

Ils fendaient les flots, appuyés sur une coque, l'autre dans les airs.

– Alice, prends la barre, ordonna Riley.

– Paul, fais contrepoids.

Chaque bourrasque menaçait de les faire dessaler. Paul se pencha donc en arrière autant qu'il le pouvait sans trapèze, pour contrer la force du vent qui les faisait gîter.

– Ha-ha ! s'exclama Riley, ravie lorsque le voilier pencha tellement que la bôme tapa dans l'eau de la baie.

Plus il y avait de vent, plus elle était heureuse. Elle aimait repousser les limites, quitte à parfois les dépasser.

– Vas-y, abats, Alice ! lui cria-t-elle.

Paniquée, Alice ne savait plus dans quel sens barrer et se

mit complètement face au vent. La voile se dégonfla brutalement et le bateau retomba avec violence, faisant basculer Paul par-dessus bord.

Alice hurla de peur et d'excitation mêlées. Riley lofa et tint la bôme pour permettre à Paul de remonter. Tout cela en riant. Pour elle, une sortie en voilier sans homme à la mer était une sortie ratée ! Et même si elle ne commettait jamais le même genre d'erreurs qu'Alice, elle ne lui en tenait pas rigueur.

Ce qui n'était pas le cas de Paul.

– Alice ! rugit-il. Tu sais ce que veut dire « abattre » ?

Il se hissa de nouveau à bord, furieux. Voyant qu'il voulait se venger, elle poussa un cri et se mit debout, en équilibre précaire sur le trampoline.

– Pardon, pardon !

Elle cherchait comment lui échapper, mais elle n'avait nulle part où aller. Elle recula jusqu'au bord de la toile, essayant de prendre appui sur la coque.

– Oh, non, non, tu vas y aller ! menaça-t-il en s'ébrouant.

Jamais il ne se baignait dans la baie de son plein gré.

– Paul ! cria-t-elle en riant.

Il l'attrapa en riant lui aussi.

– Désolé, minus !

– Nooon ! protesta-t-elle d'une voix haut perchée qu'elle détestait.

Elle sentit ses mains mouillées posées sur ses hanches resserrer leur étreinte.

– Paul ! Paul ! T'as pas intérêt !

Elle riait tellement qu'elle n'arrivait plus à respirer.

– Paolooooooo ! hurla-t-elle en tombant dans l'eau.

*

Assise en tailleur sur sa chaise, à trois mètres du sol, Riley regardait la mer. Elle aimait contempler le monde de là-haut. Pour le moment, il n'y avait pas de baigneurs à surveiller. C'était courant, et cela ne la dérangeait pas. Elle pouvait ainsi laisser son esprit vagabonder, voguer sur les flots, sans obstacles pour l'arrêter, à part peut-être les Açores. Tôt le matin, il n'y avait en général que quelques nageurs aguerris. Ils filaient vers le large et sortaient vite de sa zone de surveillance sans incident. Il y avait aussi des surfeurs mais elle ne les couvait pas du même regard que les baigneurs. Elle connaissait les surfeurs, et ils la connaissaient. Elle taquinait parfois les vagues avec eux, elle savait qu'ils avaient un grand respect pour ses capacités et son courage. Ils auraient préféré se noyer plutôt que de se faire sauver par elle.

C'était une habitude qui remontait à très loin, semblait-il, mais quand elle fixait l'océan, elle guettait toujours l'apparition d'un dauphin. Elle avait dû en voir dix dans sa vie depuis cette plage. Chaque fois, elle avait éprouvé une joie indicible et, en même temps, un étrange sentiment, qu'elle n'avait connu en aucune autre occasion. Une sensation d'incomplétude, d'insatisfaction.

D'après son père, bébé, son premier mot avait été « plouf », et le deuxième « sauter ». Elle les avait combinés pour décrire les dauphins de l'aquarium de Coney Island. Elle ne venait que pour eux, les deux célèbres dauphins, Marny et Turk, qu'ils avaient fini par considérer comme des membres de la famille. Riley adorait les regarder sauter dans une gerbe d'éclaboussures. Elle s'amusait même à jeter des petites pièces dans les toilettes pour les imiter, plouf! Elle en avait un vague souvenir, ou alors c'était parce qu'on le lui avait raconté. Pendant des années, lorsqu'ils n'étaient pas à la plage, ils avaient passé tous leurs dimanches à l'aquarium. Il était en plein air, ce qui faisait tout son charme. « Quand tu avais une idée dans la tête... », répétait souvent sa mère en référence à son insistance pour rendre visite à ses deux amis.

Dans sa bibliothèque, il n'y avait que des livres sur les dauphins; sur les murs de sa chambre, des posters de dauphins; sur sa housse de couette, des dauphins encore. La seule chose qu'elle aimait regarder, c'était un documentaire sur les dauphins que son père avait enregistré: dauphins communs, dauphins à bosse, dauphins à long bec, dauphins bleu et blanc – fendant les flots et sautant dans de grandes gerbes d'éclaboussures, plouf!

Pendant des années, elle avait supplié ses parents de l'autoriser à prendre le métro toute seule, et le jour où elle avait enfin eu la permission, à l'âge de onze ans, elle avait parcouru la ligne jusqu'au terminus pour aller à Coney Island voir Marny et Turk. Ils ne faisaient plus de spectacles, alors elle les avait simplement regardés nager. Elle avait aussi admiré les requins, les raies, les baleines et les narvals. Elle aimait bien les bestioles à poil – loutres, phoques et morses –, mais ils ne la faisaient pas rêver. Comme elle, ils étaient prisonniers sur la terre.

Et après avoir vu tout ce qu'elle voulait, enivrée par sa nouvelle liberté, elle avait poussé jusqu'à la fameuse plage, paradis de son enfance. Elle était bordée par une promenade où résonnaient des musiques de supermarché. Derrière se dressait un vieux parc d'attractions désert et des maisons délabrées. Tout cela avait un petit air de désolation et de mélancolie qui n'ôtait rien à la beauté d'une des plus grandes plages du monde.

Et, à sa grande surprise, comme un cadeau de la nature, alors qu'elle scrutait l'horizon, elle les avait aperçus. Ils étaient toute une bande, et sautaient si haut dans les airs qu'on voyait leur dos mouillé scintiller au soleil. Ils allaient, venaient, avec une agilité, une légèreté… Soudain, Riley se demanda s'ils savaient que, non loin de là, deux de leurs congénères dépérissaient, tournant en rond dans leur bassin. Elle se demanda s'ils arrivaient à communiquer, peut-être dans le silence de la nuit, quand la mer était calme. Que pouvait dire un dauphin libre à un dauphin captif? Pouvaient-ils seulement se comprendre?

Après cette rencontre, il ne lui fut plus possible de penser à ses anciens amis, prisonniers de leur aquarium, confinés dans leur espace clos, sans être triste. Elle avait réalisé, le cœur gros, qu'en dehors des spectacles ils ne sautaient jamais dans une grande gerbe d'éclaboussures, plouf!

Après cela, elle ne voulut plus en voir qu'en liberté.

CHAPITRE 5

Aller de l'avant

– Alice ! Alice ?

Riley la tirait par le pied.

– Quoi ?

– C'est une plage à la Alice !

– Ah bon ?

– Lève-toi, allez !

C'était déprimant de constater à quel point la fatigue changeait l'ordre de ses priorités. Alice dormait si profondément qu'en cas d'incendie elle aurait sans doute brûlé vive sans même souffrir.

– Tu es sûre ? demanda-t-elle d'une voix ensommeillée.

D'après son réveil, il était deux heures du matin passées.

– Alice !

– Oui, oui…

Bon, si l'épuisement lui faisait oublier ce qu'elle aimait, Riley serait toujours là pour le lui rappeler.

Elle se traîna hors de son lit avant que sa sœur ne le fasse. Elle la suivit, grelottante, en tee-shirt, culotte et chaussettes.

Riley était encore en pyjama. Quand elle était exaltée comme ça, Alice avait appris à la suivre sans poser de questions.

– Waouh! souffla-t-elle en voyant la lune se refléter dans quatre petits bassins. Ça fait longtemps que c'est comme ça?

– Depuis la marée, un peu plus tôt dans la nuit, expliqua Riley, radieuse.

S'il n'y avait qu'une seule plage à la Alice, dans un sens, toutes les plages étaient des plages à la Riley.

Alice ôta ses chaussettes pour patauger dans une flaque. C'était le bonheur, même le sable n'était pas visqueux comme il l'est habituellement sous l'eau.

– Je vais chercher Paul! annonça sa sœur en courant vers sa villa avant qu'elle ait pu protester.

Riley se moquait bien que Paul la voie en pyjama. Elle ne faisait pas de manières, ni avec lui, ni avec quiconque. Quand la plage était aussi belle, elle se fichait d'avoir l'air ridicule avec ses cheveux en bataille. Elle n'avait rien à cacher, alors qu'Alice, parfois, avait envie de se cacher tout entière.

Elle entendit sa sœur tambouriner à la porte. Et si Paul trouvait qu'ils étaient désormais trop vieux pour ce genre de choses? Oh non! ce serait trop triste.

Comme de nombreuses personnes, dont peut-être Paul, Alice s'était découvert à l'adolescence une véritable passion pour le sommeil, mais ce n'était certes pas le cas de Riley. Cela ne l'intéressait pas plus que lorsqu'elle était en maternelle. Une plage magique sous la lune orangée, la perspective d'apercevoir un dauphin lui paraissaient bien plus attrayantes.

Un jour, elle l'avait tirée du lit à l'aube pour voir des dauphins. Mais le temps qu'Alice la rejoigne en titubant sur la plage, toute trace de leurs dos ronds à la nageoire élancée avait disparu.

– Désolée, avait fait Riley, avec une sollicitude inhabituelle.

– Ce n'est pas grave, je suis contente d'être debout de bonne heure, avait-elle répondu.

– Non, je suis désolée que tu aies manqué les dauphins, avait corrigé solennellement sa sœur.

Alice vit alors un Paul tout ensommeillé faire son apparition sur le sable en caleçon.

– Hé, c'est une plage pour toi, minus ! s'écria-t-il en lui souriant.

Elle s'assit au milieu de son petit bassin, cernée par le reflet de la pleine lune. Le frisson qui la parcourut suffit à brouiller le beau disque argenté. Elle s'efforça alors de rester le plus immobile possible pour ne pas rider la surface de l'eau.

Paul et Riley s'assirent au bord pour y tremper les pieds.

– Je suis dans la lune, déclara Alice, aux anges.

Paul l'éclaboussa de gouttelettes étincelantes.

– Regardez l'océan, fit Riley.

Il grondait au loin, furieux d'avoir oublié quelques flaques sur le sable, pressé de les récupérer. Mais la lune avait d'autres projets.

– C'est marée descendante, constata Paul.

– On pourrait se baigner, proposa Riley.

C'était ce qu'Alice redoutait. Elle en avait honte, mais elle n'aimait pas tellement nager en pleine mer la nuit. Et elle ne voulait pas qu'ils l'apprennent.

– Ouais, allez !

Riley était déjà debout, courant vers les flots.

Alice était heureuse dans sa petite mare. Mais en les voyant ôter leurs tee-shirts pour entrer dans l'eau, ses angoisses se dissipèrent, laissant place à sa plus vieille peur, la peur de la petite sœur, celle d'être laissée derrière, de ne pas pouvoir suivre. Plus terrible encore que la peur des requins, des lames de fond et des mystères insondables que recelait l'océan la nuit.

Elle voyait juste leurs têtes flotter comme des bouchons. Riley devait raconter une blague à Paul. Elle se leva pour les rejoindre, craignant que, s'ils ne s'éloignaient trop, elle n'ait plus sa place avec eux.

Paul et Riley enjambaient d'un même élan les obstacles de la vie, tandis qu'elle hésitait avant de sauter. Le dilemme qui se posait à elle à cet instant était : enlever son haut ou pas ? Mais elle n'avait pas de maillot de bain, pas même de soutien-gorge. Elle nagerait en culotte. Sinon, si elle gardait son tee-shirt, elle n'aurait rien de sec à mettre en sortant. Riley s'en fichait et Paul n'y ferait sans doute pas attention, mais cette question cruciale fit naître d'autres questions. Sur l'île, ça ne gênait personne de se déshabiller pour piquer une tête, mais Alice si. Et si elle filait chercher son maillot à la maison ? Oui, mais est-ce qu'elle en avait un propre ? Elle avait laissé un tas de linge sur la machine, sa mère l'avait-elle lavé ?

Paul et Riley nageaient tranquilles, la tête tournée vers les étoiles, pendant qu'elle se tracassait pour un tas de linge sale.

« C'est à toi de mettre de la magie dans ta vie », aurait dit Riley.

Alice ôta son tee-shirt et plongea. Elle essaya de les rattraper, mais ils étaient déjà loin. Ses mouvements, habituellement amples, étaient crispés par la peur. La décontraction n'était pas une de ses qualités premières. Elle entendait l'eau sombre bourdonner dans ses oreilles, elle sentait sa profondeur sous ses pieds, cet espace infini tout autour d'elle. Son cœur s'emballa, brisant le rythme et l'enchaînement de ses mouvements.

Elle se dirigeait vers le phare, mais elle était constamment déviée de sa trajectoire. Elle devait lutter contre le courant qui la ramenait vers la plage.

Elle mit plus d'énergie encore dans ses battements, le souffle court. Levant la tête, elle constata pourtant qu'elle avait à peine avancé. Et le faisceau du phare lui apprit que Paul et Riley n'étaient plus dans l'eau mais sur le sable. Ils avaient cessé de lutter contre le courant, regagnant tranquillement la maison à pied.

Elle s'empressa de les rejoindre. Leur courut après, les bras croisés sur les seins, sa croix en argent battant contre sa poitrine.

Remarquant que sa sœur était en maillot de bain, elle se sentit encore plus mal. Quelle que soit sa tenue, Riley avait toujours un maillot en dessous, au cas où. Paul était torse nu et son caleçon trempé collait à sa peau. Elle admira son dos, un dos viril, sculpté par des années à nager plus vite que tout le monde.

Riley avait plusieurs centimètres de moins que lui, mais elle marchait vite. Elle avait les épaules carrées et des hanches aussi étroites qu'un petit garçon. Elle secouait ses cheveux mouillés sans faire de manières.

D'un pas pressé, stressé, Alice parvint enfin à les rejoindre, eux qui marchaient si calmement, posément. Mal à l'aise, elle était à nouveau taraudée par des questions sans fin. Elle aurait voulu que Paul la remarque, mais elle avait aussi envie de reprendre son tee-shirt pour l'enfiler aussi vite que possible. Elle aurait aimé se replonger jusqu'au cou dans son bain de lune pour enfin pouvoir s'avouer que penser à Paul était un plaisir poignant, une douleur douce.

Elle connaissait l'angoisse d'être laissée derrière, mais elle avait aussi peur de passer devant.

*

Le lendemain, Alice lui rendit visite pendant qu'il travaillait sur son mémoire. Au début, il fut surpris, il se demandait ce qu'elle lui voulait. Il avait été troublé de la voir ainsi cette nuit, nue et frissonnante sous la pleine lune. Et encore plus de constater à quel point son corps avait réagi à la vision du sien. Il avait honte, maintenant, à la lueur de cette nouvelle journée, de toutes les pensées agréables qui avaient traversé son esprit ensommeillé.

Il craignait qu'elle ne se réveille tout à coup de l'amnésie qui les avait frappés à la suite de la coupe de cheveux, et il était prêt à l'envoyer promener, prêt à la rembarrer si elle lui posait des questions sur ce qu'il faisait. Il était tellement prêt, en fait, qu'il fut presque déçu qu'elle ne lui demande rien. Au lieu de ça, elle bâilla comme un chat et s'installa sur son lit défait, le dos tourné, regardant la mer par la fenêtre.

– Fini la plage à la Alice, murmura-t-elle.

– Elle ne dure jamais longtemps.

Elle lui lança un regard inquiet par-dessus son épaule.

– Mais elle revient toujours.

– Faut croire.

Il se replongea dans ses notes ou, en tout cas, fit comme si. Il la revoyait cette nuit sur la plage, les bras croisés sur ses seins. Et voilà qu'elle était allongée sur le lit où il avait rêvé d'elle. C'était les mêmes bras, la même poitrine, mais moins provocants, sous ce tee-shirt marron délavé.

Le soleil entrait à flots dans la pièce. Elle roula sur le côté pour le regarder. Elle était si belle, difficile de détourner les yeux.

– Tu devrais y aller, Alice. Il faut que je travaille.

Il était agacé et cela perçait dans sa voix.

« Je ne peux pas travailler avec toi à côté. Je ne peux pas contrôler mes pensées. »

Elle quitta la pièce, l'air blessé, les yeux brillants, et il eut honte de lui.

Après son départ, il n'arriva pas davantage à penser à Kant. Il ne pensait qu'à Alice. Elle était si belle, si pleine de couleurs : le roux cuivré de ses cheveux, le vert doré de ses yeux, le rose de ses joues, le noir de ses cils. Comme dans la chanson des Rolling Stones : *She comes in colors everywhere. She combs her hair. She's like a rainbow**. Quand elle était petite et qu'il l'emmenait partout, il trouvait déjà qu'elle était la plus jolie.

NdT : « Elle est pleine de couleurs. Elle se peigne les cheveux. Elle est comme un arc-en-ciel. » Chanson extraite de l'album *Their Satanic Majesties Request*.

Bizarrement, il pensa à la croix qu'elle avait autour du cou. Il avait oublié son existence jusqu'à ce qu'il la voie hier soir sur sa poitrine nue. Il se sentit honteux en se remémorant la foi fervente dont elle faisait preuve enfant, et dont il essayait sans cesse de la détourner.

Un soir, il était allongé à côté d'elle – elle devait avoir huit ans et lui onze –, il était parti de chez lui, pour les mêmes raisons que d'habitude. Elle n'arrivait pas à dormir et, en se glissant sous les couvertures, il avait trouvé un rosaire entre ses mains. Cela l'avait mis hors de lui et il lui avait dit que Dieu n'existait pas.

– Et le diable, alors ? avait-elle demandé.

Ils étaient restés un moment sans parler. Il croyait qu'elle s'était endormie lorsqu'il l'avait entendue remuer. Il revoyait encore son petit visage, mangé par ses grands yeux brillants et sérieux.

– Et le petit Jésus, alors ? avait-elle insisté.

Il avait ricané méchamment.

– Alice, l'un ne va pas sans l'autre.

Quand il y repensait, c'était ce dont il avait le plus honte dans sa vie : toutes les fois où il avait été méchant avec elle, exprès, volontairement. Et il y en avait tellement. La preuve qu'il n'était pas quelqu'un de bien. Il se mettait en colère après elle pour des tas de raisons, alors qu'en réalité il ne lui reprochait qu'une seule chose : de lui avoir pris son cœur et de refuser de le lui rendre.

Elle ne le méritait pas. Elle méritait mieux.

*

Autrefois, quand la mer était calme, Riley le laissait parfois s'asseoir à côté d'elle là-haut, dans sa chaise. Le lendemain, Paul fut profondément touché qu'elle se serre pour
lui faire une petite place.

– Qu'est-ce que t'as ? lui demanda-t-elle.

– Comment ça ?

– Je ne sais pas.

Paul essaya de se détendre pour que son visage reprenne
une expression normale, mais ce n'était pas évident. Tous
ses muscles étaient contractés. Il était difficile de cacher
quelque chose à Riley, et tout autant d'être honnête avec
elle.

Il se sentait coupable vis-à-vis d'Alice, mais ce n'était pas
le pire. Il aurait préféré que la culpabilité domine, ça aurait
signifié qu'il avait le dessus. Or c'était faux, il faisait semblant, c'est tout.

Quelle drôle de façon d'aimer.

Qu'est-ce qui clochait chez lui ? Pourquoi ne pouvait-il
pas l'oublier ? Ou, au moins, être gentil avec elle. Il alternait
depuis trop longtemps : un jour, il l'aimait ; le lendemain, il
la punissait pour ça.

– Trevor a vu un requin, ce matin.

Hum ! l'une des raisons de ce comportement schizo-
phrène était justement assise à côté de lui et balançait ses
jambes dans le vide.

Paul haussa les sourcils.

– C'est vrai ? Quelle espèce ?

Il s'efforçait de paraître intéressé. Ils avaient toujours été
fascinés par les requins, tous les deux. Riley préférait mille
fois les dauphins, mais quand même.

– Un requin nourrice, vraisemblablement.

Il hocha la tête en disant :

– Pas un gros, hein ?

Un gros requin, c'était son grand rêve. Mais il avait toujours eu un peu peur de ses rêves.

– Pas si petit que ça, quand même, répondit Riley.

– Ah !...

Il était content d'être à côté d'elle, car c'était un repère, pour lui et pour Alice, il le savait. Riley avait une conception très simple de la vie et, quand on regardait le monde à travers ses yeux, on arrivait à voir les choses plus simplement. Comme pour les images en relief. On les fixe encore et encore et, tout à coup, cet embrouillamini de lignes devient une image en trois dimensions. Mais dès qu'on cligne des yeux ou qu'on tourne la tête, c'est fini.

Riley avait des certitudes. Le reste du monde pouvait se moquer, évoluer autour d'elle, elle tenait bon. Il avait cru être comme ça, lui aussi, autrefois. Elle ignorait des pans entiers de la vie qui pour les autres étaient une véritable obsession. Elle ne torturait pas les gens qu'elle aimait, et ne se torturait pas pour eux. Elle restait simple. Elle tablait sur ce qu'elle avait, point.

Elle s'imaginait qu'il était resté comme ça. Elle ne réalisait pas à quel point il en était loin. Heureusement qu'elle ne pouvait pas voir dans sa tête.

– Tu te souviens de notre partie de pêche en haute mer sur le bateau de Crawford ? lui demanda-t-il.

– Laquelle ?

– La première fois. Quand on avait douze ans, tu sais, tu avais attrapé un requin-tigre.

Une étincelle brilla dans les yeux de Riley, mais ça ne signifiait pas forcément que ça lui disait quelque chose.

– Un vrai requin-tigre ?

– Tu as oublié ?

– Raconte-moi. Je vais essayer de me rappeler.

– Il s'est débattu comme un fou sur le pont, tu te souviens ? Crawford nous criait dessus. Il paniquait complètement parce que le requin était plus gros que toi.

– Et qu'est-ce qui s'est passé ? demanda-t-elle.

Elle adorait ce genre d'histoires.

– Tu as déniché un marteau et tu en as fichu un grand coup sur la tête de cette pauvre bête.

– Ça a marché, non ?

– Impeccable. Tu ne te rappelles vraiment pas ?

Il voyait bien qu'elle n'en avait aucun souvenir. C'était très étrange, elle adorait ce genre d'anecdotes, elle adorait entendre le récit de ses exploits, mais elle ne se les rappelait jamais. Ils étaient si nombreux !

Il regarda ses pieds, le bracelet de cheville qu'elle avait depuis l'adolescence. Le même maillot de bain. Les mêmes cheveux coincés derrière les oreilles, toujours de la même façon.

Pour lui, cette histoire de requin-tigre, c'était du passé, un épisode palpitant, qui n'arrivait qu'une fois dans une vie. Il lui rappelait une époque, des émotions particulières. Il l'avait archivé dans sa mémoire, c'est pour cela qu'il s'en souvenait. Mais il sentait que Riley n'avait pas classé l'affaire. Pour elle, ce n'était pas du passé, elle vivait encore dans cette époque.

– On devrait recommencer, proposa-t-elle. Crawford fait toujours des sorties en haute mer.

Paul hocha la tête avec enthousiasme, mais il avait la gorge serrée. Ils ne pouvaient pas recommencer. Il avait changé, il ne pourrait que faire semblant d'être comme autrefois et il ne voulait pas risquer de la décevoir.

CHAPITRE 6

Et Dieu créa Alice

Alice faillit tomber à la renverse en découvrant sa sœur encore au lit le lendemain matin.

– Qu'est-ce qui t'arrive ? s'inquiéta-t-elle

– J'ai mal à la gorge.

Elle s'assit au bord du lit. Riley était enveloppée dans son vieux couvre-lit en patchwork décoloré. Jamais elle ne l'avait vue rester à l'intérieur par un si beau temps. Elle posa la main sur son bras, puis sur son front.

– Tu es chaude.

– Pas de vulgarité, s'il te plaît !

– Ma sœur, au lit, c'est un scoop.

D'habitude, ce n'était pas un coup de froid qui arrêtait Riley. Elle pouvait se baigner dans l'eau glacée, attraper un rhume terrible et recommencer le lendemain.

– Mm !…

Alice voyait bien que chaque syllabe lui coûtait.

– Tu as pris quelque chose ? Je vais te chercher un Advil et du jus d'orange.

Riley ne prenait jamais de médicaments. Elle n'aimait pas avaler des cachets.

Lorsque Alice revint avec le verre, elle était encore plus emmitouflée dans sa couverture.

– Ce n'est pas si désagréable d'avoir de la fièvre. Je fais plein de rêves.

– De beaux rêves ?

– Certains. Toutes sortes de rêves. On ne peut pas vraiment faire le tri.

– Tu veux que je reste avec toi ?

Si elle avait été à sa place, elle aurait aimé que Riley lui tienne compagnie et qu'elle ou sa mère lui prépare une bonne tisane, mais sa sœur n'avait jamais aimé être maternée.

– Non, ça va. Je serai sur pied demain.

– Tu es sûre ? Tu ne veux pas que j'appelle le Dr Bob ?

– Pas de docteur.

– Et une petite tartine grillée ?

– Non merci.

– Un bol de Rice Krispies, alors ?

– Non.

– De la soupe à la tomate ?

– Alice, tu peux me laisser, s'il te plaît ?

Lorsqu'elle revint la voir après le déjeuner, en sortant de son baby-sitting chez les Cohen, Riley n'était plus dans son lit, ce qui la rassura. Elle était sans nul doute perchée sur sa chaise de surveillante de baignade. Alice se rendit chez Paul par le chemin de derrière.

– Y a quelqu'un ?

– Monte, cria-t-il de sa chambre.

Il était à son bureau, avec son portable en veille au milieu de toute sa paperasse éparpillée. Elle remarqua une mèche de cheveux qu'elle n'avait pas assez coupée, mais n'en dit rien.

– On va se balader jusqu'au phare ? lui proposa-t-elle.

Il secoua la tête.

– On va se chercher un sandwich au saucisson ?

– C'est tentant, mais non. Il faut que je finisse mon boulot.

Aujourd'hui, elle avait la nette impression de se voir opposer un refus à tout ce qu'elle proposait.

– Tu as fait combien de pages ?

– Hier soir, j'en étais à la page sept. Maintenant, j'en suis à la trois.

– Je crois que tu es parti dans la mauvaise direction.

– J'ai tout effacé, c'était nul.

– Pas de sandwich, alors ?

– Tu veux bien m'en rapporter un ?

Elle le regarda, vexée.

– OK C'est pas grave.

En regardant les eaux grises de l'océan par la fenêtre, elle remarqua une silhouette enveloppée dans une couverture. Elle réalisa alors que c'était le couvre-lit en patchwork de Riley et qu'il devait donc s'agir de sa sœur.

Elle laissa Paul à son travail et sortit sur la plage. En approchant, elle vit sa sœur recroquevillée dans les dunes, face à la mer, mais les yeux fermés. Elle commençait à paniquer quand Riley ouvrit les paupières et lui sourit.

– Comment tu te sens ? lui demanda-t-elle.

– Bien.

Elle s'assit, serrant son patchwork autour de son cou.

Ses yeux brillants et ses joues rouges trahissaient qu'elle avait de la fièvre.

– Tu es sûre ?

Elle regarda autour d'elle.

- Mm ! je te confirme que je fais de très beaux rêves.

*

– Alors, Paul, c'est comment, la Californie ? demanda Judy, curieuse.

Alice, qui était en train de couper des tomates pour la sempiternelle salade du samedi soir, avait un peu pitié de lui.

– C'est fini. Je suis parti.

– Pour de bon ?

– Je crois, oui.

– Ah bon ?

– Je crois.

Pour dîner avec eux ce soir, Paul devait subir l'interrogatoire parental, c'était le prix à payer. Mais finalement ça ne déplaisait pas à Alice. Jamais elle n'aurait osé poser de telles questions, cependant elle avait très envie d'en connaître la réponse. C'était pareil au lycée, malgré sa curiosité, elle n'osait jamais demander à ses amis à quelle université ils postulaient. Et ce soir, elle se sentait un peu coupable de laisser sa mère faire le sale boulot.

– Riley nous a dit que tu travaillais dans une ferme.

Paul eut un sourire amusé.

– Plusieurs fermes.

– Ah ?

– J'avais monté un projet, dans le cadre d'une action gouvernementale, mais finalement il n'a pas été retenu.

– Désolée de l'apprendre. On trouve ça très bien que tu sois fidèle à tes idéaux, tu sais ? fit Judy découvrant dans un sourire ses dents maculées de rouge à lèvres orange.

Alice se mordit l'intérieur de la joue.

– Mm ! ouais.

– Tu me rappelles ton père, affirma Ethan, dans ce qu'il avait de mieux.

Mais Paul restait fermé.

– Oui, c'était aussi un pro des ratages politiques, répliqua-t-il.

Alice vit l'émotion se peindre sur le visage de son père. Il avait été très affecté par ce qui était arrivé à Robbie et il adorait Paul. Riley se décrivait toujours comme le fils qu'il n'avait jamais eu, alors qu'en réalité ce fils, c'était Paul.

Pourtant celui-ci ne cessait de le repousser.

Il y avait eu une époque où cet attachement était réciproque. Paul s'était accroché à Ethan comme une moule à son rocher, il imitait ses moindres gestes, reprenait ses idées et ses expressions. Mais par la suite, il s'était éloigné de lui. Alice n'aurait su dire quand exactement. Elle avait mis cela sur le compte de la crise d'adolescence. De la grande rébellion de Paul.

Mais cela continuait. Elle se demandait pourquoi. Elle les regarda, tour à tour.

– Vous savez si Riley dîne avec nous ? demanda Judy.

Alice monta la voir dans sa chambre. Elle la trouva au lit avec son ordinateur portable sur les genoux. Riley avait des horaires assez fantaisistes et elle avait tendance à ne pas trop se montrer quand ses parents étaient là. Alice comprit alors qu'elle n'avait pas dit à sa mère qu'elle était malade.

– Tu dînes avec nous ?

– Non.

– Comment tu te sens ?

– Bien, répondit sa sœur sans même lever la tête.

Il n'y avait pas de places attribuées à table. C'était une table ronde, en bois de couleur chaude, tellement rayée et abîmée qu'on ne distinguait plus la surface d'origine. Les chaises étaient des reproductions de style Windsor, achetées en solde chez Macy's une dizaine d'années auparavant. Alice avait arpenté les allées du grand magasin, découvrant avec ravissement les décors de salon ou de chambre, agrémentés de plantes en plastique et de télés factices. Elle s'asseyait dans un canapé, s'allongeait sur un lit, s'imaginant une nouvelle vie chaque fois. C'était drôle de voir tant de pièces minuscules coexister dans un immense espace, sans murs pour les séparer. Voilà le seul souvenir qu'elle avait d'un achat de meubles en famille.

Il y avait une immense baie vitrée au-dessus de l'évier, mais elle ne donnait que sur les roseaux, avec une vue partielle de la maison de Paul. Les placards et le plan de travail étaient en Formica blanc tout rayé et déformé, laissant apparaître par endroits l'aggloméré gonflé par l'humidité. Alice savait que sa mère rêvait de beaux placards et d'un évier en Inox étincelant comme ceux de leurs voisins. Mais son père répliquait toujours : « Judy, c'est une maison de vacances », comme si c'était la seule et unique explication à cette vétusté.

C'était intéressant de voir jusqu'où les gens pouvaient

aller pour se justifier. Son père tenait de longs discours pour étayer sa théorie du confort spartiate et dénoncer la vulgarité des maisons de vacances trop luxueuses. Elle se demandait s'il changerait d'avis avec un million de dollars en poche.

Paul avait adopté la même philosophie, alors qu'il possédait vraisemblablement cette somme sur son compte. Mais il avait des principes, tandis que son père avait ses raisons. Et tous les deux, ils avaient leur fierté.

Leur maison avait été bâtie dans les années 1970, sans faire grand cas du design ou de la qualité des matériaux. Le bois le plus mince, le lino le plus moche, les équipements les moins chers. Les poignées de porte paraissaient légères et tremblaient sous la main. À se demander si le constructeur l'avait fait exprès. Riley en était intimement persuadée. Mais, même si Alice était consciente de tout cela, c'était l'endroit au monde qu'elle préférait et il lui manquait dès qu'elle s'en éloignait.

Il y avait trois petites chambres au premier étage et une minuscule au rez-de-chaussée. Elle avait tour à tour servi de labo photo, d'atelier de peintre, de studio d'enregistrement et avait même accueilli, brièvement, un métier à tisser. Tout cela au gré des hobbies éphémères et des délires soudains de son père. Les délires requérant des aménagements plus farfelus et des équipements plus coûteux encore que les hobbies. Aujourd'hui, cette pièce abritait les vestiges de cette histoire mouvementée, avec, en outre, une caisse d'haltères, et finissait sa carrière en tant que débarras.

Alice se doutait que si ç'avait été sa mère qui avait hérité cent mille dollars de son père en 1981, elle aurait fait de cette pièce une chambre d'amis, un petit salon ou, mieux, un bureau pour y écrire ses articles et bouquins. Le père d'Alice n'était pas très bien payé en tant que prof, mais son grand-père avait été un avocat de renom. Et même si papy Joseph était un parieur invétéré, il leur avait permis d'acheter cette maison et, ce faisant, d'accéder à ce monde prospère qui n'était pas le leur.

Le seul grand luxe de cette maison était la bignone qui courait le long de la clôture et grimpait sur la charmille, et dont les exubérantes fleurs orangées attiraient une multitude de colibris. C'était un mystère qui les laissait tous sans voix. Leurs plants de tomate en pots jaunissaient, leurs pervenches fanaient, leur basilic s'étiolait. Toutes leurs plantations dépérissaient immanquablement, et la seule plante dont ils ne s'occupaient pas prospérait.

Certaines de ses branches étaient si lourdes que la clôture ployait sous leur poids. Alice et son père se chargeaient donc de les tailler, attaquant leur seule gloire à grands coups de sécateur. Mais les fleurs revenaient, toujours plus abondantes, comme les enfants que l'on repousse ou les désirs que l'on refrène.

Sur la façade sud, toutes les fenêtres du premier étage, y compris celles de la chambre d'Alice, donnaient sur la superbe villa de Paul, ses deux étages, son toit de bardeaux. Il y avait quelque chose de tolstoïen à comparer la beauté presque parfaite qui s'en dégageait à la simplicité accueillante de leur propre maison. L'extérieur de la villa faisait partie de son paysage, mais elle en connaissait à peine l'intérieur. Le soir les fenêtres étaient rarement éclairées, si bien qu'on ne pouvait pas voir au travers. Pour chaque millier d'heures que Paul avait passé chez elle, elle avait dû passer une heure chez lui. Sa villa déserte contemplait l'océan, et ils la contemplaient.

On aurait pu croire qu'elle avait été construite après la leur – c'était une manie sur cette île, les uns essayaient toujours de voler la vue des autres. Mais, en réalité, la villa de Paul datait des années 1920, même si elle avait dû être reconstruite et légèrement déplacée après la tempête de 1938. Le constructeur de leur misérable demeure avait délibérément choisi de l'installer dans l'ombre d'une bâtisse plus vaste et plus cossue. Ce qu'Alice interprétait comme une preuve supplémentaire de son manque d'amour-propre.

– Alors, Paul...

Judy reprit son interrogatoire avec une vigueur renouvelée en attaquant les côtes de porc au barbecue d'Ethan, sèches et dures comme des semelles.

– Qu'est-ce que tu vas faire à la rentrée ?

Paul aurait pu jeter son assiette par terre pour lui dire de lui lâcher les baskets, mais il était toujours plus patient avec elle que ses propres filles.

– Il faut que je finisse un mémoire pour l'université de Berkeley et j'espère pouvoir m'inscrire en maîtrise de philosophie et sciences politiques.

Judy marqua son approbation d'un vigoureux hochement de tête. Elle avait toujours eu de grands projets pour Paul.

– Et tu voudrais la faire dans quelle fac ? demanda prudemment Ethan.

Le regard d'Alice allait de l'un à l'autre comme si elle assistait à un match de tennis. Enfin, c'était plutôt un match à deux contre un, et elle soutenait clairement le joueur solitaire.

– J'ai reçu une réponse de principe de l'université de New York. L'un de mes profs de Berkeley est parti là-bas et il a appuyé ma candidature, expliqua-t-il. Je pense y faire ma maîtrise.

Alice ouvrit la bouche, mais sa mère la prit de vitesse.

– Oh, mais c'est génial ! s'écria-t-elle. Tu seras avec Alice, alors ! Vous pourrez vous voir souvent.

Elle couva sa fille d'un œil empli de fierté.

– Sauf qu'elle aura un emploi du temps chargé. La première année de droit, tu sais ce que c'est !

*

– Alors, comme ça, tu vas faire du droit ?

Paul l'entraîna hors de la maison dès qu'ils eurent fait honneur aux côtes de porc de son père.

Elle cligna des paupières, sans trouver quoi répondre. La franchise et la brutalité de la question l'avaient prise de court. Ils étaient bien loin de leurs sujets de conversation habituels.

– Pourquoi tu ne me l'as pas dit ? insista-t-il.

Pourquoi ? Parce qu'il ne le lui avait pas demandé. Depuis quand était-elle censée lui rapporter tout ce qu'elle faisait dans la vie ou, Dieu l'en préserve, lui demander ce qu'il faisait de la sienne ? Elle aurait aimé pouvoir répliquer ça tout haut.

– Paul, se contenta-t-elle de protester.

Qu'est-ce qui lui prenait ?

– Du droit, répéta-t-il.

– Oui, où est le problème ?

Il secoua la tête comme si cela posait une telle quantité de problèmes qu'il était impossible de les énumérer. Il se dirigeait vers la plage, mais finalement fit demi-tour et prit le chemin du village. Ce n'était pas une conversation qu'il souhaitait avoir en terrain sacré.

– Tu veux devenir avocate ?

– Tu dis ça comme si j'envisageais de devenir braqueuse de banque !

– Je préférerais mille fois que tu braques des banques !

Les muscles de sa mâchoire étaient crispés, ses sourcils se rejoignaient au-dessus de son nez. Soudain transparaissait toute la violence qui effrayait la plupart des gens.

– Et puis, il y a plein de gens qui font du droit sans pour autant devenir avocats.

– Quel ramassis de conneries. Non, ce n'est pas toi qui parles, là.

Elle tourna les talons et le planta là. Elle ne supportait plus qu'il la traite ainsi.

Il lui prit la main pour la retenir.

– Alice. Attends, s'il te plaît. Excuse-moi.

Elle avait un poids sur la poitrine, et sa propre réaction l'énervait. Qu'est-ce qu'il en avait à faire, d'abord ? De quoi se mêlait-il ? Et si sa vie l'intéressait tant que ça, pourquoi l'avait-il abandonnée si longtemps ?

– Il y a des tas de gens qui font des études de droit, tu sais. Il n'y a rien d'anormal à ça.

– Oui, mais pas toi.

– Pourquoi pas moi ?

– Parce que !

Sa désapprobation lui avait fait monter les larmes aux

yeux. Elle se mordit la joue pour ne pas pleurer. Le pire, c'est qu'elle se figurait qu'il serait impressionné en apprenant la nouvelle. Elle aurait aimé qu'il pense qu'elle était intelligente. Et voilà qu'elle se trouvait stupide.

– Tu n'es pas vraiment normale.

– Merci.

– Non, je t'assure. De toute façon, la normalité n'a rien d'intéressant. Pourquoi voudrais-tu gâcher tes possibilités ?

– Gâcher ?

Elle le dévisagea d'un œil incrédule.

– Tu sais comme c'est difficile d'entrer dans une bonne fac de droit ? Tu n'as aucune idée du travail que j'ai dû fournir !

– Tu as raison, je n'y connais rien.

Il lui tenait toujours la main en signe de conciliation, en la serrant juste un peu trop fort. Ils passèrent devant la poste et la mairie. Il avait toujours peur qu'elle fasse demi-tour.

– Et pourquoi n'aurais-je pas le droit de réussir ? Pourquoi n'aurais-je pas le droit de bien gagner ma vie ?

– C'est des conneries, tout ça.

Même quand il essayait d'être gentil, il était blessant.

Elle se dégagea de son emprise.

– Pour toi, peut-être. Mais la plupart des gens ont besoin de gagner leur vie. L'argent aurait sans doute plus de valeur à tes yeux, si tu en avais moins.

– Je me contenterais bien de moins, mais je ne l'en aimerais pas plus.

C'était lui qui la suivait maintenant, sur les planches, en direction de l'embarcadère des ferries.

– Écoute, reprit-elle en marchant d'un pas vif, sans même

le regarder. Les avocats ne sont pas tous comme ceux de ton grand-père, qui t'envoient des chèques et qui harcèlent ta mère.

Il resta un moment silencieux.

– Je sais. Je sais bien que tu ne seras pas comme eux.

Elle hocha la tête, embarrassée. C'était rare qu'elle obtienne quelque chose de lui.

– Mais ils essaieront de te pervertir. Tu le sais bien. Tu seras obligée de porter les mêmes tailleurs, les mêmes chaussures et tu n'en sortiras jamais vivante.

– Paul.

– Je suis sérieux. On te paiera pour te battre contre un adversaire. Tu seras obligée de te méfier de tout le monde, de toujours chercher le point faible des gens. Toi qui es une optimiste, ça te détruira.

– Mais non, je ne suis pas si fragile, se défendit-elle.

Il parvint à lui reprendre la main. L'obligea à s'arrêter.

– Tout le monde est fragile. Tout ce qui est beau est fragile.

Elle se mordilla la joue. Regarda ses pieds. Essaya de ravaler ses larmes avant de relever la tête.

– Si on allait pêcher des crabes ?

Elle s'avança jusqu'à un réverbère au bout du ponton et lui montra les petites silhouettes rampant sur leurs longues pattes. Les crabes n'étaient vraiment pas malins. Attirés par la lumière, ils faisaient une proie facile la nuit.

– D'accord, acquiesça-t-il.

Elle voyait bien qu'il rechignait à clore la conversation, si pénible soit-elle. Mais il paraissait aussi soulagé de revenir dans leur petit monde habituel.

– J'ai laissé mon filet chez toi.
– Depuis trois ans ?
– Ouais. Je préviens Riley ?
– Non, elle était fiévreuse aujourd'hui. Mieux vaut la laisser dormir.

*

Alice avait un seau violet. Les jambes bronzées. Il la regardait se pencher, tenant le réverbère d'une main, prête à plonger son filet – ou le sien, pour être précis – dans l'eau. Et ces idiots de crabes claquaient des pinces dans son seau.

Que pouvait-il lui dire ? Jusqu'où pouvait-il aller ?

Pouvait-il lui avouer qu'il croyait en elle ? Qu'elle n'avait pas le droit de gâcher ce qui la rendait si spéciale, cette « alicité » qui lui était si chère ? Qu'il la connaissait depuis le jour de sa naissance et qu'il avait foi en elle ? Qu'elle était son double positif, son ange rédempteur ?

Il savait qu'il en demandait trop.

– Ils restent avec le même partenaire toute leur vie, non ? marmonna-t-il dans sa barbe en désignant son seau.

– Je crois que tu confonds avec les homards.

Elle avait l'ouïe de Super Jaimie. Elle entendait toujours le moindre mot qu'il murmurait.

– T'es une vraie chochotte.

Il était un peu « chochotte », il l'admettait. Riley pouvait facilement oublier de se laver les mains après avoir vidé un poisson. Alice écrasait sans hésitation un cafard de un centimètre de long pied nu. Il avait honte de l'avouer, mais il n'aimait pas tuer des êtres vivants.

– Jamais plus je ne toucherai aux crabes farcis de ton père. Hé, regarde, en voilà un !

Il essayait de les repérer pour elle, mais le cœur n'y était pas.

– Il est minuscule !

Il était désolé pour les crabes, mais soudain il réalisa qu'il était presque heureux. Il était là, tranquille, les pieds pendant dans le vide, au bord d'une baie magnifique. Alice était à côté de lui, avec son air féroce de prédateur et ses grands yeux dorés qui étincelaient dans le noir, scrutant les rochers. Son bonheur aurait été vraiment complet si Alice avait continué de pêcher les crabes, sans en attraper. Pas étonnant qu'il ne s'en sorte pas mieux dans la vie.

– Alors tu vas revenir à New York ? fit-il.

Maintenant qu'il avait percé un trou dans le mur qui le séparait de l'autre partie de sa vie, il était tentant de jeter un petit coup d'œil de l'autre côté. Il faudrait cependant qu'il colmate la brèche assez vite.

– Ouais. Tu l'as vu, celui-là ? Il était énorme !

– Tu sais où tu vas vivre ?

Elle le dévisagea de ses yeux de renard.

– J'ai deux copains de lycée qui vont louer un truc à Greenpoint. Il y a de la place pour une troisième coloc.

– Quels copains ?

Il commençait à être plus à l'aise. Il l'imaginait dans cette autre vie. Une vie où elle devrait porter des chaussures…

– Olivia Baskin et Jonathan Dwyer. Tu ne les connais pas.

D'accord, il ne connaissait pas ce Jonathan, mais ça ne l'empêchait pas de le détester. Dans un soudain accès d'hypocrisie, il refusait d'imaginer qu'un autre homme puisse être son ami et envisage d'habiter avec elle. L'idée lui était insupportable. Pourtant, combien de nuits avait-il passées dans la même pièce qu'Alice ? Comment pouvait-il sciemment déclarer être son ami, tout en ressentant ce qu'il ressentait pour elle ? Peut-être était-ce pour cela qu'ils ne parlaient jamais de leurs vies respectives.

Pouvait-il se permettre de lui dire de ne pas aller en fac de droit et de ne pas habiter avec ce Jonathan ? Il ne pourrait pas vivre si près d'elle tout en sachant qu'elle faisait cela. Peut-être qu'il était mieux en Californie, finalement.

Il avait un jour rêvé que son âme avait pris la forme d'une petite lune, et qu'elle l'avait levée jusqu'au ciel avant de la poser sur sa langue comme une hostie. Elle l'avait avalée et il l'avait ensuite vue briller dans ses yeux

Elle lâcha le réverbère, visiblement lasse de se battre contre les crabes, et laissa pendre son filet. Elle le regarda, ne sachant quelle attitude adopter, ne sachant comment se comporter avec lui maintenant.

– Et toi ? Tu vas habiter où ?

Ce n'était que justice, quand on prenait la liberté de poser des questions, d'y répondre également.

– Il faut d'abord que je sois officiellement admis en maîtrise. Je dois finir mon mémoire pour obtenir ma licence. Ils sont très pointilleux sur ce genre de trucs.

– C'est ce que tu es en train de rédiger.

– Oui.

Elle lui tendit son filet et s'assit à côté de lui.

– Et après… je chercherai un appart, j'imagine. Peut-être à Brooklyn, poursuivit-il.

En réalité, il n'y avait jamais réfléchi avant. Il ne s'était même pas posé cette question.

L'odeur de crabe qui montait du seau trompait son inconscient en lui faisant croire que rien n'avait changé, que le temps s'était figé. Mais la personne assise à côté de lui, avec ses projets et ses intentions, avait l'effet inverse. Ils n'avaient plus les mêmes discussions qu'autrefois. Soudain l'avenir se déployait devant eux, sans prévenir. Il avait l'impression de vivre dans le passé, le présent et le futur en même temps.

Elle jeta un coup d'œil dans le seau. Il la regarda avec attention se lever, s'accrocher du bout des orteils au bord du ponton, puis lever le seau, écarter la poignée blanche et le renverser pour libérer les crabes, qui regagnèrent aussitôt leur cercle de lumière.

CHAPITRE 7

Red, Red Wine*

À l'âge de huit ans environ, Alice apprit que son père avait une maîtresse. De la bouche de sa mère. Elle n'avait réellement compris ce que cela signifiait que quelques années plus tard, alors que ce n'était sans doute plus d'actualité. Si cette liaison perdurait ou avait été remplacée par une autre, en tout cas, sa mère ne lui en avait rien dit.

C'était comme ça. Alice n'en éprouvait ni colère ni tristesse. Lorsqu'on est confronté à ce genre de choses aussi jeune, on l'emmagasine avec le reste dans le fond de sa tête sans s'y attarder trop longuement.

Il y avait cependant un détail qui avait retenu son attention. Le fait que la femme avec qui son père sortait vivait sur l'île, tout près d'ici. « Juste sous mon nez », pour reprendre les mots de sa mère. Alice n'en savait pas plus, elle ignorait

---

* NdT : titre d'une chanson de Neil Diamond, reprise par UB 40 dans les années 1980, qui parle de vin rouge et de chagrin d'amour.

de qui il s'agissait. Et même si elle n'avait pas vraiment envie de l'apprendre, elle s'amusait, parfois, à essayer de le deviner.

C'était à des moments comme celui-ci – même des années plus tard –, quand elle était assise devant l'épicerie, à regarder les gens entrer et sortir avec un café, le journal, des *donuts* ou des *bagels**, qu'elle dévisageait toutes les femmes. « Et si c'était elle ? » se demandait-elle en faisant signe à Cora Furey qui passait devant elle en jogging. « Ou elle ? » s'interrogeait-elle en regardant Mme Toyer, plongée dans le *Wall Street Journal*. Elle était un peu ridée, mais elle devait être pas mal autrefois. Ou alors Sue Crosby qui était en train d'attacher son vélo. Non, impossible. Son père l'appelait toujours « la grosse dondon ».

Était-ce quelqu'un de leur entourage ? Mme Cooley, par exemple ? Ou quelqu'un qu'elle connaissait à peine, ou même pas du tout ? Comme la dame qui fabriquait des bijoux et les vendait chez elle, sur Mango Walk ? Elle portait toujours des trucs roses, transparents, et un léger tintement accompagnait le moindre de ses pas. Hélas ! c'était exactement le genre de bonne femme faussement exotique pour laquelle son père aurait pu craquer.

Parfois, Alice interprétait la façon dont les femmes la traitaient, elle qui était la fille de l'épouse trompée. Lisait-elle de la culpabilité dans leur regard ? Étaient-elles fuyantes ? Un peu trop nerveuses ? Elle jouait les détectives amateurs

---

* Ndt : les *donuts* sont des beignets ronds avec un trou au milieu, les *bagels* des petits pains de la même forme, typiquement new-yorkais.

sans avoir réellement l'intention de résoudre l'énigme. C'était juste un petit jeu, un peu bizarre il faut bien l'avouer.

Elle avait essayé d'en parler avec sa sœur, une fois, peu de temps après l'avoir appris.

– Tu étais au courant, pour papa ? lui avait-elle demandé un soir, alors qu'elles étaient couchées.

Riley avait hoché la tête, sans rien répondre.

– Tu crois que papa et maman vont divorcer ? avait-elle insisté.

Sa sœur avait haussé les épaules, visiblement troublée.

– Pourquoi ? Qu'est-ce que t'a dit maman ?

– Qu'ils essayaient de tourner la page.

– Et papa ?

– Il était furieux que maman m'en ait parlé.

Bien entendu, leurs parents n'avaient pas divorcé. Mais ils n'avaient pas vraiment tourné la page non plus. Des années plus tard, leur mère jouait toujours les femmes outragées et leur père les hommes contrits. Il était de toute façon enclin à la mortification, et leur mère à la bouderie. Cette histoire leur fournissait juste une bonne raison.

Riley s'était tournée face au mur, la discussion était close.

Leurs deux parents avaient une relation étrangement théorique avec tout ce qui concernait les enfants et l'éducation. Dans son ardeur pour recueillir et partager l'information, sa mère faisait passer alternativement Alice du rôle de sujet d'expérience à celui de public attentif. Et cela empirait avec les années. Quant à son père, il fut chargé de dispenser un cours d'éducation sexuelle aux sixièmes alors qu'elle entrait dans cette classe. Par chance, elle ne l'avait pas comme professeur, mais c'était tout de même terriblement gênant par rapport aux autres. Il lui fallut des années pour pouvoir en rire. Elle réalisait à quel point son père était à côté de la plaque et, surtout, il ne savait absolument pas s'y prendre avec les jeunes de son âge. Et pourtant c'était lui le prof, non ? Elle évitait de tirer des conclusions de ses observations personnelles et de généraliser à l'ensemble du corps professoral. À l'inverse de Paul, elle n'était pas naturellement encline à remettre en cause les figures d'autorité et tout ce en quoi on était censé croire.

Alice bâilla, se leva de sa table de pique-nique et alla chercher un autre café à l'épicerie. Lorsqu'elle en ressortit, son père apparut devant elle, comme par magie, dans son éternel short trop petit en tissu satiné – sans doute plus par ignorance totale des usages de la mode que par « jeunisme », mais tout de même. Si certains croient que chacun a un âge naturel qu'il garde toute sa vie, Alice était persuadée que chaque personne a une époque privilégiée question mode. Son père était resté bloqué à la fin des années 1970.

– Salut, Alligator ! lança-t-il en se penchant, une jambe sur la clôture, pour étirer ses muscles.

Le samedi et le dimanche, son père faisait le tour de l'île à petites foulées, en profitait pour saluer ses amis, et finissait par un plongeon rituel dans l'océan. Il parcourait toujours le même trajet, à la même allure, sans aucune variation – tout le contraire de Judy, qui voulait toujours progresser, évoluer.

Il était bronzé toute l'année. À un moment, Alice l'avait soupçonné de se faire des UV, mais elle ne l'avait jamais pris sur le fait.

– La faute au bêta-carotène, lui avait-il affirmé, de façon assez sibylline, lorsqu'il l'avait surprise en train de le filer sur Colombus Avenue.

Il l'avait taquinée pendant des mois et, à Noël, il lui avait même offert un bon pour quelques séances de bronzette chez Soleil Minute. Grâce à son sens de l'humour, il avait le don de retourner toutes les situations à son avantage.

– Pour ton père, la vie n'est qu'une immense partie de plaisir, disait toujours sa mère.

Avant de savoir qu'il la trompait, Alice ne voyait pas le mal qu'il y avait à cela.

*

Le lundi matin, Alice se retrouva dans la salle d'attente du Dr Bob. Elle y avait conduit Riley de force lorsqu'elle s'était aperçue que sa sœur était malade au point de manquer le travail pour la deuxième fois consécutive. Elle n'avait cependant pas osé lui tenir la main jusque dans la salle d'examen.

– C'est une angine à streptocoques, annonça Riley en sortant du cabinet, agitant son ordonnance.

– Tu as déjà eu ça, non ?

– Comme tout le monde, oui.

– Tu vas devoir prendre des médicaments.

– C'est ce qu'a dit le docteur.

– Tu as demandé goût framboise ?

– Trop drôle ! répliqua-t-elle, mais Alice voyait bien qu'elle était trop éteinte pour trouver une repartie spirituelle.

– Je vais aller te les chercher au ferry. Va te recoucher.

– Tu te prends pour maman, maintenant ?

Alice serra les lèvres, blessée. Non parce que c'était méchant, mais parce que c'était vrai. Elle qui aurait voulu être comme sa sœur, elle ressemblait plutôt à sa mère, elle en avait bien peur.

– Pardon, tu n'es pas comme elle.

Riley ne supportait pas d'être maternée, alors pas question d'avoir deux mamans sur le dos ! Alice s'efforça de ne pas lui en vouloir. Sa sœur n'était pas rancunière. Sa colère se dissipait aussi vite qu'elle était apparue et elle n'en gardait aucun souvenir après coup.

– Si tu veux bien aller me les chercher, ce serait super, dit-elle, très princière.

– Très bien. J'irai à celui de 10 h 50.

Alice attendit patiemment le ferry, mais elle était sur les nerfs. Deux jours plus tôt, Paul avait levé le voile qui séparait deux mondes, et un vent violent s'était engouffré dans la brèche, bouleversant leur existence. Ils avaient laissé retomber le voile, pensait-elle, mais elle n'en était pas sûre. Le vent soufflait toujours, embrouillant tout dans sa tête. Paul faisait irruption à New York. Et New York faisait irruption ici. Le passé se mélangeait au futur.

Elle avait essayé de se sortir de cet état en reprenant une activité normale et habituelle, qui n'incluait pas Paul. La veille, elle avait retrouvé des amis dans un bar de Kismet et avait tenté de flirter avec Michael Hunte, mais le cœur n'y était pas.

Cette sensation étrange perdurait malgré ses efforts. Elle avait l'impression de ne pas vraiment être là, sur ce quai. D'être presque transparente, à peine visible aux yeux des gens qui l'entouraient. Elle culpabilisait parce qu'elle n'était pas vraiment venue pour chercher les médicaments de Riley. C'était juste un prétexte pour faire quelque chose, s'occuper, se changer les idées. Pourtant, elle était bien là et c'était ce qui comptait, non ?

*

Paul passa au yacht-club le lendemain soir. Quelle vision étrange qu'un Paul adulte sous l'éclairage jaune, dans cette salle lambrissée de pin, au milieu des tableaux et autres accessoires censés donner une note marine au décor. Il ne prit pas place à une table, mais s'installa au bar, de sorte qu'elle passait devant lui à chaque aller-retour en cuisine, lui offrant l'opportunité de se moquer de son béret de matelot

Elle le connaissait trop bien pour être intimidée, mais sa présence à ce bar l'embarrassait tout de même. Peut-être parce qu'il buvait du vin rouge. Peut-être parce que Riley était malade, au fond de son lit. Peut-être parce qu'il vidait verre sur verre sans rien manger d'autre que les biscuits apéritifs et le pop-corn mis à disposition sur le bar.

Quand son service s'acheva et qu'il resta, elle se mit à redouter ce que la nuit allait apporter. Si Riley avait été là, ils seraient restés sur l'île, dans leur monde, pas de problème, mais elle n'était pas là, et Alice craignait qu'ils ne dérivent.

Déjà, une fois, il avait vidé presque toute une bouteille de vin. Elle avait quinze ans à l'époque. Elle l'avait suivi sur la plage, inquiète pour lui. Lia avait ramené un petit ami à la villa et il était furieux après sa mère, prêt à faire n'importe quoi. Encore plus que d'habitude. Au début, il l'avait ignorée, puis il lui avait dit de dégager.

— Je ne gêne personne, avait-elle répondu en s'asseyant au bord de l'eau. Et d'abord, la plage ne t'appartient pas.

Il avait fini par s'asseoir à côté d'elle. Peut-être avait-il pleuré. Ils étaient restés là sans rien dire, dans l'obscurité de cette nuit sans lune pendant des heures. Une éternité, lui avait-il semblé. À un moment, elle en avait eu assez, elle s'était allongée dans le sable et il avait posé la tête sur son ventre. Ça l'avait surprise, mais elle ne l'avait pas repoussé.

Il était saoul, fatigué, triste, un peu malade. Elle sentait encore sur son ventre le poids, la chaleur de sa tête qui montait et descendait au rythme de son souffle.

— Tu es la seule chose de bien sur cette terre.

— Je ne veux pas être la seule chose de bien sur cette terre, avait-elle répondu après un long silence.

Mais ses mots étaient restés en suspens dans les airs, car il s'était endormi.

*

Qu'attendait-il? Pourquoi faisait-il cela? Quelle idée avait-il en tête? Il refusait de voir plus loin. Pas par manque d'honnêteté envers lui-même. Il préférait rester vague, tout simplement.

Alice avec ce béret de marin, ça le tuait.

Elle faisait une bien piètre serveuse, mais pas par vanité ou manque de motivation, comme les deux autres. Elle se donnait à fond, elle y mettait tout son cœur, comme toujours. Si elle se trompait, c'était au bénéfice des clients.

Il allait s'attirer des ennuis, c'était sûr. Il ferait mieux de rentrer chez lui immédiatement pour effacer encore quelques pages de son mémoire.

Et pourtant il restait. Il commanda encore un verre de vin. La fille plutôt mignonne qui tenait le bar remplit le bol de pop-corn pour la quinzième fois au moins. Elle était trop jeune pour le connaître.

Alice n'avait plus qu'une seule table et ses clients n'avaient pas l'air du genre à traîner. La cuisine fermait tandis que le bar se remplissait. C'était le rythme habituel ici. D'abord les familles avec enfants, puis les parents dont les enfants plus âgés ne partageaient plus le repas. Une fois qu'ils étaient partis, une troisième vague de clients arrivait : ces mêmes enfants qui dépensaient le fric de leurs parents à boire jusqu'à pas d'heure. Il avait fait partie de la première catégorie et de la troisième. Il avait du mal à s'imaginer un jour dans la deuxième.

Mais Alice ? Qu'allait-elle devenir ? Pas avocate, par pitié ! Avait-elle un petit ami dans la vraie vie ? Ce fameux Jonathan jouait-il ce rôle ? Voulait-elle se marier ? Voulait-elle des enfants ?

D'après lui, elle n'avait pas de petit ami. Il l'aurait su, il l'aurait senti, si c'était le cas. Enfin, ça ne le regardait pas...

Il repensait à tout ce qu'il lui avait fait endurer quand elle avait seize, dix-sept ans... Dès qu'elle se mettait sur son trente et un pour une soirée au yacht-club, qu'elle se maquillait pour une fête sur la plage, il se moquait d'elle exprès pour qu'elle se sente moche et ridicule, alors que c'était tout le contraire, et c'était justement pour ça qu'il la torturait. Il prétendait lui rendre service en s'assurant qu'elle ne prenne pas la grosse tête.

Il s'était montré impitoyable envers tous les garçons qui lui tournaient autour. Il leur prêtait les pires intentions – intentions qui étaient aussi les siennes. Il essayait de trouver à son comportement de plus hautes justifications que la jalousie pure et simple. Mais il n'avait jamais essayé de l'embrasser.

Alice lui jeta un coup d'œil en fermant sa caisse pour la soirée. Avait-il une idée derrière la tête ? Allait-il la laisser rentrer seule ? Oui, voilà qui était raisonnable : la laisser rentrer seule et faire de même.

Il pensa à sa maison, qui l'attendait. La cuisine rutilante où jamais personne ne cuisinait. Les magnifiques canapés où jamais personne ne s'asseyait.

Il n'y avait qu'une seule pièce qui possédait un certain caractère, un peu de vie. C'était celle qui abritait le bazar et le fatras, les vieux disques vinyles, les posters, les photos, l'abominable tapis à longs poils, et le seul fauteuil où l'on ait envie de s'asseoir, la pièce où étaient entreposées les affaires de son père. Elle avait échappé au processus de stérilisation qui avait affecté toute la maison parce que personne n'osait y toucher. Cette pièce demeurait le sanctuaire de son père. Personne ne venait s'y recueillir, mais elle était là, et cela suffisait.

Si Paul avait eu de l'encre sous ses semelles, il y aurait eu des traces de pas partant de la porte de derrière et montant à sa chambre, puis des traces de sa chambre à la salle de bains, c'est tout. Et c'était déjà trop. Il aurait préféré coucher chez Alice et Riley, comme autrefois, mais à vingt-quatre ans, il avait passé l'âge des soirées-pyjamas.

Pourtant, il avait dormi au pied de leur lit des milliers de fois, et ce n'était pas une façon de parler. Avant, quand ils étaient petits, il dormait même dans leur lit, malgré les coups de pied de Riley et les cauchemars d'Alice.

Comment se comporter avec une fille dans le lit de laquelle on a dormi jusqu'à ce qu'on ait une pomme d'Adam ? Au départ, il avait détesté la puberté parce qu'elle l'obligeait à dormir par terre, ou pire, sur le canapé. Puis, plus tard, parce qu'elle avait éveillé en lui un désir toujours grandissant de dormir dans le lit d'Alice, pour des raisons dont il avait honte. Et plus le désir grandissait, plus il se l'interdisait.

On ne pouvait pas passer d'une soirée-pyjama à une autre. Impossible. Il fallait s'éloigner un moment. Peut-être même des années.

*

– Je crois que je vais rentrer, lui dit-elle, des points d'interrogation plein les yeux.

« Tu m'attendais ? Qu'est-ce que tu fabriquais à ce bar ? »

Elle avait détaché son tablier. Envoyé promener ses chaussures. Empoché ses pourboires. Elle s'était lavé les mains et le visage aux toilettes. Elle avait même mis du gloss sur ses lèvres, lui sembla-t-il.

Et lui, qu'avait-il fait ? En parfait salaud, il avait délibérément ignoré ses questions. Il lui donnait des espoirs, puis faisait mine de ne rien remarquer.

– OK, à plus tard, avait-il répondu.

– OK.

Il l'avait vue hésiter. « Va-t'en ! » avait-il envie de lui crier. Comble de la perversion, il se sentit fier d'elle lorsqu'elle passa la porte du yacht-club, son béret de matelot chiffonné entre les mains.

C'est parce qu'elle était si belle qu'il l'aimait. Et c'était aussi pour ça qu'il la détestait. Il appréciait qu'elle se mette du truc brillant sur les lèvres pour lui et il la méprisait pour la même raison. Il avait envie qu'elle rentre chez elle. Il avait envie de lui courir après pour la rattraper et la serrer dans ses bras.

« Laisse-moi t'aimer, mais ne m'aime pas en retour. Aime-moi et laisse-moi te haïr quelquefois. Laisse-moi l'illusion de contrôler les choses, parce que je sais bien que tout m'échappe. »

*

Elle essayait de se persuader qu'elle n'espérait rien en allant sur la plage ce soir-là. Elle était en colère après lui, sans pour autant pouvoir formuler ce qu'elle lui reprochait. Elle serait sans doute une bien piètre avocate.

Pourquoi lui faisait-il cet effet-là ? Elle ne parvenait pas à comprendre ce qui la mettait dans cet état. Pourquoi continuait-elle à l'aimer, envers et contre tout ? Pourquoi passait-elle tant de temps à essayer d'analyser ce qu'il ressentait ? Quel gâchis. C'était ça, le vrai gâchis.

Elle s'assit dans le sable, à la limite des vaguelettes. Elle sentait l'humidité du sable transpercer son pantalon, mais elle s'en moquait.

Seul un minuscule croissant de lune brillait dans le ciel. Malgré son âge, Alice n'arrivait pas à se convaincre que la lune était ronde. Elle avait beau connaître l'explication scientifique du phénomène, elle persistait à croire que la lune changeait de forme au fil des jours.

Elle s'allongea, les bras croisés derrière la tête. Elle allait mettre du sable dans son lit ce soir, si elle ne prenait pas de douche. Contemplant le ciel, elle regretta de ne rien comprendre à ce fatras d'étoiles. Elle avait toujours soupçonné que les gens qui disaient distinguer telles ou telles constellations les inventaient.

Alors que la lune se cachait derrière un nuage, Paul fit son apparition. Ou plutôt le vin fit son effet.

Elle était trop fatiguée, il était trop saoul pour feindre la surprise. Il s'assit à côté d'elle.

– C'était sympa d'admirer la serveuse en pleine action.

Elle n'avait pas envie d'analyser ses moindres mots, de faire la part de l'ironie et de la tendresse.

– Je déteste ce boulot, fit-elle.

– Moi, ça me plaît, répliqua-t-il.

– Ce n'est pas toi qui bosses.

– J'aime bien te regarder.

– Alors il vaut mieux que je sois serveuse qu'avocate, c'est ça ?

– Exactement.

– Eh bien, de toute façon, je crois que je ne suis douée ni pour l'un ni pour l'autre.

Il soupira.

– Tu te donnes du mal, pourtant.

Elle le prit comme une insulte, mais comme il l'avait dit gentiment, elle ne répliqua pas.

– Alice.

– Quoi.

– Rien.

Elle ferma les yeux. Elle entendait son souffle. Une vague lui frôla le gros orteil. La marée montait, mais elle était trop épuisée pour bouger. Tant pis, elle serait engloutie.

Il s'allongea à côté d'elle. Elle était contente, mais elle ne tourna pas la tête vers lui.

Alors qu'elle commençait à s'assoupir, elle sentit qu'il se rapprochait d'elle, qu'il posait sa tête sur son ventre. C'était ce qu'elle voulait, non ? Il se laissa peser petit à petit, comme pour lui demander la permission.

S'abandonnait-il à elle ou se préparait-il à la torturer à nouveau ? Sans doute les deux.

Elle regarda à regret le sommeil s'éloigner. C'était tout lui d'attendre le dernier moment, d'attendre qu'elle ait abandonné. Elle sentit son cœur s'emballer – un organe franchement pas digne de confiance. Elle savait qu'il l'entendait aussi.

Sa tête reposait sur son ventre, comme des années auparavant. C'est lourd, une tête. Sa respiration la berçait. Elle déplia un bras, posa sa main sur son oreille, son front, sa joue. Elle ne savait pas s'il espérait plus. Ou moins.

Sans doute les deux. Comme toujours.

*

À la fin du service de Riley, Adam Pryce lui avait proposé de faire un petit jogging au soleil couchant, jusqu'à l'obélisque, avec deux autres collègues.

– Ça te branche, Riley ?

Si elle n'était pas tellement sûre d'elle au départ, maintenant elle se sentait parfaitement rétablie. Elle n'avait presque plus mal à la gorge.

Lorsqu'elle rentra chez elle, il faisait presque nuit et la maison était vide. Elle se souvint qu'Alice travaillait au yacht-club. Elle hésita à passer la voir pour l'embêter un peu, mais elle avait faim et elle était fatiguée.

Alors qu'elle était sur le point de s'endormir, elle se rappela qu'elle avait oublié son sac sur la plage. Elle se força à sortir du lit et se rhabilla. Elle remonta les planches, dévala les dunes. La plage était belle, la nuit paisible. Le ciel était d'un noir bleuté où la lune argentée faisait de brèves apparitions. Apercevant la haute silhouette de sa chaise dans l'obscurité, elle essaya de repérer son sac. Mais alors qu'elle s'approchait du rivage, elle vit deux personnes allongées devant elle. Leur position l'arrêta aussitôt. Ce n'était pas la première fois qu'elle voyait un couple d'amoureux sur la plage. Mais ces deux-là, c'était différent… Elle s'éloigna pour préserver leur intimité et fit un détour par le sable sec et mouvant de la dune afin de rejoindre sa chaise. Elle n'arrivait pas à rassembler ses pensées. Quelque chose la gênait mais quoi ? Malgré elle, elle jeta un nouveau coup d'œil dans leur direction.

C'était Alice, pas de doute. Elle distinguait à peine la seconde personne, mais elle était sûre, sans trop savoir pourquoi, qu'il s'agissait de Paul.

Elle se figea. Elle ne voulait pas approcher, mais monter plus haut sur la dune n'aboutirait qu'à lui donner une vue d'ensemble sur la scène et à l'exposer davantage.

Sa surprise était palpable. Elle était abasourdie, mais dans le fond, elle savait. Il y a beaucoup de choses comme ça dans la vie. Des choses qu'on ne peut imaginer, et pourtant quand elles arrivent, on sait qu'elles étaient inévitables.

Elle fit volte-face et repartit vers la maison. Elle sentit s'opérer en elle et autour d'elle un changement douloureux. Le vent charriait du sable, comme si le monde se réagençait pour s'accommoder à la nouvelle. Riley tenta de résister. Elle voulait attendre que la tempête se calme.

De toute façon, que pouvait-elle en conclure ? Cela ne signifiait rien, n'est-ce pas ? Son premier instinct était toujours le même : préserver le passé. Occulter le futur. Pour que rien ne change. Jamais.

Elle s'efforça de se reprendre. De calmer son cœur affolé. De ne pas trop réfléchir, de ne pas trop ressentir. Elle n'aimait pas les secrets. Elle ne voulait pas découvrir ce qu'elle n'était pas censée savoir.

En CM2, elle avait consulté la psychologue scolaire. À la demande de son père. Cette dame lui avait expliqué de quelle manière l'esprit humain gérait la souffrance : « Il possède une sorte de système immunitaire pour cerner l'agresseur, comme un microbe, et empêcher sa propagation. »

À peine sortie de son bureau, elle s'en était prise à son père, furieuse :

– Je ne comprends pas pourquoi tu m'as forcée à faire ça.

– Voilà pourquoi, avait-il répondu. Regarde dans quel état tu es.

Elle était épuisée. Elle avait mal aux jambes. Elle ne sentait même plus le sable sous ses pieds. Elle ne voyait plus le ciel. Gardant les yeux rivés droit devant elle, elle ouvrit la porte et monta l'escalier jusqu'à sa chambre.

Elle retrouva avec bonheur son lit vide et rassurant. Elle n'enviait pas leur relation, non. Mais elle ne voulait pas non plus être laissée pour compte. Elle aimait être seule, mais soudain, elle se sentait exclue.

Elle ferma les yeux. Dormir, elle voulait dormir. Elle avait couru plus d'une heure ce soir. Elle avait son chrono. Elle essaya de diviser le temps exact de course par quinze kilomètres, pour calculer sa vitesse moyenne, à la seconde près.

C'était une opération complexe qui l'aida à sombrer dans le sommeil.

*

Le lendemain, elle se réveilla de bonne heure. Elle repensa à la plage, pas tant à la scène qu'elle avait surprise qu'à la raison qui l'avait amenée là-bas. Elle avait oublié son sac. Et ses antibiotiques étaient dedans.

Elle enfila son maillot de bain et son survêtement par-dessus. Elle passa par l'intérieur de l'île et remonta à petites foulées la grand-rue jusqu'à l'entrée principale de la plage. Il était tôt, elle était encore déserte. Elle se dirigea immédiatement vers la chaise, mais le sac n'était pas là où elle l'avait laissé. Elle baissa les yeux vers le sable, avec un mauvais pressentiment. Le vent avait soufflé fort cette nuit, remodelant sa surface. La marée était montée très haut.

Elle s'assit par terre. Le souvenir de l'ombre de Paul et

d'Alice lui traversa fugitivement l'esprit. Puis elle pensa à son sac, ballotté par les flots, dérivant vers la haute mer. Elle l'imagina imbibé d'eau, de plus en plus lourd, coulant vers les profondeurs. Elle se représenta sa serviette, son maillot de rechange, ses lunettes de plongée, ses médicaments. Son sac était-il fermé ou toutes ses affaires s'étaient-elles éparpillées sous l'eau ?

Il était aussi possible qu'il n'ait pas été emporté par la marée. Quelqu'un l'avait peut-être trouvé ? Les vagues avaient pu le déposer un peu plus loin sur la plage. Elle irait voir aux objets trouvés. Elle écrivait son nom au marqueur sur tous ses maillots de bain. Si quelqu'un le retrouvait, il la préviendrait peut-être.

C'était possible, se répéta-t-elle à plusieurs reprises au cours de la journée. Mais, chaque fois qu'elle pensait à son sac, elle l'imaginait échoué au fond de l'océan.

CHAPITRE 8

Le genre de personne
qu'il faut être

– Alors, content d'être de retour parmi nous ?

Paul était perché sur une table de pique-nique, devant l'épicerie. Il buvait un café en attendant Riley. Mais c'est Ethan qu'il croisa à la place.

– Mm ! ça va, répondit-il, le nez plongé dans son gobelet.

– Ça faisait un moment, hein ?

Ethan s'assit au bout de la table, bien que Paul ne l'y ait pas encouragé. Il paraissait bronzé et sûr de lui, mais ce n'était qu'une apparence trompeuse.

– Quelques années.

– Ça fait beaucoup à ton âge.

Qu'essayait-il de lui dire ?

– Ouais, si on veut, répondit-il évasivement.

Ethan était le premier adulte envers qui Paul avait fait preuve d'insolence, et c'était devenu une sorte de réflexe. À dix ans, il avait été effaré de découvrir les faiblesses et les erreurs des adultes qui l'entouraient. Riley aussi s'en rendait compte, mais elle oubliait vite, alors que tout restait gravé dans l'esprit de Paul. À l'époque, il avait apprécié la sensation de pouvoir que cela lui donnait. Et en même temps, il avait détesté. Il en abusait, tout en rejetant l'idée.

– Riley m'a dit que vous alliez pêcher ce matin.

Paul hocha la tête, conscient qu'il espérait sûrement être invité.

Ethan était bel homme. Il était drôle. Il savait imiter les accents et les célébrités. Il pouvait passer la journée à parler avec l'accent russe et le lendemain rouler les *r* à la manière des Écossais. Riley, Paul et Alice poussaient les hauts cris alors qu'en réalité, ils adoraient ça. Il était nul en cuisine et s'en vantait malgré tout. Il était facilement malheureux mais jamais pour longtemps. Quand Judy n'était pas là, il leur servait une troisième boule de glace. Il avait appris à ses filles à faire du skateboard, du surf et à pêcher.

À une certaine époque, Paul se regardait parfois dans la glace en se demandant s'il aurait les mêmes cheveux que lui quand il serait plus grand. Il s'entraînait à imiter les accents. Chaque fois qu'il se projetait dans le futur, il essayait d'imaginer son père, mais c'était en général Ethan qui lui venait à l'esprit.

Ethan était certes doué pour le bonheur, mais à long terme, ce n'était pas le modèle idéal pour un enfant. Il n'était pas lui-même, il vivait au-dessus de ses moyens, et pas seulement au sens financier du terme. C'était ce que Paul avait fini par comprendre. Les morts font de meilleures idoles que les vivants.

Et pourtant, malgré ses beaux principes, Paul avait du mal

à ne pas l'aimer. Alors que, vis-à-vis de sa mère, c'était l'inverse.

Paul repensa à la scène sur la plage, la veille. Il pensa à Alice, et se sentit tout honteux. Il ne voulait pas avoir de telles pensées. C'était une faiblesse qui le conduirait à comprendre ceux qui se laissaient diriger par leurs désirs, à l'image d'Ethan. Et il n'avait aucune envie de le comprendre.

Ethan le regarda, plein d'espoir. Comme s'ils pouvaient parler d'homme à homme, maintenant. Comme s'ils pouvaient être amis.

*

Alice avait délibérément choisi de le rejoindre dans sa chambre. C'était un endroit neutre, vide de souvenirs et d'enjeux.

Ils n'y allaient jamais, avant. Elle avait beau être sur l'île, elle avait un statut d'ambassade – située dans un pays, mais appartenant à un autre.

Une partie d'elle-même, une grande partie, voulait savoir. La réponse n'était pas ce qui comptait le plus, elle voulait simplement savoir.

Elle hésita cependant un moment avant de franchir la porte. Est-ce qu'il frappait, lui, lorsqu'il venait chez elle ? Est-ce qu'il attendait qu'on lui ouvre ?

– Paul ?

– Je suis en haut.

D'une main moite, elle repoussa une mèche de cheveux derrière son oreille. Elle avait la chair de poule alors qu'il faisait facilement 27 °C. Elle monta les escaliers à pas lents.

– Salut, fit-elle en s'arrêtant au seuil de sa chambre, soudain intimidée.

Il se tourna vers elle. Pas entièrement, juste la tête.

– Ça avance ? demanda-t-elle.

Il se renfonça dans son fauteuil de bureau.

– Je travaille sur la *Critique de la raison pure* de Kant. J'ai une page et demie à analyser et ça me paraît aussi clair qu'un article du *New York Times* pour le chien de ma mère.

Elle laissa échapper un petit rire. Autrefois, elle trouvait tout à fait charmant son sens de l'autodérision, mais elle avait compris que c'était aussi une manière de se glorifier de ses défauts. Il avait beau s'en plaindre, il en était fier. En revanche, ses véritables faiblesses, il les taisait.

– Alors, aujourd'hui, tu écris ou tu effaces ?

– J'écris. C'est la nuit que j'efface.

Elle le dévisagea attentivement. Il ne paraissait pas se souvenir de ce qui s'était passé sur la plage.

– J'ai l'impression que tu effaces aussi le jour.

Il semblait méfiant. Il aimait briser les barrières qui les séparaient, tant qu'il en prenait l'initiative. Elle était censée suivre le mouvement sans poser de questions, faire un pas en avant quand il le lui demandait, et oublier quand il voulait qu'elle oublie.

– Que veux-tu effacer s'il n'y a rien ? répliqua-t-il.

Elle tressaillit. Elle aurait mieux fait de se taire.

– Parce qu'il n'y a rien ? insista-t-elle.

Il fixa l'écran de son ordinateur, puis secoua la tête lentement en se tournant vers elle :

– Rien de neuf.

Tremblant de frustration, elle lui lança un regard noir. Parfois, elle avait l'impression qu'un lien profond les unissait, parfois, en sa présence, elle se sentait complètement seule – comme si ce lien n'était que le fruit de son imagination.

– Il va falloir que tu te débrouilles sans ta licence, alors ?

Il plissa le front.

– Peut-être.

– De toute façon, les diplômes universitaires, c'est pour les minables.

– Arrête, Alice.

Elle avait bien l'intention de s'arrêter. De partir, de le planter là et d'éviter de croiser son chemin pour le restant de ses jours. Mais elle n'arrivait pas à s'y résoudre.

– Qu'est-ce que ça signifiait, pour toi ?

Il se tenait tout raide, le regard dans le vide. Quelle plaisanterie, elle qui était venue dans l'idée de le séduire.

– Qu'est-ce que quoi signifiait ?

– Tu ne sais pas ?

– Tu n'as qu'à me le dire.

Son expression était en contradiction avec ses mots. Il n'avait aucune envie qu'elle lui dise quoi que ce soit.

Faisait-il exprès de la torturer ? Parce qu'il la méprisait ? Et si oui, pourquoi ?

Au désespoir, elle risqua le tout pour le tout. Elle voulait savoir où tout cela menait.

– Hier soir, sur la plage, on était bien tous les deux ? Ou bien n'y avait-il que moi ?

Il était acculé. Il aurait bien claqué la porte, sauf qu'il était chez lui. Elle commençait à comprendre l'intérêt de faire une scène chez quelqu'un d'autre.

Il haussa les épaules.

– J'avais trop bu. Si je t'ai donné de fausses idées, j'ai eu tort.

– De fausses idées ?

– Oui.

Elle avait envie de lui jeter son ordinateur à la tête. Plus elle s'énerverait, pire ce serait. Elle le savait parfaitement. Mais parfois on a beau savoir, ça ne change rien.

– Tu es un beau salaud, Paul. Ou alors un imbécile. Mais ça, j'en doute.

Elle claqua la porte derrière elle, alors qu'elle était ouverte à son arrivée.

*

Lorsque Paul entendit du bruit en bas le lendemain soir, son cœur s'emballa. Il était en train de bosser, ou plus exactement en train de pester sur son mémoire, en ne souhaitant qu'une chose : qu'Alice revienne. Il aurait aimé qu'elle fasse irruption dans sa chambre vêtue du short en jean qu'elle mettait quelquefois. Il aurait voulu qu'elle fasse le chat qui s'étire sur son lit, comme l'autre jour. Même si elle restait tournée vers la fenêtre sans jamais le regarder. Même si elle lui posait des questions, ça ne le dérangerait pas. Il répondrait, promis – et honnêtement, cette fois. Même si elle ne disait rien du tout, il s'en fichait. Il aurait tellement voulu retourner en arrière.

Qu'elle vienne le voir, ça lui suffirait. Quoi qu'elle dise, il réagirait différemment, si seulement elle venait.

Et, soudain, il avait entendu la porte s'ouvrir et le vent s'engouffrer dans la maison.

– Paolo ?

Brisé dans son élan, son cœur était retombé comme un pétard mouillé. Elle arrivait toujours sans prévenir. C'était l'une des raisons pour lesquelles il ne se sentait pas à l'aise dans cette maison, les ennuis lui tombaient toujours dessus sans prévenir.

Il constata en descendant l'escalier qu'elle était venue seule. C'était déjà ça.

– Paolo.

Elle l'embrassa deux fois sur une joue et trois sur l'autre.

– Comment ça va ? lui demanda-t-il, espérant qu'elle ne remarquerait pas la déception qui perçait clairement dans sa voix.

– Il y avait une circulation terrible. L'autoroute de Long Island est fermée, tu sais. Le bateau taxi s'est arrêté à Fair Harbour, puis à Saltaire avant de venir ici. On paie une fortune et ce n'est même pas direct !

– Ah oui !

– Regarde-toi !

Elle réussit à lui planter un sixième baiser sur la joue. Elle était contente. La dernière fois qu'elle l'avait vu, c'était à Fresno, en Californie, avec ses cheveux longs et sa barbe florissante.

– Comme tu es beau, *caro mio* !

Il entendit une symphonie de vibrations et de sonneries de portable en montant ses sacs au premier étage. Il essaya d'imaginer comment seraient ses cheveux si elle les laissait un peu naturels. Bruns et frisés comme autrefois. Une longue chevelure indomptable, sans doute l'une des choses parmi tant d'autres que ses beaux-parents détestaient. Si seulement ils la voyaient aujourd'hui, quelle ne serait pas leur surprise. Avec son petit carré blond comme toutes les dadames de Park Avenue, elle aurait facilement pu déjeuner avec les amies de sa grand-mère. Si seulement ils avaient eu confiance. Mais c'était trop tard, maintenant. Ils la détestaient plus que jamais. Et depuis, elle leur avait fourni des raisons de le faire.

Combien de temps allait-elle rester ? C'était la seule question qui le préoccupait. Elle n'aimait pas aller à la plage. Elle n'aimait plus cet endroit ni les gens qui y vivaient. Elle n'aimait pas l'odeur de la mer, l'humidité, et le sel corrosif dont l'air était imprégné. Elle n'arrêtait pas de se plaindre. Il n'y avait pas un restaurant où manger correctement. Pas une boutique où s'acheter des chaussures. Elle détestait tout ce qu'il aimait. Il le savait. Et pourtant, il se sentait le devoir de lui faire passer un bon séjour, il ne pouvait s'en empêcher.

– *Come sono le ragazze ?* demanda-t-elle en jetant un coup d'œil dans la direction de chez Alice et Riley. Elles sont encore là ?

– Oui, elles sont là.

– *La madre ? Il padre ?*

Paul regarda la baie vitrée où les vagues majestueuses venaient se briser, enfermées dans leur cadre au milieu du mur, tel un tableau à vendre, réduites à l'état de vulgaire objet marchand.

– Ils vont bien. Ils ne changent pas.

– Tu les as croisés ?

– Bien sûr, ils sont juste à côté.

– J'ai hâte de voir ce qu'est devenue ta petite protégée. *La bella.*

Sa mère portait un intérêt tout personnel à la beauté. Elle n'allait pas être déçue par Alice, pensa-t-il avec une fierté mêlée de tristesse.

Il la regarda claquer bruyamment les portes des placards, cherchant quelque chose dans la cuisine.

Elle était très élégante, il fallait bien le reconnaître. Et harnachée d'accessoires et de bijoux : colliers, broches, bracelets, écharpe, boucles d'oreilles sophistiquées, gros cailloux aux doigts. Il fut frappé de remarquer à quel point cette quincaillerie alourdissait ses mouvements.

Sa mère exposait à tous les regards ces signes extérieurs de richesse et de réussite, mais il n'y avait rien de profond dans tout cela. Sa minceur, dont elle se glorifiait, était pour lui au contraire le résultat d'une vie de privations. Elle se parait de mille ornements, mais ne se nourrissait pas. Elle ne prenait soin d'elle qu'en surface.

– Paolo, on a toujours l'annuaire téléphonique ?

Elle voulait le numéro de l'épicerie et plus spécifiquement de l'annexe où ils vendaient de l'alcool.

– Tu veux passer commande ? demanda-t-il.

– Comment as-tu deviné ? répliqua-t-elle dans un accès de fausse pudeur.

– Ne t'en fais pas. Je vais aller te chercher ce qu'il te faut. De toute façon, j'avais un truc à acheter.

C'était faux, mais ça lui donnait une bonne excuse pour sortir prendre l'air.

Elle griffonna une liste, qu'il n'eut même pas besoin de consulter.

– Je voudrais aussi le numéro du bateau taxi pour réserver mon retour.

– Tu pourrais prendre le ferry.

– Demain, c'est samedi. Il va y avoir un monde fou.

– Tu repars demain ?

Il était ravi de l'apprendre, et en même temps un peu vexé. Elle avait prévu de repartir avant même d'avoir posé ses valises. Sa mère était comme ça. Elle aurait fait le tour du monde pour le voir, mais dès qu'elle l'avait retrouvé, elle n'avait qu'une seule idée en tête : repartir.

Il prit le chemin de planches, tournant le dos à l'océan, ne pensant qu'à Alice. Cela faisait plus de vingt-quatre heures qu'il ne l'avait pas vue. Il avait vécu des années à l'autre bout du pays, mais ici il ne pouvait pas passer une journée sans elle. Et surtout pas quand sa mère était là.

Lia ne cadrait plus du tout dans le décor. Il avait du mal à l'imaginer ici, même quand elle se tenait juste sous son nez. Mais autrefois, elle avait dû y avoir sa place. Elle avait dû faire l'effort.

Elle passait peu de temps à New York maintenant. Elle avait pris un appartement à Rome, mais elle le trouvait trop bruyant. Elle allait d'un endroit à l'autre, et y restait de moins en moins longtemps. Seuls les endroits qu'elle ne connaissait pas ne l'avaient pas encore déçue.

D'une certaine façon, elle n'était jamais nulle part. Elle était plus heureuse en transit, où le passé ne pouvait la rattraper et où le présent n'avait pas d'importance. Et il en serait ainsi, supposait-il, tant qu'elle continuerait à croire que l'avenir serait meilleur.

*

– Ce sont de vrais connards, Paolo.

Il aurait dû aller se coucher après la première bouteille. Il aurait vraiment dû. Maintenant, il n'arrivait pas à se rappeler si elle parlait de ses derniers petits amis en date, de ses grands-parents ou du personnel d'un hôtel où elle avait séjourné récemment. Ç'aurait pu être aussi bien les uns que les autres. Ç'aurait pu être n'importe qui au monde.

Mis à part son père. Son père était le seul à ne jamais figurer dans le grand classement des connards de Lia. Peut-être fallait-il mourir pour y échapper.

Autrefois, elle parlait anglais jusqu'à ce que, échauffée par la colère ou l'alcool, elle passe à l'italien. Désormais, c'était l'inverse. Paul se demandait si elle l'avait remarqué.

– Enfin, Paolo, tu ne peux pas imaginer. Tu ne peux pas savoir ! Vraiment ! Pourquoi ils ne font jamais ce qu'ils disent ?

Il secoua la tête. Il l'ignorait en effet.

– Les connards ! siffla-t-elle.

Il était conscient de toutes ses faiblesses : sa brusquerie, sa propension à la colère et au mépris, la mémoire trop souvent sélective, ses peurs. Sa tendance à trop boire. Il ne les connaissait que trop.

– Oh ! Paolo, ton père n'aurait jamais fait ce genre de choses. C'était un homme bien et il m'aimait.

Paul sentait que les larmes n'étaient pas loin. Les signes ne trompaient pas : de façon très prévisible, sa colère d'ivrogne laissait place à une mélancolie alcoolisée. Cependant, il n'y était jamais préparé.

– C'est juste que je… j'aurais voulu…

– Je sais, maman. Je sais.

– Si seulement il avait…

– Je sais.

– C'est cette maison, tu vois. Elle me fait penser à lui.

– Moi aussi.

– On était heureux, à l'époque. Il y avait lui, moi, et toi. Et on se fichait pas mal du reste. Tu te souviens ?

– Un peu.

Tout ce qu'on lui avait raconté avait presque entièrement étouffé les quelques souvenirs qui lui restaient.

Les mêmes questions le taraudaient sans cesse, mais il n'avait pas vraiment envie de creuser.

« Si on était tellement heureux, alors pourquoi ça s'est fini comme ça ? Que lui est-il arrivé ? Comment a-t-il pu laisser une chose pareille lui arriver ? »

Et il avait envie de demander à sa mère : « Si tu étais si douée pour le bonheur à l'époque, comment se fait-il que tu n'aies jamais réussi à être heureuse depuis ? »

Enfant, Paul croyait ce qu'on lui racontait. Mais il croyait aussi ce qu'il voyait. Il n'y pouvait rien. Que faire quand les deux ne correspondaient pas ?

Sa mère était allongée sur le canapé, le menton rentré dans le cou de façon fort peu gracieuse. Ses yeux se remplirent de larmes qui inondèrent son visage, emportant avec elles son rimmel noir. Son rouge à lèvres avait débordé et filé au coin de ses lèvres. Son visage paraissait las, fripé, vieilli. Elle avait le nez qui coulait, mais elle n'était pas en état de le moucher. Elle allait s'endormir là, sur le canapé. Arrivée à un certain degré d'abrutissement, elle allumerait la télévision et il l'entendrait « caqueter » toute la nuit.

– Pourquoi l'a-t-elle laissé faire ça ? avait-il un jour demandé à Judy lorsque le problème de drogue de son père avait commencé à le tracasser.

– Je crois qu'elle se droguait aussi, avait-elle répondu.

Il détestait quand Lia se mettait dans cet état. Elle le dégoûtait, elle lui faisait honte. Et il avait honte d'éprouver du dégoût.

Pire encore, il se sentait coupable. Il aurait pu mieux prendre soin d'elle. Qu'aurait dit son père ?

Il essayait de la plaindre. Cela semblait généreux. C'était une victime, elle s'était retrouvée veuve à vingt-neuf ans ; haïe et rejetée par la famille de son défunt mari. Elle n'avait pas de famille de son côté, personne pour la soutenir. Et pourtant, il n'y parvenait pas. Pour lui, c'était le genre de personne à causer son propre malheur. Peut-être que si elle avait passé moins de temps à s'apitoyer sur elle-même, il y serait mieux arrivé. Mais en l'état actuel des choses, elle le faisait pour deux.

Pourquoi Lia dépensait-elle autant ? Paul se moquait bien de l'argent en lui-même, qu'il rentre ou qu'il sorte, mais il ne supportait pas la façon dont elle l'exhibait, le dilapidait, le buvait, le flambait. Il ne supportait pas de penser aux sommes qui s'évaporaient en suites luxueuses, spas et jets privés.

Le père de Paul descendait d'une famille richissime et le fait que Lia ait hérité de millions de dollars rendait ses grands-parents à moitié fous. Ils employaient leurs forces déclinantes à essayer de les lui reprendre. Mais tous les biens de Robbie – une somme rondelette lui avait échu à la mort du dernier de ses grands-parents en 1980 – étaient revenus de droit à Lia. Ils lui envoyaient des bataillons d'avocats gonflés à bloc, et elle ripostait en dépensant tant et plus.

C'était un combat stérile, un vrai gâchis, que Paul vivait comme une injure faite à la mémoire de son père. Même s'il s'était égaré en route, Robbie avait toujours été un idéaliste, un esprit libre – du moins aussi libre qu'on peut l'être avec l'éducation qu'il avait reçue. Il détestait le culte de l'argent et l'argent lui-même. Fervent défenseur des opprimés, des artistes affamés et des causes perdues, il n'avait jamais voté pour un candidat qui aurait eu une chance d'être élu. Il portait les mêmes sandales tous les jours, été comme hiver.

Tout cela, c'était Ethan qui le lui avait raconté, et non sa mère. Mais il se souvenait des sandales. En pleine crise d'adolescence, il l'avait interpellée sur tous ces sujets, et d'autres encore. Désormais, il n'essayait même plus.

De toute façon, que pouvait-on y changer ? Lia n'avait plus que l'argent. L'argent et Paul. Et même si l'argent était certes plus docile que Paul, elle parvenait à utiliser l'un comme l'autre pour combattre ses grands-parents.

Elle se mit à ronfler. Paul lui prit son verre des mains et alla le déposer dans la cuisine. Dans une sorte de brouillard, il dénicha un plaid pour la couvrir. Quel beau couple ils formaient.

Ça n'aurait pas dû le toucher. Il connaissait sa mère. Mais il avait comme elle une capacité irrationnelle et illimitée à espérer des jours meilleurs. C'était son destin de fils. S'il se résignait à voir la vérité en face, il briserait le peu de liens qui les unissaient encore.

CHAPITRE 9
La bella

Paul laissa sa mère dormir devant la télévision et emprunta le passage des roseaux peu après le coucher du soleil. Il avait beau se dire qu'il agissait sans aucune préméditation, il savait fort bien que Riley partait travailler vers six heures. Et ce n'est pas par hasard qu'il pénétra dans la cuisine par la porte de derrière et monta les escaliers. Il n'avait pas décidé ce qu'il allait faire en arrivant à la chambre d'Alice, mais il ne voulait pas s'arrêter pour y réfléchir. Il ouvrit la porte et entra, sachant qu'il n'avait aucun droit de faire ça.

« Je ne t'appartiens pas », lui avait-elle rappelé alors qu'elle devait avoir douze ans. Paul lui avait interdit de monter à bord du bateau à moteur d'un ami, dont le père, aux commandes, était visiblement saoul.

« Je n'ai jamais dit ça », avait-il répliqué sèchement. Mais tandis qu'ils s'éloignaient du bateau, ni l'un ni l'autre n'y croyait vraiment.

Elle dormait, les cheveux étalés sur l'oreiller, et la tête

tournée vers le mur. Elle avait repoussé sa couverture, lui laissant le plaisir d'admirer sa jambe gauche sur presque toute sa longueur.

La bella. Il n'avait aucune envie que sa mère la voie.

Elle ne se réveilla pas lorsqu'il s'assit au bord de son lit. Il ne supportait pas qu'elle soit en colère après lui. Parce qu'alors il était seul au monde.

Il se pencha pour lui murmurer à l'oreille :

– Je suis désolé.

Il avait l'haleine avinée. Il frôla une de ses mèches du bout des doigts.

– Je sais ce que tu voulais dire. Je ne comprends pas pourquoi j'ai agi ainsi.

Il avait besoin de la sentir près de lui, comme quand il était enfant. Comment allait-elle le prendre ? Il ne pouvait pas lui dire ce qu'il voulait ni ce qu'il avait à offrir. Mais il l'aimait. Pouvait-il le lui dire ? C'était tellement simple de l'aimer et encore plus simple de ne pas se l'avouer.

Malgré tout ce qu'il avait fait, il savait qu'elle serait clémente. Il se glissa dans son lit en se faisant tout petit, puis remonta le drap. Avec mille précautions, il s'approcha d'elle, de sa chaleur. Prudemment, il passa un bras autour de sa taille, osant à peine la toucher, mais mourant d'envie de l'enlacer. Il étouffa un grognement de plaisir lorsque la jambe d'Alice s'enroula autour de la sienne. Elle était toute chaude de sommeil et de tendresse. Il avait envie d'enfouir son visage dans son cou et de mêler ses membres aux siens.

– Je t'aime, souffla-t-il dans ses cheveux.

C'était facile de prononcer ces mots quand elle ne pouvait pas les entendre.

Il resta allongé là, se détendant peu à peu. Son cœur reprit un rythme normal, il recommença à respirer. Ses pensées s'apaisèrent.

Il s'était imaginé que, si un jour il pénétrait dans son lit en tant qu'adulte, ce serait tout à fait autre chose que dans l'enfance. Effectivement, il posait un regard différent sur elle. Son odeur, sa chaleur éveillaient des parties de son corps dont il n'avait pas conscience à l'époque.

Une pensée lancinante tournait en rond dans sa tête, comme un cauchemar éveillé qui se répète sans cesse. L'amour peut-il durer toute une vie? Peut-il passer indemne de l'enfance à l'âge adulte en survivant aux tourments et aux écueils de l'adolescence? Est-il toujours le même à l'arrivée, simplement exprimé de façon différente? Ou ces deux formes d'amour sont-elles radicalement étrangères et incompatibles?

Peut-être n'était-ce pas la réponse qui était déroutante, mais la question qui était mal posée. Peut-être n'y avait-il pas deux sortes d'amour, mais des milliards. Ou alors une seule.

Mais, à ce moment précis, il la tenait dans ses bras. Il n'avait plus peur de la réveiller maintenant. Elle se tourna vers lui, les yeux fermés, et l'enlaça. Lorsqu'elle posa sa joue sur son torse, il sentit ses cheveux lui chatouiller le cou et le nez. Il avait beau être bien trop grand pour ce lit, elle lui fit une place.

La confiance et l'amour sont indissociables. Il l'avait compris. Mais où intervenait le désir, alors? Quelle était sa place dans tout cela? On ne pouvait tout de même pas le faire taire, si?

Il ignorait si elle était réveillée ou si elle dormait, mais il sentait les battements de son cœur et l'écho de son pouls dans ses mains. Il sentait l'arête de son tibia contre le sien, la douceur de sa cuisse. Il ne savait pas ce que ça signifiait, mais le simple toucher de sa peau, sa chaleur, la façon dont elle l'accueillait contre elle le réconfortaient au plus profond de lui-même.

Tout n'avait peut-être pas tant changé finalement. Malgré ses seins, et ses membres déliés, c'était toujours la même Alice. Ce qui lui plaisait le plus chez elle était peut-être ce qu'il avait toujours aimé. La fin de la solitude. Un espoir de bien-être. Le contact d'un corps en qui il avait confiance.

*

Alice se réveilla, quittant un rêve pour un autre. Difficile de distinguer la veille du sommeil, mais elle s'en moquait tant que le rêve perdurait.

Elle s'était endormie furieuse après lui la veille, et voilà qu'elle se réveillait entre ses bras, toute trace de colère disparue. Avec Paul, elle ne parvenait jamais à savoir où elle avait égaré sa colère, même quand elle se promettait de revenir la chercher plus tard.

Elle garda les yeux fermés. Lui offrant ainsi la possibilité de nier. Tant pis si, d'ici midi, il avait tout effacé. Ici, maintenant, il se passait quelque chose et elle ne voulait pas que ça s'arrête, c'est tout. Si ça se trouve, elle était au lit avec Don Rontano, le prof de tennis, mais en tout cas, c'était bon.

Les yeux toujours clos, elle saisit l'ourlet de son tee-shirt et le lui ôta. Qu'il nie tout en bloc si ça l'amusait, ce qu'elle voulait, c'était toucher sa peau. Elle se nicha contre son torse, faufila ses mains dans la chaleur de son dos et de ses épaules.

Pouvait-elle l'embrasser ? La laisserait-il faire ? Pourrait-il ensuite prétendre que rien ne s'était passé ? Et s'ils faisaient l'amour ?

Elle le serra plus fort, et dans un élan de témérité, plaqua le bas de son ventre contre le sien, avec son short et sa culotte entre les deux. Peut-être que la moitié supérieure de Paul n'en avait pas envie, mais la moitié inférieure, en tout cas. Elle remua doucement. Le corps ne saurait mentir. Elle n'ouvrit toujours pas les yeux.

« Je dormais, pourrait-il dire. Que s'est-il passé ? Je croyais que tu dormais aussi. »

Mais s'il fallait s'y prendre ainsi, cela valait-il le coup ? Avait-elle envie de cela ? Et si, finalement, elle perdait sa virginité avec Don Rontano, elle n'aurait pas l'air bête !

Elle ouvrit les paupières. Osa un bref coup d'œil. Ce n'était pas Don. Et il n'avait même pas les yeux fermés. Alors, comme ça, il aurait le droit de voir et pas elle, c'était vraiment trop injuste !

Il croisa son regard. Elle sentit son étreinte se relâcher. Son ventre s'écarter du sien.

Elle retrouva un peu de la colère d'hier soir. Elle était là, toute proche, finalement. Elle ressurgit lorsque soudain Paul se raidit.

Il s'assit. Elle s'assit aussi. Il avait l'air surpris de la trouver ici.

« Hé ! C'est toi qui t'es glissé dans mon lit, et non l'inverse », avait-elle envie de lui crier. Mais elle n'avait pas envie de briser le charme. Il n'était pas encore brisé, hein ?

Elle le contempla, assis là, dans son lit. Torse nu et entortillé dans son drap, avec ses cheveux mal coupés et son air torturé. Tout laissait penser qu'il se passait bien quelque chose entre eux. C'était un brin pervers, mais elle aurait aimé que son père ou sa mère entre dans la pièce à ce moment-là. Qu'est-ce qu'il aurait dit alors ?

Il posa les deux pieds par terre. Bon sang, il commençait déjà à effacer !

« Que veux-tu effacer, il n'y a rien ! » dirait-il.

– Ma mère est là, l'informa-t-il.

Elle sentait son haleine chargée d'alcool.

Elle hocha la tête. Voilà qui expliquait beaucoup de choses. Il la prenait de nouveau pour Alice le doudou réconfortant, mais elle n'était plus aussi douée qu'autrefois pour cette mission. Elle demandait trop en retour. C'était ça, le problème, non ?

– Pour combien de temps ?

– Aujourd'hui seulement.

– Oh !...

Soudain, avec sa culotte et son tee-shirt trop petit, Alice se sentait un peu trop dénudée pour parler de sa mère.

– Comment elle va ?

– Toujours pareil.

Nouveau hochement de tête. Elle croisa les bras sur sa poitrine.

– Tu veux que je passe la voir ?

– Non, répondit-il aussitôt. Enfin, je veux dire, tu peux, si tu veux.

Il se leva.

Oh non ! il allait repartir et ils se retrouveraient au même point. Le rêve s'était évaporé. Le charme était rompu.

Elle le regarda chercher son tee-shirt sous les couvertures et l'enfiler. Au désespoir, elle ouvrit la bouche :

– Il n'y a vraiment rien, alors ?

Elle le fixa d'un œil noir, le défiant de lui demander ce qu'elle entendait par là. S'il osait le faire, elle le jurait devant Dieu, elle lui mettrait son poing dans la figure.

Il eut l'air blessé mais ne recula pas.

– Alice. Il n'y a pas rien, évidemment que non.

Qu'est-ce que c'était censé vouloir dire ? Il fallait qu'elle compte les négations pour voir si elles s'annulaient.

– Alors il y a quelque chose ?

– Il y a toujours eu quelque chose, non ?

Elle serra les dents. Qu'il soit lâche et malhonnête, si ça lui chantait, elle ne jouerait pas le jeu. Elle le fusilla à nouveau du regard.

– Tu sais quoi ?

– Quoi ?

– J'ai envie de toi. Tu dis qu'il n'y a rien entre nous, mais je sais que c'est faux. Tu peux toujours prétendre qu'il n'y a rien de ton côté, que tout est dans ma tête…

Elle commençait à s'emballer. Elle s'éclaircit la voix avant de reprendre :

– C'est ce que tu vas me dire ?

Il était paralysé. Il ne répondit rien.

C'était le moment ou jamais. Elle se jeta à l'eau.

– Je n'ai jamais fait l'amour. Je veux que tu sois le premier, mais pas que ce soit contre ton gré.

Il avait l'air sous le choc. Il ne savait pas dans quel ordre répondre.

– Tu n'as jamais fait l'amour ? s'étonna-t-il finalement.

« Bien sûr que non ! Je t'attends depuis toujours, espèce d'imbécile. » Ça, elle le garda pour elle.

– Non, répliqua-t-elle à la place, coupant court à toute autre question.

– Je...

– Tu n'es pas obligé de me donner ta réponse tout de suite. Si tu es d'accord, rejoins-moi sur la plage ce soir à minuit. Au même endroit que d'habitude.

Elle avait du mal à croire qu'elle avait prononcé ces mots, mais elle était assez fière de son audace.

– Si tu ne veux pas, ne viens pas.

Alice

Il avait du mal à y croire lui aussi.

– Je suis sérieuse, affirma-t-elle, même s'il était difficile de paraître sérieuse en petite culotte violette et tee-shirt au-dessus du nombril. Mais si tu viens, amène Paul. Et attends-toi à voir Alice, d'accord ?

Il hocha la tête.

– Et ne bois pas.

Elle aurait aimé clore la conversation en tournant les talons pour sortir comme une reine. Mais elle était dans sa chambre, elle dut donc rester assise sur son lit et le regarder s'éloigner.

*

Elle n'avait jamais fait l'amour.

Cela le surprenait-il vraiment ?

Il avait toujours préféré ne pas y penser. S'il s'obligeait à s'attarder sur le sujet, il s'imaginait qu'elle avait sauté le pas à l'occasion d'une relation brève et sans conséquence. Un peu comme lui.

Il l'avait fait souvent sans conséquence. C'était parfois bref, parfois plus long. Ça lui avait plu, parfois beaucoup. Il repensa à Maria-Rosa, la plantureuse Mexicaine avec qui il s'éclipsait dans les champs au beau milieu de la journée. C'était toujours en marge de sa vraie vie. Jamais il ne l'avait fait avec l'espoir que l'aventure se poursuive. Jamais il n'avait promis à une fille qu'il la rappellerait.

Elle n'avait jamais fait l'amour. « Elle t'attendait. Oh, Seigneur ! »

Pourtant, c'était évident. Il n'aurait pas supporté qu'il en soit autrement.

Il sentait son cœur battre dans tout son corps en accompagnant sa mère au bateau taxi. Il était trop préoccupé pour écouter le moindre mot de ce qu'elle lui racontait. C'était une expérience nouvelle. Excitation, désir, fantasmes... mêlés à la peur panique de perdre le contrôle.

– Ça va ? lui avait demandé sa mère avec une perspicacité inhabituelle, alors qu'elle avançait à côté de lui sur le quai, tous ses bijoux cliquetant.

– Oui.

Sa voix étranglée venait de quelque part au fin fond de son ventre.

Était-il capable d'aller retrouver Alice sur la plage sachant ce qu'elle attendait de lui ? Pouvait-il s'avouer franchement, ouvertement que c'était ce qu'il voulait aussi ? N'étaient-ils pas au-dessus de ça ? Enfin, lui, tout du moins ?

Après avoir quitté sa mère, il marcha. Il marcha jusqu'à Lonelyville, et même plus loin. Il traversa Ocean Beach, Seaview, Point O'Wood et poussa jusqu'à Sunken Forest, où les moustiques le forcèrent à reculer.

Il avait mal aux pieds et un coup de soleil sur les épaules. Alice attendait quelque chose de lui. Elle lui offrait quelque chose en retour. Prendre et donner. Il n'avait jamais bien supporté aucun de ces deux engagements.

Pourrait-il vraiment aller la rejoindre à minuit ?

Pourrait-il vraiment attendre jusqu'à minuit ? Et s'il y allait maintenant ?

Tout à coup, il la voyait comme sa promise, il fallait qu'il attende que le mariage soit passé pour la voir.

Ouh là ! Ses pensées s'emballaient !

N'était-ce pas ce qu'il avait toujours désiré ? Enfin, il prenait sa vie à bras-le-corps, la vie dont il avait toujours rêvé, mais qu'il ne méritait pas.

« Allez ! Vis ta vie ! Elle te tend la main ! » l'encourageait une partie de son cerveau.

Mais en était-il seulement capable ? Et s'il gâchait tout ? Et s'il détruisait tout ce qu'il avait de mieux dans la vie ?

Il ne vivait que pour ça. Plutôt passer sa vie à protéger la relation qu'il avait avec Alice, comme un conservateur de musée, que de risquer de la perdre.

Il n'irait pas la rejoindre. Il n'en avait même pas envie.

Comment allait-il pouvoir attendre jusqu'à minuit ?

CHAPITRE DIX

Vis ta vie

Elle attendait. Une fois de plus.

Pourquoi avait-elle fait en sorte d'être encore celle qui attend ? À croire qu'elle n'avait pas plus d'estime pour elle-même que lui. Ils formaient vraiment un sacré couple, tous les deux. Il n'y en avait pas un pour rattraper l'autre.

Elle leva les yeux. Elle avait rêvé d'une nuit de pleine lune, mais ça aussi, c'était raté.

– Qui a eu cette idée idiote ? demanda-t-elle à une coquille de moule avant de la jeter dans l'eau.

Elle n'avait pas de montre. Elle n'avait pas imaginé que ça se passerait ainsi.

« Je lui donne encore cinq minutes », décida-t-elle.

Elle était complètement cinglée. Elle l'attendait avec son plus beau soutien-gorge, sa culotte à frous-frous et la seule robe à bretelles potable qu'elle avait, dénudée et vulnérable. Elle se retrouvait dans la peau d'une future mariée à qui son fiancé aurait posé un lapin. Pourquoi se mettait-elle dans ce genre de situations ?

Il était largement minuit passé. Il ne viendrait pas. Quelle gourde. Quelle nunuche. Il l'avait traitée comme la dernière des idiotes, elle pouvait se traiter de tous les noms.

Elle contempla les cailloux que l'océan avait déposés à ses pieds. Et si elle faisait sa Virginia Woolf ? Lestée de pierres, elle s'enfoncerait dans l'eau.

Mais sa robe n'avait que de toutes petites poches en voile de coton. Impossible d'y fourrer une charge suicidaire. Elle regretta de ne pas porter un bon vieux ciré et une paire de cuissardes. D'autant plus qu'elle s'était habillée sexy pour personne, en fin de compte.

– Je crois que je vais en mourir, annonça-t-elle à l'océan.

– Alice ?

Son désespoir du genre plutôt démonstratif avait couvert le bruit des pas approchant derrière elle. Elle avait déjà jeté l'éponge.

– Salut, Alice.

Elle n'avait même pas envie de se retourner. Elle avait jeté l'éponge, on vous dit.

– Je suis en retard ? Désolé, fit l'individu qui se tenait dans son dos.

Finalement, elle se retourna malgré elle. Elle ne put s'en empêcher.

C'était bien lui qui parlait ? Ses yeux lui confirmèrent que c'était bien Paul, mais ses oreilles ne voulaient pas y croire. Ouh là, là ! il ne fallait pas qu'elle s'emballe.

– J'allais partir, répliqua-t-elle machinalement

– Mauvais timing !

Elle pensait qu'il serait gêné, hésitant. Qu'il s'excuserait. Pourquoi paraissait-il si détendu ? Ça ne pouvait pas être Paul.

Il s'approcha tout près, mais sans la toucher ni l'embrasser pour lui dire bonjour. Entre eux, ce genre de gestes anodins était toujours compliqué.

– Je me suis dit qu'on aurait sans doute besoin de ça, dit-il. J'aurais dû y penser avant.

Il brandit une farandole de petits carrés en plastique.

Il avait apporté des préservatifs. Elle rougit. Elle n'avait pas eu l'esprit aussi pratique que lui. Finalement, elle ne pensait peut-être pas qu'ils iraient vraiment jusqu'au bout. Elle était tellement surprise qu'elle se demanda si elle bluffait depuis le début. Peut-être qu'il la provoquait exprès, pour voir ?

– L'épicerie était fermée. Du coup, j'ai voulu les commander en ville et les faire livrer par ferry, mais ce n'était pas ouvert non plus. J'aurais dû y penser avant.

– Mais tu les as trouvés où, alors ? demanda-t-elle, abasourdie.

– C'est Don Rontano qui me les a donnés.

– Non ! C'est pas possible !

Soudain, elle se mit à glousser comme une gamine de douze ans.

– Si, pourquoi ?

Elle ricana encore un peu.

– Non, non pour rien.

– J'ai apporté deux ou trois autres choses.

Il parlait d'une voix claire et assurée. Forte mais douce. Ce ne pouvait pas être Paul.

Il déposa son chargement sur le sable. Déplia une couverture.

– J'ai pris ça. Pour s'allonger.

Elle s'attendait à des coups d'œil furtifs, il soutenait son regard sans ciller.

– Bonne idée, souffla-t-elle.

Alors il avait tout prévu. Avait-il l'intention d'aller jusqu'au bout ou la testait-il pour la faire reculer au dernier moment ? Elle scruta son visage, y cherchant un signe de manipulation, mais n'en trouva aucun.

– Et ça, pour après.

C'était un paquet de cookies au chocolat.

Pour après. Elle en était sans voix. Elle ne trouvait plus rien à dire.

– Et puis ça. Pour toi, pas pour moi, précisa-t-il en enterrant à demi la bouteille de vin dans le sable.

Elle était émue. Au bord des larmes.

– Tu es tendue ? Tu en veux un peu ? J'ai aussi pensé au tire-bouchon.

Elle frôla ses paupières d'un revers de main en murmurant :

– Non, non, ça va.

Il lui posa la main sur l'épaule. Se pencha au creux de son oreille.

– Après tout ce temps, autant faire les choses bien, non ?

*

Il étala la couverture. D'habitude, c'était mission impossible, mais ce soir, le vent soufflait à peine. Il avait choisi un petit coin tranquille, à l'écart de tout, entre deux dunes. Ici, personne ne viendrait les déranger.

Maintenant, c'était Alice qui paraissait effrayée. Maintenant, c'était Paul qui était sûr de lui. Mais il ne voulait pas que son assurance l'effraie.

Il installa leurs affaires. S'assit.

– Viens à côté de moi, lui dit-il.

La lune fit son apparition pour révéler comme elle était jolie dans sa robe à petites fleurs turquoise et mauve. Elle lui faisait penser à un cadeau, dans un joli paquet, mais qu'on meurt d'envie d'ouvrir pour voir ce qu'il y a à l'intérieur.

Il s'autorisa à savourer sa beauté, sans penser à la souffrance qu'elle pouvait engendrer, contrairement à d'habitude. Alice avait la beauté bienveillante. Il le savait, même s'il avait du mal à baisser la garde.

– Si tu es un peu stressée, ne t'en fais pas, lui dit-il à voix basse. Tout va bien.

– Qui êtes-vous? Qu'avez-vous fait de Paul? chuchota-t-elle.

– Je l'ai amené. Il est là, avec Alice.

C'était vrai. Il était là, à côté d'elle. Enfin. Il en était le premier surpris, mais il était sûr de lui, maintenant. Assez sûr de lui pour deux, et pour quiconque tenterait d'interférer. C'était ce qu'il voulait. Maintenant qu'il s'était enfin décidé, il avait hâte. « Il n'y a pas plus fervent qu'un converti », pensa-t-il.

En même temps, il avait conscience d'être sur le point de connaître un plaisir fabuleux et rare. Un plaisir qu'on n'éprouve qu'une fois dans une vie. Et qu'il aurait été immensément stupide de ne pas savourer intensément. Il en avait marre d'être stupide.

– Tu es prête?

Il faisait tellement noir qu'il distinguait à peine ses yeux dorés. Il voulait voir. Il voulait qu'elle le voie. Maintenant qu'il était décidé.

– Je ne te force pas ? demanda-t-elle timidement.

– J'ai l'air de me forcer ?

– Non, mais... Sincèrement. Tu n'es pas obligé. Je ne t'en voudrais pas. Tu pourras toujours dormir dans mon lit.

– Je veux dormir dans ton lit...

Et il se pencha sur elle pour l'embrasser. Sur la joue, d'abord. Et le long de la mâchoire.

– ...mais je veux des tas d'autres choses.

Dire qu'il l'aimait depuis si longtemps et qu'il n'avait jamais osé l'embrasser. Peut-être avait-il peur de ce que cela risquait de déclencher.

Il l'embrassa dans le cou, puis plus bas, juste à gauche de sa croix en argent. Il l'embrassa sur la clavicule, il l'embrassa sur l'oreille. Alice ! Tant d'endroits qu'il connaissait si bien mais qu'il n'avait jamais effleurés.

Il attendait pour l'embrasser sur la bouche. Parce que ce serait trop intense. Il le savait.

Elle lui rendait ses baisers et leur intimité était presque intenable. Il perdit le contrôle et ne fit aucun effort pour le reprendre. Il l'embrassait comme si c'était sa première fois. Et d'une certaine façon, c'était sa première fois. Lui aussi était vierge.

Il avait envie de le lui dire, ainsi que d'autres choses importantes, mais pour parler il aurait fallu arrêter de l'embrasser, et c'était impossible.

Il laissa ses doigts et sa bouche découvrir des parties de son corps que seuls ses yeux connaissaient. Comment aurait-il pu deviner tout ce qu'il ratait ?

Et puis il y avait la robe. Tout ce qu'il n'avait pas encore vu. Il avait le cœur battant, comme un gamin de quatorze ans. Ce n'était pas pareil quand ça comptait vraiment. Il y avait tellement d'implications dans le passé, mais aussi pour le futur, à l'infini. Cependant, lorsqu'elle descendit sa robe sur ses hanches et l'ôta en quelques coups de pied, le passé et le futur s'éclipsèrent pour laisser place à l'instant présent.

Ses doigts agiles et légers le débarrassèrent de sa chemise, puis s'attaquèrent au bouton de son jean. Malgré le soin qu'il avait mis à choisir sa tenue, il quitta avec empressement son emballage cadeau.

Il l'attira sur lui et sentit le sable épouser les formes de son dos. Ça ne pouvait pas se passer ailleurs que sur la plage. Elle le savait, évidemment.

Plein de désir, il la serra contre lui. Il la désirait affreusement, il la désirait merveilleusement. C'était un plaisir proche de la douleur, une sensation si intense qu'elle allait de l'agonie au bonheur suprême.

Elle avait les yeux grands ouverts et lui aussi. Pas de fausse pudeur entre eux. Ses deux pupilles formèrent un immense œil de cyclope lorsqu'il embrassa l'arête de son nez. Ni l'un ni l'autre n'avait l'intention de manquer ça.

Elle passa ses jambes autour de lui. Elle avait de la force, il le savait. Ils fonçaient à une allure où plus rien ne pouvait les arrêter. Il n'y avait plus de route devant eux, il n'y avait plus qu'à se lancer dans le vide, en roue libre.

Elle tremblait. Ou était-ce lui ?

– On peut attendre, si tu veux, murmura-t-il sachant pertinemment que c'était trop tard.

Il était emporté dans son élan, plus complètement

conscient, et elle aussi, semblait-il, car elle dit, ou tout du moins, il crut l'entendre dire :

– Ce ne sera pas la seule fois, juste la première.

Au moment crucial, il eut l'impression de se disloquer et de se reconstruire presque en même temps. Il la serra, sans doute trop fort. Ses yeux s'emplirent de larmes, un nouveau genre de larmes.

Il l'embrassa sur la bouche et elle lui rendit son baiser tandis qu'il la serrait encore plus fort. Il n'avait jamais ressenti ça auparavant.

– Alice, c'est toi, murmura-t-il quand il releva la tête.

C'était difficile à croire.

Elle était là, ils étaient ensemble, après tout ce temps. Bonheur suprême.

Il ne faisait pas seulement l'amour avec Alice, ce qui était pourtant déjà une joie en soi. Il faisait la paix avec lui-même.

*

Après, elle posa la tête sur sa poitrine. Elle s'endormit même peut-être un instant. Tant de sensations montaient en elle, elle était submergée.

Il avait replié la couverture sur eux ; ils étaient donc nus, mais sans être exposés aux yeux du monde. Elle était au chaud, elle était bien, allongée sur lui, leurs jambes et leurs bras entremêlés, en sueur.

Elle n'osait pas bouger, pas parler, de peur de rompre le charme de cet instant précieux. Elle ne voulait même pas réfléchir. C'était trop bon d'exister, tout simplement, d'être là, d'être soi.

Ça ne dérangeait personne. Ils pourraient peut-être rester comme ça éternellement. Mais elle entendait le clapotis des vagues et vit la lune émerger d'un amas de nuages. Ils étaient toujours sur la terre, et elle continuait à tourner. Le soleil allait se lever et une nouvelle journée débuter. Si c'était bien réel, si c'était vrai – si une force invisible ne venait pas tout détruire, si l'homme qui était dans ses bras ne tentait pas de tout effacer –, alors demain ne serait pas seulement un jour nouveau, mais une vie nouvelle.

Ils mangèrent des cookies. Des grains de sable croquaient sous ses dents. Une sensation familière et pas complètement désagréable. D'après sa mère, le sable avait constitué la base de son régime alimentaire au cours de l'enfance.

Chaque fois qu'elle regardait Paul, elle s'attendait à ce qu'il disparaisse, ou qu'il détourne les yeux, mais non. Il restait là, avec elle. Et l'aidait à finir le paquet de cookies.

Ils s'assoupirent un instant, et elle se réveilla en sentant ses lèvres sur sa poitrine. Ils firent à nouveau l'amour, plus longtemps, plus tendrement encore. Le ciel commençait à s'éclaircir et, comme il était au-dessus d'elle, elle distinguait son visage. Pour la première fois, elle voyait son plaisir s'y peindre, sans équivoque, sans retenue.

– Je t'aime, dit-elle lorsqu'il se pencha vers elle à la fin.

Ils étaient collés l'un à l'autre, joue contre joue, ses orteils contre ses chevilles.

– Je t'ai toujours aimé, et je t'aimerai toujours.

Elle savait qu'elle s'emballait un peu, qu'elle n'aurait sans doute pas dû le dire tout haut. Mais c'était comme ça. Parce que c'était vrai et qu'elle ne pouvait pas faire autrement de toute façon.

*

Alice voulait regagner son lit avant que sa sœur ne s'aperçoive de son absence. Il fallait donc qu'elle se dépêche. Et puis ils n'avaient aucune envie de croiser le flot matinal des coureurs et surfeurs. Elle était bien contente que ses parents soient à New York.

Tout était si nouveau, si excitant. S'habiller devant lui, le regarder faire de même, avoir l'impression d'avoir un droit sur lui maintenant. Avoir l'impression qu'elle ne se contentait plus de lui appartenir, mais qu'il lui appartenait un peu lui aussi. Main dans la main, ils traversèrent les dunes et remontèrent le chemin de planches qui menait jusqu'à chez eux. Et ce fut lui qui lui prit la main.

Ils s'embrassèrent encore avant de se séparer. Elle aurait voulu ne pas le regarder s'éloigner, mais elle ne put s'en empêcher, et le supplia intérieurement. « Ne m'abandonne pas. Reste comme ça. »

Une fois dans sa chambre, elle s'assit sur son lit, fixant le mur, et se repassa le film de leur nuit.

La mémoire est une force en mouvement. Déjà elle classait, ordonnait, transformait en récit des émotions brutes. Voilà comment s'écrirait l'histoire de son point de vue à elle. « Et du sien ? » se demandait-elle.

Elle hésitait à se laver, de crainte que l'eau n'emporte une partie de ses sensations, mais elle prit quand même une douche. Elle appréhendait de s'endormir, de peur que son inconscient ne s'en mêle et n'embrouille tout, mais elle s'abandonna tout de même au sommeil.

Lorsqu'elle se réveilla, ce fut avec un souvenir heureux en tête. D'habitude, elle tentait d'analyser en quoi ses rêves avaient un rapport avec sa vie, mais cette fois, c'était l'inverse. Alors c'était bien vrai, hein ? Son corps le lui confirmait.

Elle mourait de faim. Elle engloutit trois bols de céréales sans reprendre sa respiration. Elle s'habilla, notant comme elle se sentait bizarre dans ses sous-vêtements, puis s'arrêta sur le pas de la porte. Elle redoutait que cet état de grâce ne se dissipe au contact des gens et du monde réel. Mais si elle n'osait pas prendre ce risque, il lui faudrait renoncer au sandwich à l'œuf dont elle avait tellement envie.

Heureusement, l'épicerie était déserte. Elle n'avait pas de baby-sitting avant cet après-midi. Elle mangea donc la moitié de son sandwich dans une relative tranquillité, guettant l'arrivée de Paul de tous côtés, même ceux d'où il ne pouvait pas arriver.

Elle avait envie de le voir, mais elle l'appréhendait également. Elle voulait conserver sa version des événements le plus longtemps possible. Elle redoutait de découvrir que sa version à lui était totalement différente, plus facile à fourrer dans un coin de sa mémoire pour l'oublier.

Il était devant sa porte lorsqu'elle revint chez elle. Elle était submergée de joie et d'angoisse. Elle avait peur de laisser ses yeux s'attarder trop longtemps sur son visage. « C'était bien vrai, dis ? »

Pourquoi le dévisageait-elle ainsi ? Elle savait pourtant que c'était bien réel. Ça ne lui suffisait donc pas ?

Non, visiblement. Le plus frustrant avec les histoires d'amour, c'est qu'on ne peut pas les écrire tout seul.

Il lui fit signe de le suivre, et elle obéit – ils empruntèrent le passage secret, entrèrent chez lui, montèrent l'escalier. Avec les fenêtres grandes ouvertes, l'océan paraissait rugir au milieu de la chambre. Et le vent soufflait comme en pleine mer.

Elle lui offrit le reste de son sandwich à l'œuf, qu'il dévora de bon cœur. Il roula l'emballage en boule et le lança dans la corbeille à papiers comme un pro.

– Panier ! commenta-t-elle, jouant les pom pom girls en espérant l'amadouer.

Ils s'assirent côte à côte sur son bureau, les pieds dans le vide, échangeant de petits coups d'œil en silence.

« Hé, je n'ai pas rêvé ? C'était bien vrai ? »

Finalement, elle se décida à poser la question à voix haute. Elle se prépara. Serra les poings.

« Ne réponds pas "quoi ? Ne noie pas le poisson. Pèse bien tes mots, cette fois », le supplia-t-elle silencieusement.

Il lui adressa un sourire qu'elle ne connaissait pas. Il se laissa glisser du bureau, la souleva en passant un bras sous ses aisselles et sous ses genoux, puis l'allongea sur son couvre-lit plein de bosses. Aussitôt, ses doigts s'attaquèrent à la ceinture de son short.

– On va vérifier.

*

Le surlendemain, Alice rentra de son service au yacht-club en courant presque, dévorée d'impatience. Elle avait l'impression de mordre la vie à pleines dents, sans mâcher, avec voracité. Elle ferait un saut par sa chambre pour se nettoyer le visage et se remaquiller un peu avant de filer chez Paul. Il feindrait la surprise alors qu'elle savait pertinemment qu'il l'attendait.

La mer était calme tandis qu'elle longeait la promenade. Il n'y avait pas de bateau de pêcheurs amateurs ce soir. Voyant un kayak couper le chemin argenté que dessinait la lune à la surface de l'eau, elle pensa à sa sœur. Son pouls ralentit et son humeur changea brusquement.

Elle se retourna vers le yacht-club où le bar était encore ouvert. Elle se rappelait une nuit, pareille à celle-ci, sur la même promenade, six ans plus tôt, le jour de la soirée annuelle du Memorial Day*.

Dans l'après-midi, Riley avait prévenu Judy qu'elles n'avaient pas envie d'y aller. Elle s'était figuré qu'elle pouvait parler pour sa sœur parce que, d'habitude, c'était le cas. D'habitude, Alice était d'accord avec elle. Elles feraient quelque chose toutes les deux, tranquilles, par exemple une sortie de nuit en kayak. D'habitude, Alice s'estimait heureuse d'avoir sa sœur à elle toute seule.

Mais, cette année-là, Alice avait quinze ans. Le dentiste lui avait retiré ses bagues durant l'hiver et elle avait découvert un masque qui domptait ses cheveux pour les rendre aussi lisses et raplapla que ceux des autres filles. Elle avait un nouveau jean dont elle était très fière. Mais tout ça, jamais elle n'aurait osé l'avouer à Riley.

– Moi, j'irais bien, avait-elle timidement dit à sa mère.

Sa sœur s'était retournée, stupéfaite.

NdT : jour de commémoration des soldats américains morts au champ d'honneur, le dernier lundi de mai.

149

– Tu as envie d'y aller ?

Alice avait honte, mais oui, elle avait envie d'y aller.

– Juste un petit moment, pour voir un peu de monde.

Elle venait en outre d'apprendre que Sean Randall avait un faible pour elle. Janna Green le lui avait confié sur le ferry, en arrivant. Elle ignorait s'il lui plaisait aussi, mais elle était contente qu'un garçon s'intéresse à elle.

Lorsqu'une heure plus tard elle était descendue vêtue de son nouveau jean, Riley l'avait regardée sans comprendre. Alice avait glissé un tube d'eye-liner et du gloss dans son sac pour se maquiller dans les toilettes en arrivant là-bas. Elle ne se pomponnait qu'en secret.

– On pourra toujours aller faire un tour en kayak après si tu t'ennuies, avait proposé Riley.

Alice avait culpabilisé encore plus que si elle lui avait fait une remarque ou émis la moindre critique. Elle s'en voulait tellement de la laisser seule. Elle avait regretté que Paul ne soit pas là – sa mère ne venait jamais avant le 4 juillet. Les autres surveillants de baignade avec qui sa sœur traînait habitaient Bay Shore ou Brightwaters. Ils n'arrivaient pas avant début juin et ils rentraient généralement chez eux en ferry le soir.

Au regard que lui avait lancé Riley, Alice avait compris qu'elle n'avait absolument aucune envie de l'accompagner à cette soirée. Elle ne comprenait même pas quelle raison pouvait pousser sa sœur à vouloir y aller.

Alice avait l'impression que c'était une faiblesse de vouloir être jolie et de plaire aux garçons. Riley avait dix-huit ans et jamais, ni à l'époque ni depuis, elle ne l'avait vue sortir avec quiconque ou embrasser quelqu'un, fille ou garçon. « C'est Riley qui est bizarre, non ? » tentait-elle alors de se rassurer avec le goût amer de la trahison dans la bouche.

Elle se revoyait encore longer cette même promenade, dans son jean neuf tout raide, honteuse et en même temps tout excitée.

CHAPITRE 11

Regarde ce qui s'offre à toi

– Allez, Paul ! Descends ! Qu'est-ce que tu fabriques ?

Riley était au pied de l'escalier, en train de hurler.

Les vagues étaient énormes et, un peu plus tôt dans la journée, ils étaient convenus d'aller surfer si ça continuait. Elle était impatiente car elle savait que l'océan pouvait changer d'un instant à l'autre. Ces derniers temps, Paul l'agaçait un peu.

– Entre. J'arrive dans une seconde !

– Non, retrouve-moi sur la plage, répliqua-t-elle en refermant la porte derrière elle.

Elle n'aimait pas cette maison. Jamais elle n'y pénétrait. C'était le genre d'endroit que non seulement elle détestait, mais qui en plus l'angoissait. Auparavant, lui semblait-il, les maisons étaient pleines de sable, les fenêtres et les portes restaient grandes ouvertes, les céréales ramollissaient dans leur paquet à cause de l'humidité et, partout, dominait l'odeur de la mer. Même celle-ci avait été ainsi autrefois. Désormais les villas étaient aseptisées et leurs ouvertures scellées, les climatiseurs tournaient accrochés aux fenêtres ou cachés dans l'appentis, les déshumidificateurs bourdonnaient et vibraient ; on aurait dit qu'un virus s'était propagé dans toute l'île, contaminant un foyer après l'autre. Rénovations, lave-vaisselle, meubles design et rideaux épais pour préserver l'intimité ; un vrai décor de théâtre, où les gens prenaient la pose mais ne vivaient pas vraiment. Seule sa propre maison trouvait grâce à ses yeux.

Lia, la mère de Paul, était comme sa villa : d'une beauté glacée et impitoyable.

Riley avait appris à se méfier des très belles femmes, sans doute à cause de Lia, qui se servait de ses atouts pour manipuler les autres.

Elle était obligée de faire une exception pour Alice. Elle avait secrètement espéré que sa sœur ne se classerait pas parmi cette catégorie, mais il semblait que si – et sans faire d'effort particulier, en plus. Sans avoir la beauté des tyrans, elle pouvait cependant faire souffrir. Mais c'était Alice, alors elle lui pardonnait.

En regardant la maison depuis la plage, elle osa s'avouer pourquoi elle était mal à l'aise. Parce qu'Alice passait la nuit dehors pour ne revenir qu'à l'aube, pensant que personne n'avait remarqué son absence. Parce que Paul oubliait de venir comme d'habitude pour déjeuner ou jouer au poker. Riley refusait d'en tirer des conclusions. Mais elle savait qu'ils étaient chez Paul. Dans la villa de Lia.

Elle était triste qu'il ne cherche plus à ruser pour passer le plus de temps possible chez eux, comme autrefois. Il ne faisait plus semblant de s'endormir sur le canapé pour qu'ils n'aient pas le cœur de le renvoyer chez lui, le soir. Maintenant il restait dans son immense villa glaciale. À attendre qu'Alice le rejoigne.

*

Cette nuit-là, Alice rêva qu'elle était enfermée à l'intérieur de la maison, elle savait – comme on sait dans les rêves – qu'elle ne pouvait pas sortir, qu'elle n'avait même pas essayé d'ouvrir les portes. Elle avait la drôle d'impression que la maison ne touchait plus terre. Elle voulait regarder dehors, mais n'arrivait pas à voir par les fenêtres. Ce n'était plus des ouvertures sur le monde, mais de simples images de ce qui entourait le bâtiment, le ciel, les roseaux, la villa de Paul.

Soudain, elle n'était plus devant ces photos mais devant une pile de linge sale et elle fouillait, fouillait, cherchant le gilet de sauvetage de Riley, car sa sœur en avait besoin et, dans le rêve, elle n'en avait qu'un seul.

Au petit matin, Alice se réveilla en sursaut, le dos trempé d'une sueur glacée. Elle se brossa les dents, se rafraîchit le visage, fit quelques pas dans sa chambre sans parvenir à se débarrasser de la désagréable impression que lui avait laissée ce cauchemar.

Sans plus réfléchir, elle enfila un short et un tee-shirt et courut pieds nus jusqu'à la plage de Riley.

Elle fut rassurée de trouver sa sœur perchée en haut de sa chaise, dans son gilet de sauvetage rouge, le regard perdu au loin, fidèle à elle-même. Elle tenta de l'appeler, non qu'elle ait quoi que ce soit à lui dire, juste pour lui faire coucou. Mais le vent lui renvoya ses cris et Riley ne sembla pas l'entendre.

*

Lorsque la coursière de chez FedEx sonna en fin de matinée le lendemain, Paul se douta que c'était encore une assignation ou un recommandé quelconque. Impossible de faire comme s'il n'était pas là puisqu'il avait déjà ouvert la porte.

Il savait que c'était un courrier d'avocat. Il n'avait même pas besoin de regarder. Sans aucun doute de la paperasserie extrêmement urgente, requérant au minimum trois signatures, qu'il allait s'empresser de jeter et d'oublier. Ses grands-parents confiaient leur sale boulot à leurs avocats. Lui, il le confiait à la poubelle. Il signa « Paul McCartney » sur le récépissé et prit le paquet.

Où qu'il soit, ils le retrouvaient toujours. Un coursier en uniforme avait même traversé le parc national de King Canyon pour lui remettre un pli. Dans ses pires accès de paranoïa, il s'imaginait parfois que ses grands-parents lui avaient fait implanter un émetteur GPS dans la cheville pendant son sommeil.

Il retourna à son bureau, larguant le paquet sur une pile de paperasse. Il fixa son écran et pensa à Alice jusqu'à ce qu'elle apparaisse en chair et en os devant lui, sans bruit, comme portée par le vent.

– Tu as vu la plage ?

– Seulement par la fenêtre.

– Elle te plairait.

– Approche, dit-il.

Le problème avec leur nouvelle relation, c'est qu'il avait tout le temps envie de la toucher.

Lorsqu'elle fut à sa portée, il l'attira sur ses genoux. Instantanément ses lèvres furent sur les siennes et ses mains sous son petit haut.

– Tu as fini le boulot pour aujourd'hui ? demanda-t-il, plein d'espoir.

– Je reprends à deux heures.

– Tu m'as manqué.

Oh, il se surprenait à dire de ces trucs ! Il s'était toujours figuré que les couples échangeaient ce genre de banalités pour bien asseoir leur statut d'amoureux. Il n'aurait jamais imaginé que ces mots s'échapperaient un jour de ses lèvres sans qu'il puisse les arrêter.

– J'adore quand tu es en minijupe, lui dit-il en soulevant ladite jupe.

Il avait un préservatif dans sa poche. Il en avait en permanence sur lui désormais. Il en avait même un dans sa chaussure. Il lui aurait fait l'amour au rayon conserves de l'épicerie si ça n'avait gêné personne.

En un peu plus d'une semaine de pratique intensive, il avait appris à se débrouiller avec ses soutiens-gorge les plus capricieux, tandis qu'elle acquérait une technique de pointe pour le débarrasser en vitesse de son pantalon. Ils n'avaient même pas besoin de marquer un temps d'arrêt ou de changer de position. Toujours sur ses genoux, face à lui, elle lui passa les bras autour du cou et l'aida à entrer en elle. Il poussa un gémissement de contentement. Avant il se forçait à manifester son plaisir pour flatter sa partenaire, alors qu'avec Alice, il ne pouvait pas se retenir.

Il avait l'impression que plus rien ne l'intéressait dans la vie à part faire l'amour à Alice. Il ne pensait qu'à ça, il n'avait envie que de ça. Quand ils se seraient un peu calmés, il pourrait essayer de travailler sur son mémoire dans cette position. Et Alice, que ferait-elle ? Elle pourrait lire, écrire ou noter des devoirs. Il faudrait qu'il lui soumette son idée. Ils deviendraient alors le premier couple à réussir leur carrière en faisant l'amour. Impossible d'enseigner à la fac ou d'assister à des réunions, mais ils pourraient se servir des nouvelles technologies, comme la téléconférence. Il faudrait qu'Alice oublie ses ambitions d'avocate, ce qui valait mieux, de toute façon.

Il lui embrassa les cheveux, l'oreille, les paupières. Il était heureux.

Après avoir joui, elle, puis lui, ils s'affalèrent un long moment dans les bras l'un de l'autre.

Puis elle dut partir travailler. Il la regarda, assise sur son bureau, rattacher son soutien-gorge et se faire une tresse. Elle savait si bien s'y prendre.

Elle était en train de lui parler de Gabriel, un gamin de quatre ans qui avait jeté le train électrique de son grand frère dans les toilettes. Paul l'écoutait – si, si, il l'écoutait vraiment –, admiratif. Quand on est amoureux, on se met à admirer de drôles de choses chez l'autre : son don pour rendre ses livres de bibliothèque en temps et en heure, ou pour couper les concombres en tranches fines. Alice était une experte dans l'art d'ôter les échardes de ses pieds.

C'était fou de se laisser aller ainsi. De laisser sa vie se dérouler devant soi sans autre projet que de faire l'amour. Ça semblait inimaginable. Ou tout du moins interdit par la loi.

Peut-être étaient-ils tous deux tombés dans une sorte de faille intersidérale où l'on ne pouvait faire autrement que d'être heureux en permanence ?

Il savait que c'était faux, mais que savait-il vraiment, maintenant que toutes ses convictions avaient été ébranlées ?

C'était incroyable. C'était impossible. Ça lui retournait les neurones.

Il aurait été prêt à croire que la vie était une suite ininterrompue de souffrances, mais ça, non. Ça, jamais il ne l'aurait imaginé. Il se retrouvait dans la peau d'un rat de laboratoire, conditionné à souffrir, complètement perdu, et regrettant à moitié son ancienne existence.

Alice se leva et lui donna un petit coup de pied affectueux. Non, il ne regrettait rien du tout.

– C'est quoi ? demanda-t-elle.

– Un truc que m'ont envoyé les avocats de mes grands-parents.

Même cette enveloppe ne pouvait miner son optimisme.

– Tu ne l'ouvres pas ?

– Non ? Ce doit être un document que je suis censé signer pour virer une somme d'argent du compte de ma mère au mien, je suppose.

Il haussa les épaules.

– J'ai faim. On a le temps de faire des œufs brouillés.

– Vite fait, alors. Tu vas signer ?

– Non, je refuse systématiquement.

– On a le temps pour les œufs brouillés, mais pas pour la recette spéciale du chef.

Il prit l'air déçu. La dernière fois, ils avaient fait l'amour dans le cellier pendant que les œufs cuisaient et les toasts avaient brûlé.

– Oh, s'il te plaît ! C'est ceux que je préfère !

Elle consulta l'horloge de l'entrée.

– Bon, d'accord.

Il la regarda casser les coquilles (d'une main experte) et poussa un soupir. C'était plus fort que lui. Si l'histoire d'Alice et Paul devait s'arrêter là, ce serait un conte de fées.

*

– J'ai appris que Lia était venue, commença Judy.

– Mm ! Ouais.

Sa vie avait connu un bouleversement si radical depuis qu'il avait presque oublié le passage éclair de sa mère.

– Comment va-t-elle ?

Judy avait pris son air fouineur, son ton fouineur, mais Paul s'efforça de ne pas s'en irriter. Il voyait ses défauts aussi clairement que s'il était son fils, mais il lui pardonnait car il n'était que le voisin d'à côté.

Il jeta un coup d'œil vers Ethan.

– Toujours pareil.

Alice était assise en face de lui, un pied sous les fesses. Non, non, il ne fallait pas qu'il laisse son esprit s'égarer sous sa jupe ; mais le simple fait de s'interdire d'y penser faisait qu'il y pensait. Aïe, aïe, aïe ! c'était de pire en pire.

– Je ne l'ai pas vue, intervint Riley. Je ne savais même pas qu'elle était là.

« Parce que je t'évitais », répondit Paul dans sa tête.

– Tu as assez mangé ? demanda Ethan en se levant pour débarrasser la table.

– Oui, merci, affirma Paul.

Il ne voulait plus de pâtes, mais il avait encore faim d'Alice. Pourtant, alors que c'était elle qui avait insisté pour qu'il vienne dîner, elle refusait de le regarder.

– Si tu ne viens pas, ça va paraître bizarre, avait-elle dit en passant en vitesse dans sa chambre en fin de journée, sans le laisser la déshabiller.

– Et si je viens, ce ne sera pas bizarre, selon toi ? avait-il répliqué.

– Tu viens toujours quand mon père fait des pâtes, avait-elle affirmé, et elle avait raison.

Il avait développé un tel sens de l'odorat qu'il savait ce que ses voisins allaient manger, même quand le vent soufflait dans la direction opposée.

– Et je suis censé ne pas te toucher, c'est ça ?

– À moins que tu ne veuilles les mettre au courant.

– Ouais, pourquoi pas ? avait-il répondu.

Elle l'avait fixé comme s'il avait perdu la tête – ce qui n'était pas faux. Il ne savait plus vraiment ce qu'il pensait à propos de quoi que ce soit. Ses certitudes s'étaient effondrées et il les avait piétinées gaiement. Il aurait fallu qu'il les recolle morceau par morceau pour essayer de savoir ce qu'il avait dans le crâne.

– Elle était contente d'être là ? insista Judy.

Paul pensa au pli ouvert sur son bureau. La sincérité n'était pas vraiment son fort.

– Pas plus que la dernière fois.

Dans la cuisine, Ethan lavait la vaisselle en chantant un tube de Bruce Springsteen qui passait à la radio.

– Elle va garder la maison ?

Voilà ce qui perturbait Judy. Elle comprenait le mari

drogué, la famille en miettes, la vie aux quatre coins du monde. Mais posséder une villa sur cette île – un bien qui valait bien plus que le leur – et ne jamais y aller, ne pas le louer ni le vendre, voilà qui la dépassait. Là, Judy ne suivait plus Lia.

– Eh bien, en fait, non.

L'espace d'un instant, l'expression d'Alice les trahit.

– Quoi ?

Riley, qui se balançait, fit violemment retomber sa chaise sur ses quatre pieds.

– Elle la vend ?

– Hum…

Il sentait les yeux d'Alice le transpercer.

– Pas vraiment. En fait, elle me la donne.

– Elle te la donne ? répéta Judy.

– J'ignore pourquoi. Elle a signé les papiers. Je croyais qu'elle ne pouvait pas le faire sans ma signature, mais visiblement si. Je n'ai pas mon mot à dire.

Alice avait la tête d'un pilier de bar qui mourait d'envie de le sortir sur le parking pour le transformer en punching-ball. D'accord, il aurait sans doute dû le lui dire, mais elle avait passé tout l'après-midi à travailler.

– Tes grands-parents doivent être contents, commenta Judy.

Elle manquait parfois vraiment de tact, surtout quand elle avait l'impression, souvent à tort d'ailleurs, que l'affaire la concernait.

– Et tu n'en veux pas ? s'étonna Alice.

– Je la veux bien, moi, intervint Riley.

– Je préférerais la vôtre, répliqua-t-il sans réfléchir.

– Mais la tienne vaut dix fois plus, fit remarquer Alice, toujours pragmatique.

– Non, affirma-t-il.

Il avait passé beaucoup de temps à réfléchir à la valeur de l'argent. Il avait conscience que tout ne pouvait pas s'acheter.

– Qu'est-ce que tu vas faire ? demanda Judy.

– Aucune idée. J'ai appris la nouvelle cet après-midi.

En réalité, il savait qu'il allait la vendre. Il avait la conviction – l'une des rares qui ne s'étaient pas effondrées – qu'il n'était pas le genre de personne à posséder une villa de multimillionnaire en bord de mer, même si depuis peu il avait plaisir à y vivre.

*

– Alors tu as fini par l'ouvrir, cette enveloppe, remarqua Alice en le raccompagnant chez lui.

– Après ton départ. J'ignore pourquoi.

– Sacrée baraque en tout cas ! s'exclama-t-elle en levant la tête.

– Merci.

– Il faut que je rentre finir la vaisselle.

Il lui prit la main pour l'attirer hors du sentier, dans l'ombre, puis il l'embrassa.

– On va attraper des tiques, protesta-t-elle faiblement.

– Je vérifierai que tu n'en as pas tout à l'heure.

– Oooh…

– Viens ce soir, je t'en prie.

– Je ne sais pas. Ma mère a des oreilles bioniques.

– Allez…

Il prenait souvent un malin plaisir à refuser aux gens ce qu'ils désiraient le plus. Dieu merci ! Alice n'était pas comme ça.

– OK, fit-elle.

*

Et, fidèle à sa promesse, Alice le rejoignit avant minuit.

– Judy se doute de quelque chose ? s'enquit-il en levant les yeux de son ordinateur.

– Non, j'ai été discrète.

– Bien joué, agent Alice.

Elle s'assit sur son lit.

– Mais à mon avis, elle serait contente d'apprendre que je sors avec quelqu'un.

– Tu crois ?

– Elle ne supporte pas qu'on vive notre vie, mais elle ne supporte pas non plus qu'on dépende d'elle.

– C'est ce qu'elle s'imagine ?

– Elle s'inquiète pour nous, je pense. Surtout pour Riley.

C'était un terrain glissant. Paul savait ce qui inquiétait Judy, mais il n'avait aucune envie d'en parler, et encore moins avec Alice. Il considérait Riley comme sa sœur, sa vie sexuelle était donc un sujet tabou. Était-elle lesbienne ? Avait-elle seulement une sexualité ? Souffrait-elle d'être seule ? Les gens se posaient des questions, il le savait, mais il avait toujours refusé de la trahir en s'interrogeant lui aussi. La trahir encore.

– Et toi ? Pourquoi s'inquiéterait-elle pour toi ?

– Parce que je ne sors pas avec des garçons.

Il sourit.

– Ah bon ?

– Un seul, alors.

Ils firent l'amour dans son lit, puis se préparèrent un chocolat chaud, tout nus, dans la cuisine. Tant pis si le cacao
datait des années 1980. Alice trouva une pomme dans son
sac et ils se battirent pour l'avoir, aussi affamés l'un que
l'autre. Finalement, ils décidèrent de se la partager en cro-
quant chacun leur tour.

Qu'allait-il faire de tout ce qu'il y avait dans cette maison
quand il la vendrait ? Était-il prêt à trier les affaires de son
père ? Qu'était-il censé en faire ? Il était peut-être temps que
quelqu'un y réfléchisse.

Il regarda Alice, assise sur le plan de travail, sa tasse de
chocolat chaud à la main, ses courbes mises en valeur par la
douce lumière filtrant du cellier. Cela suscita une émotion
profonde en lui. Le désir, bien sûr, mais pas seulement.
Comment pouvait-il vendre cette maison ? Le plan de travail où Alice avait posé ses fesses ? L'évier où elle avait jeté
son trognon de pomme ? La boîte de cacao en poudre des
années 1980 ?

Plus tard, alors qu'il la regardait dormir dans son lit, cela
le reprit. Un écho du futur. Qui l'appelait, lui disait de
regarder. « Regarde ce qui s'offre à toi. »

Par principe, il avait toujours refusé de penser au futur. Il
avait rejeté la plupart des choses qu'il désirait ou qui lui faisaient du bien. Il s'en méfiait. Il ne voulait pas se laisser cor-
rompre.

Et maintenant ? Maintenant, il voulait Alice dans son lit.

C'était ça qui lui faisait du bien. Il voulait Alice dans son lit avec lui sous ce toit, à jamais. Il avait l'impression qu'il venait de se jeter de son trapèze, et de faire volte-face pour attraper celui qui volait dans l'autre sens.

Et s'il gardait la maison ? C'était impensable, mais... Et si ça devenait la maison d'Alice ? S'il la gardait pour elle ? Et s'ils décidaient d'y vivre pour continuer à donner des noms aux plages même quand ils seraient vieux ? S'ils s'achetaient des pliants pour passer leurs journées à lire des romans policiers au bord de l'eau, comme tous les retraités ? S'ils faisaient des bébés qui deviendraient des enfants et iraient massacrer coquillages, poissons et crabes ?

Et s'il apprenait à apprécier ce qu'il avait entre les mains ? S'il apprenait à s'aimer ? S'il restait pour en profiter ? Ses pensées l'entraînaient dangereusement loin, mais il n'y pouvait rien. Et s'il habitait dans cette maison avec Alice ?

CHAPITRE 12

Punition méritée

Alice entendit la sirène hurler vers cinq heures du matin. Un certain nombre de coups, plusieurs longs et quelques courts. Elle était trop ensommeillée pour compter et, de toute façon, elle n'avait jamais retenu leur signification. Riley le savait, elle.

Alice jeta un regard vaseux par la fenêtre, pour vérifier qu'aucun ouragan ou tsunami ne les menaçait, et en conclut qu'un gars avait encore succombé à une crise cardiaque, réelle ou imaginaire. Les deux se produisant assez fréquemment dans le coin. Bercée par le « tchack-tchack » de l'hélicoptère d'évacuation sanitaire, elle se blottit dans la chaleur de Paul et se rendormit profondément.

En rentrant chez elle pour se recoucher avant que ses parents ou sa sœur ne s'aperçoivent de son absence, elle remarqua un désordre inhabituel dans la maison. Le répondeur clignotait comme un fou. Le lit de Riley était vide, ce qui n'était pas étonnant, mais celui de ses parents aussi. Comment se faisait-il qu'ils soient sortis à cette heure-ci ?

Elle paniqua d'abord en pensant qu'ils avaient découvert qu'elle n'était pas là, mais quand elle vit l'état du placard de sa mère, son peignoir gisant par terre, son inquiétude prit une autre tournure : il y avait un problème.

– Y a quelqu'un ? lança-t-elle dans les escaliers. Hou, hou ! cria-t-elle dans tous les recoins de la petite maison.

Personne dans la salle de bains. Personne nulle part. Pas de réponse.

Le cœur battant, elle retourna en courant dans la cuisine et alluma la lumière. Cette fois, son regard tomba aussitôt sur le mot laissé en évidence sur le plan de travail, écrit tout de travers.

Alice, nous sommes au Bon Samaritain avec Riley.
Appelle sur mon portable.

Elle se jeta sur le téléphone de la cuisine, peinant à enfoncer les touches de ses doigts tremblants. C'était un de ses cauchemars récurrents : elle devait passer un appel urgent et n'arrêtait pas de se tromper de numéro.

Le Bon Samaritain. Le Bon Sam, comme on l'appelait. Bizarre de donner un surnom à un hôpital. C'était Riley. Riley ou bien son père ? Le téléphone bourdonnait à son oreille.

– Alice ? répondit la voix de sa mère.

– Maman ? Qu'est-ce qui se passe ?

Il y avait beaucoup de bruit de fond et la communication était mauvaise.

– Alice ?

– Oui ! hurla-t-elle dans le combiné. C'est moi ! Qu'est-ce qui s'est passé ?

— C'est Riley, ma chérie. Elle…

Le reste de la phrase se perdit dans le vacarme d'une annonce au haut-parleur.

— Elle quoi ? Qu'est-ce qu'elle a ?

— Elle avait du mal à respirer hier soir. On a cru que c'était une pneumonie ou de l'asthme. Mais ils pensent qu'elle a un problème cardiaque.

Alice repensa à la sirène hurlant au milieu de la nuit. Cette sirène qu'elle avait écoutée tranquillement, toute nue, blottie contre Paul. Un frisson la parcourut. Le spectre de la culpabilité remontait des profondeurs pour la hanter. C'était sa punition, elle l'avait méritée, elle avait tenté le sort.

Sa mère avait la voix rauque, épuisée.

— D'après les médecins, elle a une valve abîmée. Ils cherchent ce qui a pu causer cela.

— Mais comment peut-on avoir des problèmes cardiaques à son âge ? s'étonna Alice.

— Je ne sais pas. C'est ce qu'ils essaient de comprendre.

— Comment réagit-elle ? Elle est consciente ? Comment se sent-elle ?

— Oui, oui, elle est consciente. Elle dit que ça va.

Évidemment, si Riley était consciente, elle n'allait pas répondre autre chose.

— Et ça se soigne ?

— On n'en sait rien. On va bientôt être fixés.

Sa mère employait le fameux « on », vague, flou, démoralisant. En général, elle n'hésitait pas une seule seconde à se désolidariser de son mari. D'habitude, cela agaçait Alice, pourtant, aujourd'hui, elle aurait trouvé ça plus rassurant. Mais la situation était si grave que, une fois n'est pas coutume, leurs problèmes de couple passaient au second plan.

– J'arrive, annonça Alice.

Elle aurait voulu que sa mère réponde : « Non, ce n'est pas la peine. On va bientôt rentrer. » Mais à la place elle précisa :

– Demande la chambre 694.

Devait-elle prévenir Paul avant de partir ? Il s'habillerait en vitesse pour l'accompagner. Il n'hésiterait pas une seule seconde. Il serait inquiet pour Riley.

Sans trop savoir pourquoi, elle ne le fit pas. Elle sentait la bruine glacée sur ses bras nus. Les vagues se brisaient sur le front de mer, la trempant des pieds à la tête. Tête baissée, elle fila droit à l'embarcadère du ferry.

Elle s'assit sur le banc et attendit. Elle ne savait même pas à quelle heure partait le prochain bateau. Elle ne savait même pas quelle heure il était. De toute façon, il n'y avait rien d'autre à faire que d'attendre le prochain.

C'était sa pénitence. Elle entendait encore l'alternance de coups longs et courts résonnant dans la nuit. Elle s'était presque bouché les oreilles, pour ne pas être dérangée. Elle était tellement sûre que ce malheur frappait quelqu'un d'autre. Elle s'était presque réjouie qu'il soit si éloigné de son bonheur. Oh non ! Comment avait-elle pu être aussi inconséquente ?

Elle attendit. C'était tout ce qu'elle avait trouvé pour se punir d'être restée blottie au chaud, tout contre Paul, alors que sa sœur était transportée d'urgence à l'hôpital.

*

Alice s'assit sur le lit de la courageuse petite malade, essayant de comprendre pourquoi ses parents avaient paniqué à ce point.

– J'ai rêvé que j'étais sous l'eau, je n'avais plus d'air, et j'inspirais de l'eau. Ça t'est déjà arrivé ? Le problème, c'est que, quand je me suis réveillée, ça a continué. J'avais toujours l'impression que je n'arrivais pas à respirer et que mes poumons se remplissaient d'eau.

– Eh ben !

Riley haussa les épaules.

– Maman m'a entendue en passant dans le couloir et quand j'ai voulu lui expliquer, elle a paniqué et appelé les secours.

Alice hocha la tête. Elle passa ses jambes par-dessus celles de sa sœur, comme un petit pont. Riley la laissa réchauffer ses mains glacées dans les siennes.

– C'était un peu exagéré, l'hélico et tout. Mais bon voilà.

Était-ce vraiment exagéré ? C'est ce qu'Alice aurait voulu savoir.

– Et tu respires mieux, maintenant ?

– Ouais, ouais, ça va.

Sa sœur se redressa dans son lit en demandant :

– Tu as prévenu Jim ?

– J'ai laissé un mot au poste de sauvetage disant que tu étais malade.

Alice ne voulait pas trop en faire pour ne pas donner l'impression que la situation était grave.

– Tu ne lui as pas parlé en personne ?

– Non, il n'était pas encore arrivé. Pourquoi ? J'aurais dû ?

– C'est bon. Je l'appellerai tout à l'heure.

Riley repoussa ses cheveux en arrière. Elle n'avait pas vraiment un teint habituel.

– Si tu le vois… ne lui dis rien, d'accord ?

– Tu ne veux pas qu'il sache que tu es ici ?

– Non, il va croire que c'est grave si tu parles d'hosto.

« Mais justement peut-être que c'est grave », s'inquiétait Alice.

– Quand doit repasser le médecin ? s'enquit-elle.

– Lequel ? Y en a un paquet.

– Je ne sais pas. Le cardiologue.

Riley fixa le bout de ses pieds.

– J'espère que je serai sortie à temps pour prendre le ferry de 13 h 55. Je donne mon dernier cours de natation à quatre heures cet après-midi.

– Tu veux que je les appelle ?

– Non. J'y serai peut-être. Enfin, je vais m'en occuper.

Elle montra du doigt un sac en toile posé sur une chaise, dans un coin.

– Tu peux regarder si j'ai mon portable ?

Alice fouilla à l'intérieur.

– Où est passé ton sac habituel ?

Comme Riley ne répondait pas, elle se tourna vers elle.

– Je l'ai perdu, répondit-elle, sur la défensive.

Alice fut surprise par son expression méfiante. Elle n'avait pourtant pas voulu la pousser dans ses retranchements.

– Je ne vois pas ton téléphone. Je vais aller demander à maman, OK ?

Elle avait hâte de sortir de la chambre et d'obtenir quelques réponses à ses questions.

Elle trouva sa mère assise dans un recoin du couloir, aménagé en salle d'attente, la tête dans les bras.

– Tu crois que Riley va sortir cet après-midi ?

Judy lui jeta un regard noir, comme si elle venait de cracher sur ses chaussures.

– Riley a été hospitalisée en urgence, Alice.

Elle s'efforça d'avaler la grosse boule d'angoisse qui lui montait dans la gorge. Elle aurait voulu s'en tenir à la version de sa sœur.

– Qu'est-ce que ça signifie ?

– Ça signifie qu'il n'est pas question qu'elle sorte aujourd'hui.

D'habitude, les drames galvanisaient sa mère, même les plus affreux. Mais, aujourd'hui, elle paraissait vidée, éreintée.

– Les médecins tentent de comprendre ce qui s'est passé. Ils ont prévu de lui faire subir une batterie de tests aujourd'hui.

– Où est papa ?

– Au téléphone avec la compagnie d'assurances.

Il avait fallu si peu de temps pour que Riley redevienne leur petite fille. Si peu de temps pour qu'ils reprennent complètement sa vie en main. Elle avait vingt-quatre ans, mais ils ne lui laissaient même pas le volant un instant. À qui la faute ?

– Elle va s'en sortir ?

Judy n'aimait pas les questions qui servaient juste à se rassurer.

– C'est ce qu'on essaie de savoir.

*

– Je reviens demain matin, promit Alice à sa sœur.

Au fil de la journée, puis de la soirée, des infirmières étaient venues lui prélever plusieurs tubes de sang, lui faire passer un électrocardiogramme, puis un genre de scanner. Alice et Riley gardaient les yeux rivés sur l'écran de télé où une femme construisait une terrasse dans une émission de téléréalité interminable dont le but était de transformer un taudis en palace.

Alice scrutait le visage des infirmières, comme on fixe celui des hôtesses de l'air lorsqu'il y a des turbulences en plein vol. En savaient-elles plus qu'elles ne voulaient bien l'avouer?

La nuit était tombée. Elle aurait de la chance si elle parvenait à prendre le dernier ferry. Son père ronflait, affalé dans l'unique chaise de la chambre.

– OK.

Riley avait l'air mélancolique. Elle l'enviait de retourner sur l'île. Dès qu'on la quittait, Fire Island perdait toute réalité. On avait du mal à imaginer que la vie continuait là-bas lorsqu'on se trouvait dans un endroit comme celui-ci, où il fallait prendre des décisions, faire des choses réelles.

Riley avait l'air d'une petite fille, perdue dans sa pile d'oreillers. Au moment où Alice allait partir, elle se redressa.

– Hé, Al. Je peux te demander un service?

Elle se retourna, surprise.

– Oui, bien sûr.

Elle aurait été ravie de pouvoir faire quelque chose.

– Ce que tu veux.

– Quand tu verras Paul, ne lui dis rien, d'accord ?

Alice fixa le lino tacheté, tous ses espoirs anéantis.

– Mais, Riley…

– Je t'en prie, Alice. Je ne veux pas que tout le monde se mette à jacasser avant d'être fixée sur mon sort.

– Mais Paul n'est pas du genre à jacasser. Tu le connais.

Le visage de sa sœur était soudain devenu impénétrable.

– Je sais, mais quand même. Ne lui en parle pas, OK ? Tu me le promets ?

Alice sentit le désespoir la saisir, doublé d'une terrible culpabilité. La seule chose que sa sœur lui demandait, elle ne voulait pas la lui accorder.

– Riley…, commença-t-elle.

Elle avait l'esprit embrouillé. Pas plus tard que cet après-midi, elle était persuadée qu'elle allait pouvoir reprendre ses cours de natation.

Riley laissa un instant tomber le masque. Soudain elle ne lui parut plus ni hébétée ni délirante. Comme si elle avait deviné les réserves d'Alice, l'excuse qu'elle pensait avancer.

– Si j'ai quelque chose de grave, je veux le lui annoncer moi-même. Je pense que c'est mon droit.

Alice acquiesça. C'était une demande des plus sérieuses, que Riley justifiait par des raisons fallacieuses, mais comment pouvait-elle la lui refuser ?

– Alors qu'est-ce que je dois dire ? Qu'est-ce que tu veux que je raconte aux gens ?

– Lundi, c'est la fête du travail. J'appellerai Jim pour me faire remplacer s'il le faut. Et après, tout le monde s'en va, de toute façon. Si on te pose des questions, dis que j'ai dû rentrer à New York quelques jours plus tôt.

Alice acquiesça à nouveau.

– Promis ? insista Riley.

Elle s'humecta les lèvres.

– Promis, répondit Alice.

Que pouvait-elle dire d'autre ?

*

– Alice.

Paul l'attendait dans la cuisine. Jamais elle ne l'avait vu faire cette tête, elle avait failli ne pas le reconnaître.

– Où étais-tu passée ?

Elle y avait réfléchi. Elle avait essayé de se préparer. Ayant raté le dernier ferry, elle avait dû marcher des kilomètres, elle avait donc eu largement le temps de réfléchir. Peut-être trop. Tous les mensonges qui auraient pu lui venir spontanément s'étaient perdus en route, ensablés.

Elle fixa son attention sur les jointures de ses doigts.

– On a pris le ferry tôt ce matin, répondit-elle en baissant les yeux.

Elle ne se jeta pas à son cou comme avant. En principe, elle aurait déjà été sur ses genoux. Ils auraient déjà été à moitié nus. Elle avait l'impression que son corps était constitué d'un nombre incalculable de morceaux sans lien entre eux, désarticulés. Et Paul semblait souffrir du même mal.

Elle approcha. Ses yeux se remplirent de larmes. Elle avait envie de s'effondrer, mais elle ne pouvait pas le faire dans ses bras.

Elle revenait toujours à ce moment, la nuit dernière, où la sirène hurlait alors qu'elle était contre lui. Elle se repassait la scène encore et encore, ressentant le bien-être qu'elle éprouvait alors. Mais il n'est pas un instant de la vie qui ne soit susceptible d'être réécrit et transformé par le temps, pas un bonheur, même le plus intense, qui ne risque de causer votre perte quelques heures plus tard.

– Tous les quatre ? Vous êtes partis comme ça ? Et où sont les autres ?

Alice découvrit qu'elle avait plus de facilité à mentir lorsque son visage était en partie caché. Elle se moucha donc dans une serviette en papier.

– Ils sont rentrés à New York quelques jours plus tôt que prévu, récita-t-elle docilement.

– Riley est rentrée plus tôt ? Pourquoi ?

– Ah !… Euh… elle avait une réunion, je crois. Pour sa prochaine formation d'éducateur sportif.

Qu'est-ce qu'elle racontait ?

Il pencha la tête, sceptique.

– Et toi ?

Qu'allait-il penser ? Elle voulait le protéger, l'empêcher de se poser des questions. Que pouvait-elle inventer qui le rassurerait sans dévoiler la vérité ? Elle était épuisée, à bout de forces. Elle n'avait jamais su mentir et ne possédait ni la mémoire ni la rigueur nécessaire pour échafauder un scénario de grande envergure.

Elle avait déjà trahi Riley. Ils l'avaient trahie, tous les deux. Elle ne se sentait pas capable de recommencer.

Elle ne pouvait tout de même pas lui raconter n'importe quoi. Si elle inventait un truc, ça ne tiendrait pas debout.

Elle n'osait pas. Paul était tenace, perspicace. C'était lui qui aurait dû faire des études de droit.

Son visage se durcit.

– Alice, dis-moi la vérité.

Ça devenait un interrogatoire. Ils étaient chacun dans un camp. Une ligne les séparait. Il n'avait plus confiance. Et il avait raison parce qu'elle lui mentait.

Malgré tout ce qui s'était passé entre eux, tout ce qu'ils avaient ressenti l'un pour l'autre au fil des années, leur franchise réciproque n'avait jamais été remise en question. Ils étaient, l'un envers l'autre, d'une franchise parfois brutale. Souvent brutale, même.

Elle brûlait d'envie de lui dire la vérité. Mais plus elle le désirait, plus elle se sentait coupable, plus elle avait l'impression de mériter sa punition. Elle entendit encore la sirène résonner dans sa tête. C'était la punition parfaite, un trait de génie.

Bon, elle n'avait qu'à monter s'enfermer dans sa chambre.

– J'ai fait quelques courses, un peu de shopping, marmonna-t-elle dans sa serviette en papier.

– Il y a un problème ? Qu'est-ce qui se passe ?

Il commençait à sérieusement perdre patience.

– Pourquoi restes-tu loin de moi, comme ça ?

Elle croisa les bras.

– Parce que je suis fatiguée. Je vais me coucher.

Le désarroi avait remodelé ses traits. Son visage se fermait petit à petit.

Comment pouvait-elle le repousser ainsi ? Elle savait ce qu'elle risquait. Mais elle ne pouvait pas passer la nuit avec lui après ce qui s'était passé.

– On se voit demain ?

Sa voix était tellement aiguë et étranglée qu'elle dut se racler la gorge et recommencer.

Elle détourna les yeux pour ne pas voir son regard.

La seule chose qu'elle savait, c'est qu'elle ne méritait ni plaisir ni réconfort. Son cœur ne méritait pas mieux que celui de Riley.

*

Paul longea la promenade déserte. Les réverbères dispensaient une lumière bleue et froide de purgatoire. Le vent soufflait de manière erratique, couchant les herbes des dunes, bruissant dans les feuilles argentées. Le sommeil le fuyait. Alice le fuyait. L'univers entier se résumait à ces deux faits.

Il aurait voulu se convaincre qu'il y avait une explication toute simple, qui arrangerait tout, mais il n'était pas si naïf.

Évidemment. Pourquoi l'avait-il évitée si longtemps ? Toutes ses raisons lui revenaient, mais trop tard, le mal était fait. Il attendait trop d'elle. Elle avait vu tout ce qu'il lui demandait, l'immense vide qu'elle avait à remplir. Et le peu qu'il avait à offrir en retour. Comment pouvait-elle continuer à l'aimer ? Il n'aurait pas dû lui dévoiler tout ça.

Il marcha sur la plage du golfe, bien nette et ratissée, juste à côté de l'embarcadère des ferries. La plage des bébés, comme ils l'avaient surnommée dès qu'ils avaient passé l'âge d'y aller. Un duvet verdâtre flottait à la surface de l'eau. Pourtant toutes les leçons et toutes les compétitions de natation avaient lieu ici. Dans les gaz d'échappement du ferry, au milieu des taches d'essence irisées. Après les gamins passaient des heures sous la douche et les animateurs les vaporisaient de spray refroidissant des pieds à la tête pour qu'ils ne ramènent pas de puces de mer à la maison.

Il regarda la chaise du surveillant de baignade, haute silhouette noire dominant la plage. Riley n'y avait pas passé beaucoup de temps, impatiente d'être affectée à une vraie plage donnant sur l'océan et non sur les eaux tranquilles de la baie. Ils se rappelaient le jour où elle avait été promue ; ils s'étaient fait la promesse de ne plus jamais se baigner dans la baie. La plupart des gamins méprisaient les plages de ce côté de l'île, parce qu'ils étaient pressés de passer dans le camp des grands. Ce n'était pas ce qui motivait Riley. Elle était fascinée par l'océan parce qu'il était sauvage et libre.

Paul grimpa sur le ponton, si désert qu'on entendait les planches craquer, et l'eau battre les piliers. Il jeta un œil pour voir si ces idiots de crabes étaient bien sous leur réverbère. Il revit Alice les chasser sans pitié, eux qui aimaient tant la lumière.

CHAPITRE 13

Un départ sans fanfare

Au bout de trois jours, Alice détestait le Bon Samaritain, et Riley encore plus.

– Je me sens bien, annonça-t-elle lorsque sa sœur arriva de bon matin.

En dépit des recommandations des infirmières, elle était assise sur son lit, dans sa tenue habituelle. Alice remarqua que la rebelle en débardeur gris et short beige avait la chair de poule.

– Où sont passés les parents ?

– Je leur ai dit de partir. De rentrer à New York.

Alice hocha la tête, doutant qu'ils aient obéi.

– Alors, quoi de neuf ?

Riley lui lança un regard exaspéré.

– À quel sujet ?

– Tu as revu le médecin ?

– Des examens, encore des examens. Un nouveau scanner avec ce truc infect à boire.

– Mais pas d'infos précises ?

Riley se défoulait sur la télécommande en zappant. Plus le temps passait, moins elle restait sur chaque chaîne.

– J'ai un problème au cœur, expliqua-t-elle, sans quitter la télé des yeux.

– Ça, on le savait déjà.

– Eh bien, voilà, c'est tout. Bon sang ! je déteste les émissions de variétés.

Alice descendit à la cafétéria lui chercher un chocolat chaud. Elle ne fut pas surprise d'y trouver ses parents.

– Quoi de neuf, docteurs ? leur demanda-t-elle en s'arrêtant à leur petite table.

Ils avaient l'air aussi peu réceptifs à l'humour qu'un couple d'entraîneurs sportifs en pleine débâcle.

– Riley ne t'a rien dit ? fit sa mère en attaquant violemment une petite peau sur son pouce.

– Elle est restée très vague.

Ethan reposa sa tasse de café.

– Le Dr Teirney pense qu'elle a une cardite rhumatismale.

– Qu'est-ce que c'est que ça ?

– Une infection du cœur qui débute par une angine mal soignée.

Alice sentit le chocolat chaud lui brûler les doigts à travers le gobelet.

– Riley a eu une angine, mais elle s'est soignée. Je suis moi-même allée chercher ses médicaments au ferry.

– Apparemment, elle n'a pas suivi le traitement comme il fallait, répondit sa mère.

– Comment ça ?

– Il faut prendre les antibiotiques jusqu'au bout et pas les arrêter dès qu'on se sent mieux.

– C'est ce qu'elle a fait ?

– Sans doute. Elle ne veut rien nous dire. On espère qu'elle donne des réponses plus précises aux médecins, murmura sa mère.

Ethan se renfonça dans sa chaise.

– Le Dr Teirney est presque sûr qu'elle avait un problème sous-jacent qui a aggravé les choses. Nous pensons qu'elle a peut-être eu une fièvre rhumatismale qui n'aurait pas été diagnostiquée quand elle était petite. La deuxième fois, c'est beaucoup plus grave.

Ces mots durs et indigestes cognaient dans la tête d'Alice comme des billes.

Et ça se soigne ?

Le médecin parle de l'opérer pour réparer sa valve mitrale.

- Ça ne la réparera pas, cingla Judy. Mais il dit que, si on fait attention, c'est une maladie avec laquelle on peut apprendre à vivre.

– Riley est au courant de tout ça ? demanda Alice.

Judy lui lança un regard en guise de réponse.

– Parce qu'elle dit qu'elle va bien.

– Ta sœur souffre d'une insuffisance cardiaque congestive, Alice. Elle ne va pas bien.

*

Alice l'évitait. Elle disparaissait dès l'aube et restait introuvable toute la journée. Mais il avait besoin de la voir.

Paul se rendit au yacht-club. Il irait jusqu'en Chine s'il le fallait. Il s'installa au bar de façon à voir Alice. Elle avait coincé son béret de marin dans la ceinture de sa jupe.

Elle croisa son regard en passant. Elle alla même jusqu'à lui toucher la main, mais ne s'arrêta pas pour lui parler. C'était de la pitié qu'il lisait dans ses yeux, n'est-ce pas ? Elle ne voulait pas le blesser, mais elle ne voulait pas non plus s'attarder près de lui.

Il aurait voulu la faire rire, pour réchauffer l'atmosphère, mais son air méfiant l'en dissuada. Elle avait l'air éreintée, vidée. Deux taches rouges tranchaient sur son visage livide.

Plus que deux jours, et l'été serait fini. Du temps où l'univers était vaste et immense, il avait hâte de finir son mémoire pour commencer la fac. Voilà ce qui était censé le préoccuper. Il avait rendez-vous avec son futur directeur de recherche la semaine prochaine. Il avait prévu de rentrer à New York lundi après-midi. Il avait pensé partir avec Alice.

Il était tellement souvent reparti les mains vides, regardant avec envie les deux sœurs quitter le parking des ferries dans leur vieille guimbarde chargée jusqu'au toit. Ethan, au volant, se disputait avec Judy pour savoir s'il fallait passer par le sud, le nord, ou prendre la 495. Cette année, pour une fois, il se réjouissait à l'idée de ne pas partir seul. Il repartirait avec Alice.

Il avait commis l'erreur d'avoir des rêves trop précis. Il avait prévu de rester dans l'appart de la 72e rue quelques nuits en attendant de trouver un endroit sympa près de la fac. Le quartier de Greenwich Village était hors de prix, mais il avait les moyens, même s'il avait honte de se l'avouer. Il y entraînerait Alice tous les soirs après ses cours. Ils feraient l'amour jour et nuit. Et bientôt, sa brosse à dents prendrait pension sur le bord de son lavabo. Son soutien-gorge en dentelle pendrait à la patère, derrière la porte de sa salle de bains. Ensemble, ils repeindraient l'appartement dans les teintes qu'ils auraient choisies. C'est avec un plaisir évident qu'il priverait Jonathan Dwyer et même tout Brooklyn de la présence d'Alice.

Mais il avait vu trop loin, hélas ! Et il se retrouvait les mains vides.

Le vin avait un goût amer dans sa bouche. Il distinguait à peine le visage de la jolie barmaid qui veillait à ce que sa soucoupe de biscuits apéritifs soit toujours pleine.

Il allait bien falloir qu'Alice lui parle, à un moment ou à un autre. Elle serait bien obligée de venir lui dire au revoir, au moins.

Elle n'avait que vingt et un ans. Elle avait perdu sa virginité il y a deux semaines à peine, et il voulait la garder rien que pour lui chaque minute, chaque seconde qui passait, maintenant et à jamais. Bien sûr que c'était trop. Il avait eu raison de se méfier de lui-même. Il avait toujours su que, quand il laisserait enfin éclater son amour, ce serait avec la violence d'un volcan, détruisant tout sur son passage : l'amitié, la complicité, la tendresse.

Il regarda Alice prendre la commande d'un jeune couple qu'il ne connaissait pas. Son stylo tremblait dans sa main. Sentait-elle ses yeux qui la fixaient ?

Elle le repoussait, mais elle lui manquait tellement qu'il avait envie de se jeter à ses pieds. Il était tellement désespéré qu'il aurait fait n'importe quoi pour pouvoir l'approcher. C'était bien là le problème, justement. Il était prêt à tout.

Alors qu'il se dirigeait vers la porte, elle se retourna pour lui adresser un sourire mélancolique, presque tendre, comme si elle avait voulu lui dire quelque chose. Regrettait-elle qu'il parte déjà ? Ce simple sourire lui fit échafauder encore un nouveau scénario sur le chemin du retour.

Peut-être allait-elle venir le voir ce soir. Peut-être lui manquait-il également. Son lit lui semblait sans doute atrocement vide à elle aussi. Elle voulait lui donner une seconde chance.

Il prendrait les choses comme elles venaient, pour une fois. Il se contenterait d'être bien avec elle, sans en espérer trop.

Il s'allongea donc dans son lit où il lui avait fait l'amour de tellement de façons. Les heures passaient et elle ne venait pas. Au matin, il réalisa à quel point il était désespérément accro à l'espoir.

*

Alice mit quelques affaires dans un grand sac en toile et quitta la maison sans bruit. Elle partait la tête basse.

Elle allait retrouver Riley à l'hôpital. Elle laissa son esprit vagabonder jusque-là, et pas plus loin. Elle imaginait sa sœur qui l'attendait sur le parking, impatiente de fuir le Bon Samaritain. Elles prendraient un taxi jusqu'à la gare, puis le train les ramènerait à New York. Riley allait être suivie par le service de cardiologie de l'hôpital presbytérien de Columbia, en traitement ambulatoire, Dieu merci ! Leurs parents étaient retournés chercher leur voiture au terminal des ferries, mais Riley avait refusé de les accompagner. Elle voulait rentrer avec sa sœur.

Alice se dirigeait d'un pas vif vers l'embarcadère pour prendre le premier ferry du matin, escortée par le vent, la pluie – et Paul, réalisa-t-elle soudain. Il s'était levé aux aurores, fait très inhabituel pour Paul.

Elle ne s'arrêta pas pour autant, préférant faire semblant de ne pas l'avoir remarqué. Elle ne savait pas quoi lui dire. C'était tellement dur de lui mentir. Il lui demanderait où elle allait et que répondrait-elle ? Elle voulait juste monter à bord du ferry et quitter cette île. Si seulement elle avait pu passer inaperçue quelques minutes encore, être invisible, inexistante, juste le temps que ce désastreux été s'achève. Après, elle serait de nouveau capable de réfléchir.

Elle était consciente des dégâts qu'elle laissait derrière elle. Et elle aggravait encore son cas en refusant de se retourner vers lui. Elle assistait à la mort de son plus grand rêve, au ralenti. Mais toutes ses émotions étaient étouffées. Elle regardait la cité brûler du haut de sa colline.

Elle avait les jambes flageolantes. Elle n'avait rien mangé hier soir. Elle ne se rappelait même pas quand elle s'était assise la dernière fois pour prendre un vrai repas.

La veille, avec Riley, elles avaient réorganisé leurs vies. À contrecœur, sa sœur avait d'un seul coup de fil annulé son semestre en tant que formatrice d'éducateurs sportifs au cœur des Rocheuses. D'un autre, plus résolu, Alice avait reporté son entrée en fac de droit. Finalement, il suffisait de cinq minutes pour changer le cours d'une vie. En réalité, c'était le cœur de Riley qui tirait les ficelles, mais c'était dans la nature des choses qu'elles s'imaginent en avoir décidé elles-mêmes.

Il lui avait fallu tellement de temps, tellement d'énergie pour que Paul l'aime enfin. Elle ne s'était pas contentée de le séduire, elle avait pratiquement extorqué son amour. Cela avait été si laborieux, c'était sans doute mauvais signe. À l'inverse, il suffirait d'un rien pour l'effrayer et tout gâcher, elle le savait. Il n'avait pas assez confiance en elle pour laisser s'immiscer entre eux l'ombre d'un doute et elle lui en fournissait une armée.

Elle avait envie de s'écrouler dans ses bras. De sentir la chaleur réconfortante de son corps. Mais elle ne pouvait se le permettre. Elle ne cessait d'entendre, encore et toujours, la sirène hurler alors qu'elle était blottie contre Paul, au creux de ses bras.

Le pire, c'était de ne pas pouvoir mettre Riley au courant de leur relation. Elle ne lui en avait pas parlé parce qu'elle se sentait coupable. Parce qu'elle savait que c'était mal. Et si elle ne pouvait pas le dire à sa sœur, alors c'est qu'elle n'aurait pas dû le faire.

Était-il possible que Riley soit au courant malgré tout? Bon sang, et si elle savait? Qu'allait-elle penser? Alice et Paul étaient les deux personnes en qui elle avait le plus confiance.

Les nuages étaient si épais et si bas qu'Alice les sentait peser sur sa tête. Les plages étaient désertes et le ferry n'était pas en vue.

Le soleil faisait apparaître une infinité de couleurs : le bleu marine des eaux de la baie, le vert pâle des joncs sur les dunes, le rouge foncé des chariots, l'arc-en-ciel des coques de bateau retournées sur le sable. Mais lorsque le soleil se cachait, les couleurs se volatilisaient et les gens aussi. En un temps record, il n'y avait plus personne. Tout à coup, l'endroit semblait si désert, si désolé qu'on avait du mal à imaginer que des familles pouvaient y vivre. L'eau, le ciel, les plantes, les maisons, les promenades se fondaient en un gris uniforme et sinistre.

Lorsqu'elle était heureuse, Alice était d'ordinaire modeste et réservée. Mais la culpabilité qui la rongeait lui donnait un sentiment de toute-puissance, elle avait l'impression que c'était elle qui avait chassé le soleil. Ou alors qu'avec Paul, ils s'étaient condamnés à vivre à jamais dans un univers monochrome. Ils avaient de leur plein gré abandonné leur petit monde rassurant. Ils avaient cru qu'ils pouvaient tout avoir.

Alice était encore capable de faire quelques pas titubants. Elle arrivait encore à espérer. Si elle parvenait à esquiver ses questions encore un instant, une fois qu'ils auraient quitté l'île, ils verraient les choses sous un nouveau jour. Dans une semaine ou deux, elle l'appellerait, de New York. Ce serait sans doute trop tard pour sauver leur relation. Peut-être n'y tenait-elle pas tant que ça. Mais au moins, d'ici là, Riley lui aurait expliqué ce qui se passait et il comprendrait.

*

Elle ne partait pas. C'était inconcevable. Elle ne pouvait tout de même pas partir sans lui dire un mot.

Elle avait des chaussures aux pieds. Elle partait.

Il aurait dû la laisser tranquille, la laisser partir si c'était ce qu'elle voulait, mais il était hors de lui. Qu'est-ce qui lui prenait ? Était-il possible qu'elle ne l'ait vraiment pas remarqué ? Ou alors elle le fuyait. Et elle s'imaginait qu'il allait réagir comment, hein ?

Souhaitait-elle réellement disparaître de cette île, disparaître de sa vie ? C'était ce qu'elle voulait ?

Il accéléra pour la rejoindre. Elle serait forcée de le voir. Il sentit son pas hésiter, sa nuque se raidir nerveusement.

Lorsqu'elle monta sur le ponton, il la rattrapa et marcha à ses côtés.

– Où vas-tu comme ça, Alice ?

Elle se tourna légèrement, sans s'arrêter. Elle avait le visage ravagé.

– Prendre le ferry.

– Je m'en doute. Tu pars pour de bon ?

Son tee-shirt était déjà trempé. Cela faisait des jours qu'il ne s'était pas rasé.

– On ne peut pas dire ça.

– Pour cet été, en tout cas.

Il n'avait pas envie de ravaler sa colère

– Tu partais sans me dire au revoir ?

– Non. Enfin… Je voulais, mais..

– Tu voulais… ? Bon Dieu, Alice, qu'est-ce qui te prend ?

Elle n'avait pas l'air désolé, plutôt suppliant.

– Paul. Je… Je sais que tu ne comprends pas, et je ne peux rien t'expliquer pour l'instant. Mais j'avais l'intention de t'appeler une fois à New York et…

– Tu avais l'intention de m'appeler ?

Il avait déjà entendu sa voix prendre ce ton cassant. Tout à coup, il avait pour Alice une haine comme il en avait rarement éprouvée. Il la haïssait et il haïssait ses tentatives balbutiantes pour essayer de le réconforter.

– Je pense que, pour l'instant, reprit-elle, on ne peut pas continuer… on ne peut pas continuer comme ça.

– Qu'est-ce qui ne peut pas continuer ?

Il la regarda droit dans les yeux.

– On ne peut pas continuer à baiser cinq fois par jour, c'est ça ?

Elle trébucha, s'arrêta soudain. Comme s'il l'avait giflée. Puis elle se remit à marcher. Il la vit s'essuyer furtivement les yeux d'un revers de main. Elle gardait la tête baissée.

– C'est ça ? insista-t-il.

Elle remonta son sac sur son épaule. Elle voulait partir, partir le plus loin possible de lui, il le sentait et ça lui donnait envie de la suivre jusqu'à New York.

– Où vas-tu, Alice ?

Elle refusait de le regarder.

Il la suivit jusqu'au bout du quai, où le vent se déchaînait. Il croisa les bras pour affronter le froid. Elle tremblait.

– Tu es lâche, tu sais, conclut-il. Je ne m'en étais jamais aperçu.

*

Alice vit le ferry arriver par-dessus son épaule. Elle tremblait sans pouvoir s'arrêter. Elle ne voulait pas pleurer, surtout. Et s'il la suivait sur le bateau, que ferait-elle ? Et s'il la suivait jusqu'à l'hôpital ? Ce serait un soulagement immense, d'une certaine façon, qu'il soit au courant.

Mais que penserait Riley ? Alice redoutait plus que tout de trahir une nouvelle fois sa sœur.

Elle serra ses bras contre sa poitrine pour s'empêcher de trembler. Le ferry à peine à quai, elle embarqua à bord. Elle grimpa sur le pont supérieur où elle se tint, droite et raide, priant pour que le bateau démarre et que ce supplice s'achève. Sinon elle mettrait fin à ses jours, tout plutôt que rester ici.

Quand on arrivait en retard, qu'on courait pour monter à bord, le ferry semblait repartir immédiatement et sans heurt. Aujourd'hui, le départ était lent, chaotique, comme si tout l'équipage était novice. Enfin, le gars largua les amarres. Elle entendit les turbines monter en puissance et le bateau finit par démarrer.

Elle le vit debout sur le quai, regardant le ferry s'éloigner. Elle s'attendait à éprouver un certain soulagement. Effectivement, elle était soulagée, mais ce fut une sensation fugace, vite dissipée.

Il lui criait quelque chose. Elle aurait préféré ne pas les entendre, mais ses mots lui parvinrent malgré tout.

– Tu aurais dû me laisser vivre ma vie ! lui criait-il.

Elle se mit à pleurer alors que le bateau prenait de la vitesse. Oui, elle aurait dû, elle le regrettait amèrement. Sous ses yeux ébahis, il courut jusqu'au bout du ponton, tendit les bras au-dessus de sa tête et plongea dans l'eau grise.

CHAPITRE 14

Fin de saison

Le soleil brillait ; un vif soleil d'automne qui avait pourtant bien du mal à faire surgir des étincelles de vie et de couleur. Alice se dit que ça devait venir d'elle. Ça venait sûrement de ses yeux. Sa vue avait baissé, depuis quelques semaines, et elle distinguait les couleurs encore moins bien que les formes.

– Tu as vu la maison des Jeffrey ? lui demanda son père. Ils l'ont totalement ravalée.

Elle n'était pas revenue sur l'île depuis deux mois. La période des travaux battait son plein. Une nouvelle vague de démolitions et de restaurations, du genre que Riley détestait et qu'Ethan suivait avec fascination.

Alice lui répondit par un hochement de tête machinal. Le sujet ne la passionnait pas. Les transformations avaient toujours lieu hors saison. On quittait l'île en emportant une certaine image, et quand on revenait en juin, elle avait changé. Comme les amis qu'on retrouvait à la rentrée. On acceptait qu'ils aient changé pendant les vacances sans trop se demander pourquoi ni comment.

Son père passa un bras autour de ses épaules. Ce n'était pas très pratique pour marcher, mais elle ne le repoussa pas.

Elle aurait tellement voulu que Riley soit là, à sa place ! Et elle savait qu'il le savait.

D'habitude, c'était Riley qui aidait Ethan à fermer la maison en fin de saison. C'était Riley qui avait appris à purger les tuyaux. Elle prenait un malin plaisir à mettre ses bottes en caoutchouc et un vieux maillot de bain pour se glisser sous la maison, même en octobre quand le vent narguait le pauvre estivant frileux. Riley gardait exprès ses vieux maillots de sauveteur délavés et pleins de bouloches. Elle n'aimait pas les jeter.

Le matin, ses parents ne lui avaient pas demandé son avis ; ils s'étaient déjà assez disputés à ce sujet. Riley n'était pas en état de patauger dans l'eau froide. Ses jambes ne désenflaient pas, tout effort était donc dangereux. Après avoir avalé leurs céréales, Alice et son père s'étaient sauvés comme des voleurs. Judy était restée pour tenir compagnie à Riley et lui changer les idées. Alice doutait qu'elle ait beaucoup de succès.

Il y a déjà plusieurs années, Alice et Riley avaient percé dans le plafond de la vie familiale un grand trou par lequel elles s'étaient échappées. Riley était partie en stage aux NOLS*. Elle avait passé tout un mois de janvier en pleine nature, sous trois mètres de neige. Alice s'était inscrite en

---

* NdT : National Outdoor Leadership School : école qui forme des moniteurs d'activités sportives au cours de stages en pleine nature. Les élèves peuvent ensuite à leur tour devenir formateurs.

fac. Toutes les deux, elles avaient vécu ailleurs, rencontré d'autres gens. Elles avaient appris à cuisiner, à laver leur linge – Riley, le plus souvent dans des étangs au fin fond de la campagne, et Alice sans jamais séparer le blanc de la couleur.

Et voilà qu'elles se retrouvaient chez leurs parents. Le trou dans le plafond s'était refermé au-dessus de leurs têtes à une vitesse incroyable, sans laisser la moindre trace.

Pendant que son père grommelait et jurait sous la maison, Alice s'attela aux tâches subalternes, comme balayer ou vider le frigo.

Elle remplit le congélateur, le seul appareil qui restait allumé tout l'hiver. C'était un peu bizarre de consommer de l'électricité pour conserver des produits surgelés, alors qu'il ferait presque aussi froid dans la pièce.

Alice ne pouvait pas évoquer la maison en hiver sans un certain malaise. Elle l'imaginait envahie par le froid, en état de survie par des températures invivables. Curieusement, ça lui faisait penser à un bateau en plein naufrage, lentement englouti par l'eau.

En entendant son père donner des coups de clé anglaise sous le plancher, elle songea à la manière dont Riley faisait les choses, avec des gestes mesurés et précis. Pourquoi fallait-il que les gens, en grandissant, deviennent balourds, maladroits et si vite énervés ?

Alice plia les vêtements d'été restés dans le sèche-linge et les rangea pour l'an prochain. Elle avait du mal à croire qu'un jour ils reviendraient. Ce n'est pas facile d'imaginer l'été en plein hiver, de se rappeler les moments d'insouciance quand on côtoie la maladie.

Allaient-ils réellement revenir ? La vie aurait-elle repris son cours d'ici là ?

Elle tomba sur une jupe qu'elle avait portée pour la dernière fois avec Paul. Elle se revit assise à califourchon sur ses genoux, le tissu chiffonné entre ses cuisses. Elle s'entendit émettre un gémissement pitoyable, tandis que son corps, le traître, laissait remonter des souvenirs que son esprit refoulait. Était-ce vraiment ce corps qui avait fait tout ça avec Paul ? Ce même corps, là ? Inconcevable. C'était comme si quelqu'un avait séparé sa tête de son corps et les avait recousus à la va-vite, sans rebrancher les fils qui assuraient les échanges entre les deux.

Les mains glacées, elle rentra les vélos dans le garage. Elle était censée recouvrir les meubles de vieux draps, tâche qui incombait normalement à sa mère. Elle n'avait aucune envie de s'en charger. Elle détestait laisser la maison dans cette atmosphère funèbre.

Elle s'assit sur la balustrade de la terrasse et risqua un coup d'œil vers la villa de Paul. L'avait-il fermée, maintenant qu'elle lui appartenait ? Était-il revenu à l'automne ? Sans doute pas. Il était doué pour laisser le passé derrière lui.

Elle ramassa un caillou dans la jardinière et le lança sur son immense villa. Toute nulle qu'elle soit, elle ne pouvait pas la rater.

– Prête ? lui lança son père en émergeant des entrailles de la maison.

On aurait dit un cochon qui se serait roulé dans la boue. Elle s'abstint de lui en faire la remarque. Son père avait sa fierté, il s'accrochait obstinément à ses vanités d'homme mûr. Elle attendit pendant qu'il prenait sa douche.

– Tu veux descendre sur la plage une minute ? demanda-t-il en fermant la porte à clé.

Ça faisait partie du rituel, de dire au revoir à l'océan après avoir dit au revoir à la maison ; mais cette fois-ci, les rituels étaient hésitants, comme suspendus.

– J'ai froid, répondit-elle. Rentrons chez nous.

Tandis qu'ils attendaient le ferry, les mains enfoncées dans leurs poches, elle entendit deux femmes qu'elle connaissait de vue parler d'immobilier. Elle savait à quel point le sujet importait pour tous ceux qui possédaient une maison sur l'île, ou espéraient en posséder une.

Sans chercher à écouter, elle ne s'éloigna pas non plus. En fait, elle tendit l'oreille en entendant un nom et, pour le meilleur ou pour le pire, suivit la conversation jusqu'au bout.

– Tu es au courant que la maison des Moore est à vendre ? fit la brune. D'après Bobby, il y aurait déjà un acheteur.

– Ah bon ?

– C'est ce qu'il m'a dit.

– Tu sais combien ils en demandent, par hasard ?

Ethan acheta deux beignets au sucre et un bol de soupe aux clams pour Alice au kiosque du parking. Comme elle la laissait refroidir, il la termina à sa place.

Il arrêta la voiture devant la voie ferrée, lui prit la main, et la garda un moment dans la sienne. Il avait de la peine pour elle. Même s'il ne connaissait même pas toutes les raisons qu'elle avait d'être désolée, son geste la réconforta.

*

Elle avait des nouvelles de Paul par l'intermédiaire de Riley. Ça n'avait rien de neuf, mais dans les circonstances, c'était assez ironique. Paul et Riley s'écrivaient depuis toujours. Cette habitude permettait à leur amitié de faire le tour du calendrier, ce qui n'avait jamais été le cas entre Paul et Alice. Maintenant, il lui fallait cacher que l'intérêt qu'elle prenait à ces nouvelles avait pris une autre dimension.

– Alors, il habite où ?

Elle se tenait en face de sa sœur à la petite table de la cuisine où elles avaient toujours pris leur petit déjeuner ensemble, jusqu'à ce que Riley parte pour les NOLS. Alice réalisait peu à peu l'étrangeté de se retrouver là tous les quatre, une situation qui relevait à la fois du fantasme et du cauchemar.

– Onzième rue Ouest. Dans un placard à balais.

– Il n'a pas dû se plaire à Brooklyn.

Alice se coupait les ongles de pied d'un air absorbé.

– Faut croire que non.

Riley se replongea dans le raccommodage d'un vieux short.

– Je vais devenir dingue si je ne peux pas nager. Papa trouve que l'eau est trop froide à la piscine universitaire du West Side. Il a même acheté un thermomètre pour aller vérifier ! Je rêve !

Alice ne savait pas trop ce qu'elle était censée répondre. Elle n'était pas indifférente aux problèmes de sa sœur, mais elle n'était pas prête à lâcher le sujet de Paul.

– Il t'a parlé de ses cours ?

Il était tard. Elle aurait mieux fait d'aller se coucher. Si elle continuait à parler de ça, elle mettrait des heures à fermer l'œil.

– Il a commencé à suivre les séminaires de maîtrise. C'est qu'il a dû rendre son mémoire.

Alice se mâchouilla la joue. Elle en avait fini avec ses ongles de pied, et passa à ceux de ses mains. Riley la mentionnait-elle dans ces lettres ? Lui demandait-il de ses nouvelles ? Savait-il qu'elle n'était pas entrée en fac de droit, finalement ? Si oui, est-ce qu'il se sentait encore un tant soit peu concerné ? Autant de questions délicates, rejetées dans l'ombre par LA grande question.

Alice dessina une minuscule lune sur la table avec ses rognures d'ongle.

– Tu lui as dit pour toi ?

– Quoi ?

Tu lui as dit pour ton cœur ?

Alice sentit le sien s'accélérer.

Riley baissa le nez sur son short.

– Pas encore.

Elle avait commencé à informer les oncles, les tantes, les vieux amis de la famille. Mais elle avait tendance à minimiser la gravité de la situation, à contrôler le flux d'information et à s'agacer de toute démonstration d'inquiétude un peu exagérée. Leur grand-mère de Boca Raton avait appelé pour donner le numéro de téléphone de son médecin personnel, et envoyé quatre énormes caisses d'oranges de Floride.

Alice essaya de garder une voix normale.

– Pourquoi ?

– Parce que je n'avais pas envie de lui apprendre par lettre ou par e-mail.

– Tu préfères lui annoncer de vive voix ?

– Ouais. Un de ces jours.

– Qu'est-ce que tu attends ? C'est ton meilleur ami. Il a le droit de savoir, non ?

Alice n'avait pas réussi à masquer entièrement son agacement. Le regard de Riley la rappela à l'ordre. C'était Alice qui voulait, qui avait besoin qu'il sache. En quelques secondes, la culpabilité étouffa la colère.

– Oui, Alice, c'est mon meilleur ami. C'est justement pour ça que c'est à moi de décider quand et comment je lui dirai.

Plus tard, les yeux grands ouverts dans son lit, Alice pensa à Paul. Certaines nuits, elle ne pouvait pas s'en empêcher.

Certaines nuits, elle avait l'impression de se retrouver avec le cœur de Riley, avec toutes ses défaillances, ses battements désordonnés et trop faibles, dans sa poitrine à elle. Elle sentait son sang se concentrer dans des endroits où il n'avait rien à faire. Elle se demandait s'il était médicalement possible qu'elle souffre de la même maladie. Peut-être que c'était contagieux. Génétique ? Chez elle, c'était sans doute tout bêtement psychosomatique.

*

Le samedi matin, Alice enfila la combinaison fournie par le parc par-dessus un collant en laine, deux couches de pulls et un anorak. Elle remonta la fermeture Éclair jusqu'au menton. Elle tressa ses cheveux et les releva en chignon pour éviter qu'ils ne se prennent dans la fermeture. Comme ça, elle avait l'air d'un saucisson avec sa petite ficelle qui pendouillait au bout. Elle jeta un coup d'œil dans le miroir pour voir si ses cheveux commençaient à foncer.

En admettant que chaque miroir vous donne une vision différente de vous-même, celui qui surmontait sa vieille coiffeuse victorienne renvoyait à Alice son image la plus ancienne et la plus familière. Il conservait en mémoire toutes ses identités, depuis qu'elle était assez grande pour se voir dedans. Celles de Riley aussi, jusqu'à ses quinze ans, âge où elle avait proposé de quitter leur chambre pour s'installer dans la petite pièce à côté de la cuisine.

À partir de ce moment, Riley avait dormi dans ce réduit de la taille d'une grande armoire, qui servait de chambre de bonne à une époque où tout le monde avait des bonnes, même les gens qui louaient des appartements minuscules. Riley avait eu tout juste la place d'y faire tenir son lit double, mais elle soutenait que ça lui plaisait. Faute de pouvoir y caser son étagère de trophées, elle les avait entassés dans un carton qu'elle avait balancé à la poubelle. Alice avait été horrifiée, mais sa sœur semblait s'en moquer totalement.

De toute évidence, Riley avait laissé la chambre à Alice pour lui faire plaisir et, de fait, celle-ci en avait profité. Au début, elle avait retapissé la pièce d'affiches de groupes de rock et d'infâmes *stickers* d'arcs-en-ciel, bientôt remplacés par des collages de photos, des souvenirs de Fire Island et des vieilles affiches de films. Mais la présence de Riley lui manquait. Elle avait la nostalgie du temps où elles avaient des lits jumeaux, avec des couettes aux motifs d'animaux, et où elles chuchotaient dans le noir avant de s'endormir.

– Tu travailles, aujourd'hui ? lui demanda sa mère quand elle entra en traînant les pieds dans la cuisine pour se servir un bol de Rice Krispies. Je croyais que tu ne tondais pas le week-end.

Sa mère prononçait le mot « tondre » avec le même dégoût que s'il était agi de fumer du crack ou de maltraiter des enfants.

– On ratisse. On est en phase de ratissage d'urgence.

Sa mère hocha la tête. Alice se perdit dans la contemplation de Snap, Crackle et Pop sur le paquet de céréales. Elle espérait éviter le moment où sa mère se demanderait tout haut par quels méandres extraordinaires une licence d'histoire dans une université prestigieuse et hors de prix pouvait former quelqu'un à tondre la grande pelouse de Central Park.

– Tu manges ici ce soir ?

Par principe, Alice refusait de répondre. On laissait passer la première vague de questions indiscrètes, et hop ! une deuxième suivait aussitôt. Elle ne voulait pas laisser s'installer des habitudes intolérables dans cette nouvelle phase de vie familiale. En même temps, habiter chez ses parents sans payer de loyer imposait quelques compromis.

– Je ne sais pas encore.

– Eh bien, j'aimerais que tu te décides, parce que je vais au supermarché ce matin.

– Bon, alors non.

Sa mère lui lança un coup d'œil assassin, et Alice sut que les méditations à haute voix sur les débouchés de la licence n'étaient pas loin. C'était de la haute voltige, d'être subversive et imbuvable sans dépasser les bornes. Tout un art, oublié au cours des années de fac et qui lui revenait maintenant qu'elle était de retour à la maison.

Elle avait prévu de dépenser une partie de sa bourse pour se loger, mais elle avait reporté la demande de bourse en même temps que tout le reste. Elle aurait voulu avoir les moyens de louer un studio avec ses amis, mais elle était loin du compte. C'était le prix à payer quand on avait grandi à New York : si l'on voulait continuer à y vivre, il fallait habiter chez papa et maman. Et ce que l'on économisait en loyer, on le perdait en dignité et en épanouissement personnel.

Novembre à New York pouvait donner lieu à n'importe quel type de temps, et ce jour-là il faisait beau et froid. Alice enfila ses gants et gagna le parc à la hauteur de la 96e rue, puis elle descendit vers le sud en marchant le long de la route. Ce n'était pas le trajet le plus agréable, mais c'était le plus court, et la circulation était interdite le week-end au bénéfice des promeneurs, des coureurs et des cyclistes.

Elle était un peu gênée de se promener en uniforme de travail un samedi. Elle avait oublié à quel point le parc pouvait être bondé le week-end quand il faisait beau. Elle risquait de se sentir passablement ridicule en combinaison si elle croisait des connaissances.

Elle cherchait vaguement sa sœur des yeux. Quand Riley se sentait bien et qu'elle n'avait pas les pieds et les chevilles trop enflés, elle avait le droit de marcher et en profitait pour parcourir des kilomètres, quitte à s'épuiser.

Alice leva la tête vers les immeubles chics de Central Park Ouest. Sur presque toute la planète, les constructions humaines étaient entourées de grands arbres. À Central Park, c'était le contraire ; c'était la nature qui était cernée par les grands immeubles.

Son regard tomba sur un homme vêtu d'une veste matelassée verte et d'un bonnet en laine marron. Il marchait devant elle, bras dessus bras dessous avec une blonde aux chaussures pointues. Alice accéléra, démoralisée. Après le Réservoir*, elle s'enfoncerait dans les entrailles du parc et sa solitude lui pèserait moins.

À mesure qu'elle approchait du couple, elle se rendit compte avec effroi que l'homme marchait comme Paul. Même si elle l'avait rarement vu sous une lumière hivernale, emmitouflé dans plusieurs couches de vêtements, elle commença à soupçonner que la ressemblance ne se limitait pas à la démarche. Elle regarda sa main, celle qui n'était pas accaparée par la blonde, et la reconnut. Elle reconnut ses doigts. Le souffle court, elle faillit laisser échapper un gémissement. Son cœur ne savait plus battre correctement.

Devait-elle s'arrêter, tenter de les contourner ? Impossible de disparaître à moins d'escalader une petite falaise, ce qui manquerait de discrétion. Non seulement elle ne voulait pas que Paul – si c'était lui – et son amie aux doigts de pied pointus la voient déguisée en saucisson, mais elle ne voulait pas non plus avoir confirmation que c'était lui. Elle voulait laisser planer un doute suffisant pour se convaincre, quitte à mettre des semaines, que ce n'était pas lui, qu'il n'avait pas de petite amie. New York devait grouiller d'individus qui avaient la même démarche que Paul, les mêmes mains que Paul. Ça tenait la route.

Elle ralentit pratiquement jusqu'à s'arrêter, en les maudissant de ne pas aller plus vite. Marcher lentement semblait être l'apanage des couples trop heureux d'être ensemble.

* NdT : grand lac artificiel de Central Park.

Elle n'avait jamais marché lentement avec lui. Soit il la tirait, soit elle courait derrière lui. Ça ne devait pas être Paul.

Elle commençait à se détendre lorsqu'il se retourna. C'était Paul. Elle était encore en train de chercher un moyen de fuir quand il la regarda droit dans les yeux.

Les amis d'enfance ne sont-ils pas censés faire semblant d'être contents de se retrouver ? Paul, en tout cas, non. Il s'arrêta, et la dévisagea comme si elle l'avait insulté.

– Alice ?

Elle dut se retenir de tourner les talons pour partir en courant.

– Salut, fit-elle.

Il se dégagea du bras de la femme pour faire un pas vers elle.

– Pourquoi tu es habillée comme ça ? lui demanda-t-il.

– Parce que je travaille ici.

– Tu travailles dans le parc.

– Je tonds et je ratisse, essentiellement

À quoi bon mentir ?

– Et la fac de droit ?

– Je n'y vais pas.

Il sembla sincèrement surpris, mais n'eut pas le culot de lui demander pourquoi. Il paraissait gêné aux entournures, comme si ses vêtements le grattaient. Au fil des semaines, apparemment, sa colère était tombée. Maintenant, il était froid. Il serrait les lèvres, qui étaient aussi pâles que son visage. Difficile d'imaginer que c'était cette même bouche qui l'avait embrassée.

– Tes parents vont bien ? Ta sœur ?

Elle hocha la tête, après une hésitation. Comment pouvait-il ignorer la vérité ? Comment pouvait-elle la lui cacher ? Elle lui en voulait de ne pas savoir, comme elle en voulait à Riley de ne pas lui avoir raconté. Elle allait s'effondrer d'une minute à l'autre, et il valait mieux que ce ne soit pas devant lui.

Paul se souvint tout à coup de sa compagne de flânerie.

– Je te présente Monique, dit-il, un peu brusquement.

Il ne s'encombra même pas de la seconde moitié des présentations.

– Je m'appelle Alice, précisa-t-elle.

– Salut, fit Monique.

Sa bouche était rutilante. Trop brillante pour qu'on ait envie de l'embrasser, songea Alice. Elle ne devait pas être du genre à traîner avec des employés du parc.

– Salue ta famille pour moi, dit Paul.

Et il lui tourna le dos. Il en avait terminé avec elle. Il avait repris sa promenade, en gardant son bras pour lui, cette fois.

Elle entendit presque les commentaires de Monique sur sa combinaison. Elle entendit presque le rire de Paul en réponse. Elle les vit presque s'éloigner vers un café, main dans la main, en savourant le fait qu'ils n'avaient jamais eu, ni n'auraient jamais à porter une « combinaison saucisson ».

*

– C'était qui ? demanda Monique.

Paul avait perdu toute envie de parler. Il se sentait mal à l'aise, plein de colère contenue.

– Une vieille amie. Enfin, la sœur d'une amie.

– Drôle de tenue, reprit-elle d'un ton léger.

– Qu'est-ce que ça veut dire ?

Son visage s'était durci, et il ne fit pas l'effort de le radoucir.

– Rien de spécial, se rétracta-t-elle vivement.

– Mais si, insista Paul, conscient qu'il aurait dû laisser tomber.

Il était furieux contre Alice. Pourquoi fallait-il qu'il continue à la protéger ?

– Mais non, je t'assure, changeons de sujet, répliqua-t-elle.

Il lui avait clairement fait savoir qu'elle ne gagnerait pas de points en s'en prenant à Alice.

Il fallait toujours qu'elle choisisse des boulots avec un uniforme ridicule. Mais en même temps, il aurait rêvé d'aborder la vie avec le même enthousiasme, le même caractère entier qu'elle. Elle avait sa dignité, mais ne la plaçait pas dans son travail. Elle ne se laissait pas définir par ça, contrairement à tant d'autres.

Paul regarda Monique, dans sa tenue chic et sexy. Il avait beau être en colère contre Alice, il eut soudain la conviction que jamais il ne désirerait une femme habillée autrement qu'en combinaison vert bouteille à fermeture Éclair.

CHAPITRE 15

Torts partagés

– Et ça, ça t'irait bien, non ? suggéra Alice sans trop d'espoir.

– Ce serait parfait pour tante Mildred.

– Oh ! arrête, protesta-t-elle, tout en se hâtant de remettre la robe sur le portant.

Riley prit une robe verte en Lycra.

– Et celle-là ? Elle ferait ressortir tes yeux.

– Trop clinquant.

Alice lut l'étiquette.

– Et elle coûte deux cents dollars.

– D'accord… alors celle-là.

Alice éclata de rire. C'était une jupe en tissu écossais à gros carreaux rouge vif, qui devait mesurer trente centimètres de la ceinture jusqu'à l'ourlet.

– Tu veux que je me promène les fesses à l'air ?

– Megan la porterait.

Alice réfléchit. Sûrement. Elles connaissaient Megan Cooley depuis l'enfance et leurs parents étaient très amis.

Megan avait attaqué la puberté de plein fouet et, à quatorze ans, était considérée comme la traînée du coin. Trois ans plus tard, Paul était le seul garçon qu'elle n'avait pas mis dans son lit, et Alice et Riley, les seules filles qu'elle ne s'était pas mises à dos. Elles étaient les seules amies qui lui restaient.

– Je me demande à quoi va ressembler sa robe de mariée.

– Moi aussi, dit Alice, rêveuse. Quand on y pense, c'est dur de se dire qu'à partir de maintenant, Megan va coucher avec un seul homme jusqu'à la fin de sa vie.

– C'est vrai, confirma Riley.

– Tu crois que ça va durer? demanda Alice.

– Son mariage?

– Ouais.

– Ça se peut. Les gens changent. Tiens, qu'est-ce que tu dis de celle-là?

Elle lui présenta une époustouflante robe-fourreau en soie froissée lie-de-vin.

– Joli. Mais elle a l'air un peu petite pour moi.

Riley hésita, comme intimidée.

– Je voulais dire pour moi.

Alice s'efforça de cacher sa surprise.

– Elle te plaît?

– Et toi, t'en penses quoi?

Alice tint la robe devant sa sœur.

– J'adore. Tu devrais l'essayer.

Encore stupéfaite, elle suivit Riley jusqu'aux cabines d'essayage.

Judy les avait envoyées s'acheter des robes chez Bloomingdale's pour le mariage de Megan, mais Alice n'avait pas imaginé qu'elles en prendraient deux. Riley s'était toujours débrouillée pour ne pas porter de robe. Elle préférait garder les cheveux courts et s'habiller comme un garçon ; elle avait même mis des caleçons de bain de garçon jusqu'à l'âge de huit ou neuf ans. Quand son copain David, des NOLS, s'était marié l'année précédente, elle avait mis un smoking et pris place parmi les garçons d'honneur. Alice avait ri en voyant les photos, mais le visage de sa mère s'était crispé. Judy cherchait toujours une confirmation que Riley était lesbienne, en même temps que la preuve du contraire.

– Viens avec moi, si tu veux, lui proposa Riley en se faufilant dans une cabine.

Alice en eut chaud au cœur. Riley ne laissait jamais Judy l'accompagner dans une cabine. Elle lui avait définitivement interdit de l'habiller dès qu'elle avait été assez grande pour dire « non ».

Alice s'était davantage laissé materner ; peut-être parce qu'elle avait toujours su qu'un jour elle voudrait devenir mère à son tour.

Elle se percha sur le tabouret. Elle n'avait pas envie de voir les changements qui affectaient sa sœur, sa difficulté à respirer. Elle détourna les yeux.

Après quelques contorsions, Riley passa la robe par-dessus sa tête. Le tissu tomba sans un pli jusqu'à ses pieds, ne laissant dépasser que ses orteils.

– Waouh ! souffla Alice.

Ça lui faisait un choc de voir sa sœur comme ça, mais elle ne voulait pas trop le montrer.

Riley jeta quelques coups d'œil furtifs à son reflet dans le miroir.

– Tu es magnifique.

– Tu trouves ?

– Oh oui !

Riley se retourna pour se voir de dos, comme font toutes les filles, et Alice sourit. Sa sœur avait le genre de silhouette dont rêvent les filles et que les garçons ne remarquent jamais. Un corps droit et souple, sans une excroissance disgracieuse. Ni fossettes ni bourrelets ni peau d'orange. Ses seins étaient petits et ses hanches étroites comme celles d'un garçon.

À l'époque où Alice traversait le traumatisme de la puberté, avec des seins et des hanches qui l'encombraient, elle aurait donné n'importe quoi pour être comme Riley. A fortiori lorsque les gars la taquinaient, la harcelaient ou faisaient claquer la bretelle de son soutien-gorge. Encore maintenant, ça lui arrivait.

– On l'achète, décréta-t-elle.

Riley eut l'air contente.

– Elle coûte combien ?

– T'occupe. Je te donne ma part, je mettrai une robe de maman.

– Alice, non.

– Sérieux. Allez, viens.

Elle prit la robe et s'avança d'un pas décidé jusqu'à la caisse.

– On la prend, annonça-t-elle à la vendeuse d'un ton de duchesse, en dégainant sa carte de crédit.

En rentrant à la maison, lentement, parce qu'elle voyait

que Riley était fatiguée, Alice envisagea pour la première fois le mariage sans appréhension. Parce que même si tous ses vêtements étaient au garde-meuble et qu'elle allait arborer l'une des infâmes robes de sa mère, quelque chose lui disait que l'imprévu pouvait avoir du bon.

*

– Vous voulez une facture ?

Alice s'était composé un personnage pour son travail de nuit au Duane Reade* de la 11ᵉ Avenue. Elle portait la blouse bleue avec le badge qui disait « Bonjour, je m'appelle Alice ».

– Laissez tomber, dit le client bedonnant, qui ne tenait sans doute pas à faire apparaître dans ses frais deux barres de Snickers géants et une tarte aux cerises.

C'était peut-être un boulot de merde, mais ils l'avaient embauchée tout de suite. Elle n'avait pas envie de travailler dans un bureau, et ne se sentait pas davantage d'humeur à faire le service dans l'un des restaurants où elle avait postulé. Le magasin était situé dans un quartier discret, et c'était le genre de poste qu'on pouvait lâcher sans état d'âme du jour au lendemain.

Ses chaussures étaient trop jolies pour être confortables. Il faudrait qu'elle pense à mettre des baskets dans son sac avec sa blouse. Comme elle faisait croire à Riley et à ses parents qu'elle sortait avec des amis les soirs où elle travaillait, elle tâchait de partir de chez elle dans une tenue crédible. Elle

NdT : chaîne de magasins vendant du bazar, des produits de toilette, ainsi que de la parapharmacie et des médicaments.

avait plus besoin d'argent que d'une vie sociale, et cela, elle ne voulait pas leur avouer.

Elle était sortie quelques fois avec ses amis. « Pourquoi as-tu reporté ton entrée en fac de droit ? Qu'est-ce que tu fais pour les vacances ? Tu fais quoi l'an prochain ? Tu vois quelqu'un ? Il faudrait qu'on te présente Untel. Et Riley, elle fait quoi en ce moment ? »

À leur âge, l'avenir ressemblait à un ballon d'oxygène. Sans avenir, la vie n'était rien. Elle n'avait pas envie de dire la vérité : qu'elle était au point mort. Qu'elle attendait.

Dans l'allée des shampooings, elle vit deux filles de Fire Island qu'elle connaissait de vue. Pas de sa ville, mais de Saltaire peut-être, ou de Fair Harbour.

Elle savait qu'elles ne la reconnaîtraient pas, même en déposant leur brassée de produits capillaires à sa caisse. La blouse bleue de Duane Reade avait le pouvoir magique de vous rendre invisible, en particulier aux yeux de filles qui étudiaient l'histoire de l'art et faisaient leur stage chez Christie's ou à Elle Décoration. Alice avait grandi avec ces filles, tout en sachant qu'elle n'était pas de leur monde.

Si elle avait voulu entrer en droit, c'était d'abord pour devenir comme elles. Quand on n'avait ni argent ni talent personnel, on allait en fac de droit. C'était un peu triste, comme ambition, de vouloir se fondre dans la masse plutôt que se distinguer. Avec le temps, se disait-elle, elle ferait disparaître les preuves. Qui pourrait savoir, quand elle aurait passé cinq ans dans un cabinet d'avocats renommé, qu'elle n'appartenait pas à ce milieu-là ?

Elle avait l'impression que ses parents s'accrochaient comme ils pouvaient au monde des cols blancs et des maisons de vacances, et qu'à la moindre erreur ils en seraient bannis pour des générations. Elle avait son rôle à tenir.

Dans ce cas, que faisait-elle ici ? Pourquoi ne suivait-elle pas au moins une formation en alternance dans une banque ou une grande entreprise ? Elle avait eu son diplôme avec mention et les félicitations du département d'histoire. Elle aurait pu décrocher un de ces postes. Alors pourquoi ?

Parce qu'ils auraient exigé une implication personnelle. Parce qu'elle aurait dû s'y consacrer entièrement, ce dont elle n'était pas capable maintenant. Elle ne pouvait pas faire de projets. Elle devait rester auprès de Riley. Il fallait juste que les cœurs continuent à battre et les jours à passer.

Malgré son besoin de faire plaisir, Alice avait aussi des crises de remise en question. Elle avait eu deux maîtres pour lui enseigner la rébellion, mais pour elle, ce n'était ni une mise en scène, ni un parti pris. Cela consistait en gros à se saborder. En général pour se punir.

Elle n'en voulait pas à Paul de l'avoir secouée à propos de la fac de droit. Elle ne considérait pas que c'était lui qui l'avait dissuadée d'y aller, même s'il avait sa part de responsabilité.

En revanche, elle lui en voulait d'ignorer à quel point elle était malheureuse, et de se promener avec une femme avec des chaussures pointues alors que Riley était malade. Elle lui en voulait alors même qu'elle ne lui avait rien dit et qu'il ne pouvait pas le savoir. Les seules choses qu'elle arrivait à lui reprocher étaient celles dont il n'était pas coupable.

Elle sortit à 22 h 30 et descendit Columbus Avenue jusqu'à une salle de gym de luxe qui restait ouverte tard, sur la 68e. Elle s'approcha du type au guichet de la réception.

– Je pourrais voir votre piscine ? lui demanda-t-elle.

*

Paul savait pourquoi sa mère lui avait laissé la maison. Il fit pivoter le vieux fauteuil de son père et en eut une parfaite illustration à la vue des mille deux cents vinyles, des piles cornées et moisies de magazines, de papiers, de photos et d'affiches.

La vente avait été plus rapide qu'il ne l'aurait cru. Il l'avait confiée aux soins d'un agent immobilier, Barbara Weinstein, une vieille connaissance de sa mère dont les enfants avaient grandi sur l'île avec lui.

Barbara avait immédiatement obtenu le prix fixé et avait fourni à Paul une promesse d'achat quinze jours plus tard. Maintenant les acheteurs, un couple de courtiers en Bourse avec trois enfants, voulaient conclure avant Thanksgiving.

Il avait agi sous le coup de la colère, parce qu'il avait décidé qu'il ne voulait plus jamais voir cet endroit. Et voilà qu'il se trouvait attaché à cette maison comme il ne l'avait jamais été.

Il tournoya sur le fauteuil, entrevoyant au passage la pyramide de cartons qu'il avait dressée dans un coin de la pièce. Il détestait la manière qu'avait sa mère de s'engager pour disparaître ensuite, mais il se serait abaissé à n'importe quelle hypocrisie pour déléguer ce boulot-là.

Plus on remet une corvée, plus elle est difficile à affronter. Ça devait pouvoir se prouver scientifiquement. Il lui fallait surmonter non seulement le nombre de fois où il s'était défilé, mais aussi toutes les fois où sa mère avait fait de même. Encore un héritage lourd à assumer.

Il pourrait peut-être proposer que le couple de courtiers prenne la maison meublée. « Mobilier éclectique », pourrait-il dire. Sans oublier les œuvres complètes de Jefferson Airplanes et de Starship. Assez de bric-à-brac pour ouvrir une boutique d'antiquités.

Ou il pouvait simplement tout mettre en cartons. Sans trier, en vrac. Empaqueter, fermer, envoyer tout ça dans un garde-meuble, et terminé.

Séduit par cette perspective, il arrêta de tournoyer et s'éjecta de son fauteuil pour s'attaquer au premier carton.

Il jeta un coup d'œil à la photo qui couronnait la pile en désordre. On y voyait son père peu de temps avant sa mort, assis sur le comptoir de la cuisine dans leur vieille maison des Brooklyn Heights. Paul détourna les yeux. Mauvaise idée de commencer par les photos.

Il déposa une première pile de disques dans le carton. À la deuxième, il ne put s'empêcher de lire le titre de l'album du dessus : *Their Satanic Majesties Request*. Il le retourna, maculant les poignets de sa chemise d'une fine poussière. 1967.

Sans réfléchir, il se dirigea vers le vieux tourne-disque. Il souleva le couvercle en plastique pour vérifier l'état du bras et de l'aiguille. Il souffla dessus. Doucement, il fit glisser l'album hors de sa pochette. Il était encore dans sa pochette en papier, parfaitement préservé. Son père avait toujours pris soin de ses disques.

Il posa le disque sur la platine et déplaça le bras pour la faire tourner.

Il se rappelait qu'autrefois il essayait de caler l'aiguille juste au bord du disque, et qu'elle glissait encore et encore, en émettant un bruit horrible quand elle dérapait sur la bordure. Il n'aimait pas poser l'aiguille bien dans les sillons, là où la musique avait déjà commencé. Il fallait entendre le début. Il fallait la mettre pile à la bonne place.

Lorsqu'il posa l'aiguille, délicatement, ce geste fit remonter une nouvelle vague de souvenirs. Il revit la main de son père.

Il s'assit par terre et écouta tout l'album jusqu'à *She's a Rainbow*. Là, il enfouit la tête dans ses bras, s'allongea et se laissa envahir par le chagrin. Pour cette maison et tout ce qu'il y avait vécu. Pour l'unique minute où il s'était autorisé à vouloir la garder pour Alice.

Il aurait préféré ne jamais avoir eu cette pensée. Il savait que c'était une erreur. Il le savait déjà à ce moment-là, et il l'avait commise quand même. Lui qui avait passé sa vie à se prémunir contre cette erreur, il était tombé dans le panneau.

Si Alice était cruelle, lui, il était stupide. Il lui reprochait d'être partie, mais s'en voulait encore davantage. Il l'aimait. Trop. Voilà où était le problème.

Dans un sens, il aurait voulu qu'elle l'appelle rien que pour pouvoir l'engueuler comme elle le méritait. Il s'imaginait qu'elle essaierait de lui couper l'herbe sous le pied en proposant qu'ils redeviennent amis. Elle l'avait déjà mis en miettes ; il n'allait pas la laisser ramasser les morceaux pour trier ceux dont elle voulait encore. Il n'allait pas lui donner bonne conscience en étant ami avec elle. De toute façon, elle ne lui avait pas fourni l'occasion de l'engueuler, puisqu'elle n'avait pas appelé.

À son réveil, le lendemain matin, sa joue portait la marque des poils du tapis. Il vit des piles de bazar partout autour de lui, et une pyramide de cartons à laquelle il manquait celui du haut.

Il n'aurait jamais l'énergie nécessaire. Il savait, en se dirigeant vers le ferry, qu'il n'avait fait que remettre une fois de plus ce qu'il avait à faire.

*

– Bon, c'est là, dit Alice en ouvrant la porte du club de gym devant Riley.

– Qu'est-ce qui est là ?

– Ce que je voulais te montrer.

– Dans ce club de gym ?

– Oui.

Alice glissa une carte dans l'appareil et le tourniquet les laissa passer.

– Tu es membre de ce club ? s'étonna Riley.

Elle la suivit dans l'ascenseur, où Alice appuya sur le bouton du dernier étage.

– Pas exactement. Viens.

Après l'ascenseur, Alice lui fit traverser un vestiaire humide et elles débouchèrent dans un immense pavillon entouré d'une verrière. Tout le tour était carrelé de bleu, décoré de plantes en pots. Le plus incroyable, c'était la vue sur l'Hudson d'un côté et sur Central Park de l'autre. En se collant contre la verrière, on pouvait voir au sud jusqu'au port de New York.

– C'est dingue !

– Superbe, non ?

– Je ne savais même pas que ça existait.

Alice s'agenouilla pour plonger une main dans l'eau.

– La plus chaude de tout New York.

– Ah bon ?

– Touche. Les riches n'aiment pas l'eau froide.

– C'est vrai qu'elle est chaude !

Une question pointait dans le regard de Riley.

Alice reprit sa carte et la lui tendit.

– Ta-da ! Ta carte de membre.

– Tu déconnes.

– Juste pour la piscine. Avec les cours de gym en plus, c'était trop cher.

– Comment t'as fait ?

– J'ai un petit loyer.

Riley éclata de rire.

– Tu me scies, Al.

– Tu avais besoin de nager. Je t'ai trouvé où nager.

– Je ne peux pas croire que je vais nager ici.

– Autant que tu voudras.

Alice s'inquiéta de voir soudain Riley au bord des larmes. C'était tellement inhabituel qu'elle en fut effrayée. Mais déjà, elle enlevait ses baskets, et sans plus de cérémonie, elle tendit les bras et plongea dans l'eau chaude tout habillée.

Ce fut au tour d'Alice d'être au bord des larmes, tandis que la tête de Riley dansait joyeusement dans l'eau et que le monde se remettait à tourner dans le bon sens.

Elles rentrèrent à pied par Amsterdam Avenue, Riley flottant dans le pull, le pantalon et le manteau trop longs d'Alice tandis que sa sœur marchait à grandes enjambées à côté d'elle, emmaillotée dans une double couche de peignoirs, en balançant à bout de bras un sac en plastique plein de vêtements mouillés.

CHAPITRE 16

Quelqu'un se marie

Paul n'avait pas une seule bonne raison d'aller au mariage de Megan. Il avait mis une veste et un pantalon de smoking dépareillés et des chaussures marron. Avec une cravate turquoise.

Il existait des moyens plus simples de voir Alice. Il aurait pu sonner à la porte de leur appartement, par exemple, ou lui téléphoner. Mais ça ne lui aurait pas permis de faire passer le message.

– Je vous présente Diana, dit-il à Mme Cooley en désignant sa cavalière, après les félicitations d'usage, sur le parvis de l'église.

Comme cette mère-là avait l'air heureuse d'avoir casé une telle fille !

Il salua d'autres familles de Fire Island. Les Greenblatt, les McDermott, les Rosenheim. À chacun correspondait un souvenir. Un vélo qu'il avait volé, une maison dans laquelle il s'était introduit en douce, des toilettes qu'il avait bouchées, un haut-parleur qu'il avait fait sauter. Ils lui pardonnaient tout parce qu'il était riche et que son père était mort.

Il inspecta la foule d'un coup d'œil nonchalant, écartant les cheveux qui lui tombaient dans les yeux. Ils avaient repoussé, et il ne les avait pas recoupés depuis l'intervention d'Alice. C'était à la repousse qu'on jugeait de la qualité d'une coupe, et celle d'Alice était nulle. Et voilà, il continuait à faire du sur-place. Après toutes les nuits sans sommeil qu'il avait passées à la haïr, il s'accrochait encore à elle. Toujours à la haïr, toujours à s'accrocher, toujours pour la même raison.

Pendant un bref interlude, il l'avait aimée ouvertement. S'en souvenait-elle seulement ? Lui arrivait-il d'y penser, ne serait-ce qu'une fois pour le million de fois où il y pensait, lui ? Alice l'avait accusé d'être amnésique, mais sur ce terrain, elle l'avait largement battu depuis.

Du fond de l'église, il tenta de repérer Ethan et Judy qui, en tant qu'amis proches des Cooley, devaient se trouver dans les premiers rangs. Il chercha des yeux les cheveux d'Alice.

Et si elle n'était pas là ? Dans ce cas, il aurait gaspillé beaucoup d'énergie en pure perte.

Sans penser une seconde à sa propre apparence, il s'intéressa à celle de Diana, plus belle que Monique, et plus accessible. Il avait complètement oublié l'existence de la mariée jusqu'à ce qu'elle s'engage dans l'allée centrale.

C'était le moment. Toute l'assemblée s'était levée pour se tourner vers le fond de l'église. Paul tendit le cou. Il devait être le seul à regarder du mauvais côté. Elle était là. Entre Riley et son père. Du moins, c'est ce qu'il supposa. Il ne les voyait que partiellement. Judy se penchait dans l'allée centrale avec son petit appareil photo argenté. La connaissant, cette mère-là devait se faire un sang d'encre de n'avoir marié aucune de ses filles. Il s'empressa de réprimer cet élan de sympathie dès qu'il en eut pris conscience.

Il mit toute son énergie à se rappeler que Diana était plus belle qu'Alice. Ce qui était sans doute vrai pour un œil objectif. Mais il n'arrivait pas à s'en persuader, ce qui l'énerva. Comment se forcer à préférer une personne à une autre ? Comment changer ses goûts ? Judy prétendait qu'adolescente, ayant découvert que le chocolat lui donnait des boutons, elle s'était conditionnée à ne plus aimer ça. C'était l'une de ces anecdotes dont on continue à se souvenir on ne sait trop pourquoi, et bizarrement, il lui arrivait souvent d'y repenser.

Riley le repéra et lui fit signe. Son sourire suffit à changer l'humeur de Paul. L'espace d'un instant, il se sentit redevenir un être humain. Il agita la main et sourit à son tour, d'un vrai sourire. Pour elle, il voulait rester son ami Paul, son meilleur lui-même. Pas cette version amère, minable.

Qu'allait penser Riley de Diana ? Elle penserait qu'il frimait. Cinq ans plus tôt, ou même trois, elle le lui aurait dit en face. Aujourd'hui, elle le garderait pour elle. C'était un peu triste.

Il se rendit compte, progressivement, que Riley portait une robe. Elle paraissait petite dedans, un peu garçon manqué, mais jolie aussi. L'avait-il déjà vue en robe ? Avait-elle décidé d'entrer dans le monde méprisable où vivaient et trébuchaient tous les autres ? Il n'arrivait pas à l'imaginer dans ce monde-là.

Riley donna un coup de coude à Alice et lui désigna Paul. Que savait-elle au juste ? Il retint son souffle. Alice allait devoir se retourner. Alice allait devoir lui faire signe. Alors qu'il voulait la fusiller du regard, il se retrouva à lui faire signe en retour, vaincu, neutralisé et déçu par lui-même. Le but du jeu était de garder le contrôle. Il glissa un bras autour de la taille de Diana. Alice la regarda. À cette minute, il se fichait bien d'Emmanuel Kant et de la distinction entre apparence et réalité. Il se félicita d'avoir Diana à ses côtés.

*

Riley se tenait dans le patio avec les fumeurs. À travers les fenêtres et les portes vitrées, la fête battait son plein dans un brouillard. Les choses paraissaient moins absurdes, encadrées et isolées derrière une vitre. La plupart des gens étaient impossibles à reconnaître.

La seule personne qui sortait du lot était Paul. Jusque-là, elle avait trouvé normal de ne pas lui avoir parlé de sa maladie. Mais tout à coup, ça ne l'était plus. Elle ne s'attendait pas à le voir. Sa présence la prenait de court. Pourquoi ne lui avait-elle rien dit ?

Et si quelqu'un d'autre le lui apprenait ? Cette idée lui était insupportable. Elle aurait l'impression d'être une victime, ce qu'elle détestait au plus haut point. Les Cooley étaient au courant, comme beaucoup d'autres. Ses parents allaient supposer qu'il était au courant aussi. Elle n'avait pas l'habitude de mentir ni d'en assumer les conséquences. Un premier mensonge en entraînait un autre. Comment en était-elle arrivée là ?

Riley lui avait toujours réservé sa meilleure facette. Les moments les plus heureux de sa vie, elle les avait passés avec Paul. Si elle restait la même à ses yeux, alors cette facette serait préservée et continuerait d'exister. Lorsqu'elle était avec lui, même là, en ce moment, elle retrouvait la personne qu'elle était autrefois.

Et puis il y avait Alice. Sans le chercher, elle avait entretenu le secret entre Alice et Paul. Et si elle l'avait fait exprès ? Si c'était voulu ? Sinon, pourquoi aurait-elle persisté ?

Avec sa sœur, elles se retrouvaient chez leurs parents, comme si le temps avait fait machine arrière, que l'avenir s'était évaporé. Était-ce ce qu'elle souhaitait ?

Elle pensa à la manière dont Paul avait regardé Alice à l'église. Elle n'avait jamais regardé quelqu'un comme ça. Et personne n'avait jamais dû la regarder de cette façon non plus. Des garçons s'étaient intéressés à elle, mais elle n'avait eu que quelques aventures superficielles. Par curiosité, ou pour avoir la paix. Elle n'avait jamais aimé personne comme Paul aimait sa sœur. Était-elle jalouse ? Jalouse de Paul ? De sa sœur ? Cette hypothèse lui répugnait. Elle refusait de penser à Paul en ces termes.

– C'est le syndrome du kibboutz, avait un jour affirmé Catie Mintz, sa copine des NOLS, en parlant de son amitié avec Paul.

– Qu'est-ce que ça veut dire ?

– Les gamins qui grandissent ensemble dans les kibboutz se comportent comme des frères et sœurs. Ils ne tombent presque jamais amoureux entre eux.

Riley savait que ce n'était pas la seule raison, mais ça

expliquait peut-être en partie pourquoi Paul tenait Alice à distance, pourquoi il la jugeait avec dureté et l'ignorait quand elle avait le plus besoin de son attention. Parce qu'il savait qu'un jour il voudrait l'aimer.

Riley ne supportait pas l'idée qu'Alice et Paul s'apitoient sur son sort. Elle refusait de rester captive du passé. Elle avait peur qu'ils s'apprêtent à basculer dans une vie où il n'y aurait pas de place pour elle, et où, comme l'été dernier, ils la tiendraient délibérément dans l'ignorance. C'étaient eux qui avaient commencé à avoir des secrets.

Elle vit le bleu turquoise de la cravate de Paul à travers la vitre, puis il surgit à côté d'elle.

– Tu fumes, maintenant ?

– Je n'aime pas être enfermée à l'intérieur avec plein de gens. Mais il y a presque autant de monde ici. À bas les fumeurs !

– Je ne t'avais jamais vue en robe.

– Je ne t'avais jamais vu avec une petite amie.

– Ben, tu vois.

– Je vois.

Riley regarda ses pieds. Il fallait qu'elle lui parle. Elle devait réfléchir à la bonne façon de lui dire.

– Hé ! ils annoncent de la neige pour demain, reprit-il. Ça te plairait qu'on loue des skis de randonnée pour l'après-midi ? Tu te rappelles quand on a skié sur la 5e Avenue ?

Elle éclata de rire. C'était l'année de leur terminale. Paul était revenu de pension pour les vacances de Noël. Elle avait essayé de skier en s'accrochant à un bus et elle avait failli finir dessous.

– Alors ?

Il avait toujours le même sourire, qu'elle aimait tant.
Si elle allait skier, ses parents en auraient une attaque. Son
cœur exploserait. Et Alice la tuerait si elle n'était pas déjà
morte. Mais elle ne pouvait rien lui dire.
– Ça marche !

*

Alice était assise devant son assiette, raide comme un
piquet, pendant que le représentant en produits ménagers
à sa gauche s'enfilait sa troisième vodka tonic en lui donnant
des coups dans le tibia. Il lui en coûtait de faire la conversation, même avec son père qui se tenait en face d'elle. Elle se
sentait tellement empruntée qu'elle n'avait pas le courage
de se lever pour discuter avec les autres.
    Comment Paul avait-il pu venir avec une femme dotée
d'un physique pareil ? Quelle cruauté ! C'était un supplice
de le voir parader au bras d'un top model vêtu à la dernière
mode, alors qu'elle portait une vieille robe de sa mère avec
ceinture dorée et épaulettes ! Elle aurait eu l'air moins tarte
dans sa combinaison du parc. Pourquoi avait-elle fait ça ?
Encore cette culpabilité, cette pulsion d'autodestruction.
Elle méritait tout ce qui lui arrivait.
    – Tu as fait connaissance avec la petite amie de Paul ? lui
demanda Rosie Newell en s'installant à côté d'elle.
    Alice se raisonna ; Rosie ne faisait pas exprès de retourner
le couteau dans la plaie. Elle avait un faible pour Paul
depuis des années.
    – Pas encore.
    – Elle est canon, hein ?

– Mm ! confirma Alice avec aigreur.

Elle fut soulagée quand Rosie s'éloigna pour danser avec le représentant en produits ménagers. Qu'elle se prenne donc quelques coups de pied !

Paul dansait avec sa superbe petite amie sur un air latino. Alice aurait voulu qu'il danse mal, mais non. Tous ceux de sa table s'étaient levés pour danser, même ses parents.

Paul dansait comme un dieu, yeux dans les yeux avec Diana. Il avait continué à avancer. Il les avait tous oubliés. Il les avait laissés derrière lui. C'était un vrai don, chez lui.

Et tout à coup, comme pour lui donner tort, Paul s'écarta de sa petite amie pour inviter Riley à danser. À son expression, Alice vit qu'il n'était pas au courant du problème de sa sœur. Celle-ci avait l'air enjouée et en forme. L'espace de quelques heures, ils pouvaient tous faire comme si tout allait bien.

Au morceau suivant, Paul prit la place d'Ethan pour danser avec Judy. C'était un peu ringard, mais sa mère adorait ce genre d'attentions. Au milieu de la chanson, Paul la renversa en arrière et elle poussa un cri de protestation pour la forme. Bon, il ne les avait pas tous oubliés. Seulement elle.

Alice vit son père approcher. Par compassion, il allait essayer de la convaincre de danser avec lui. Ça voulait dire se lever et montrer sa vieille robe dans toute sa gloire. Elle lui répondit par une grimace, sans lui laisser le temps d'ouvrir la bouche.

– S'il te plaît, marmonna-t-elle du bout des lèvres, à la Clint Eastwood.

Elle ne savait pas où se mettre.

Toute sa vie, elle avait possédé une chose qui, si elle avait parfois été pesante, avait aussi été son plus beau cadeau.

L'amour de Paul. Il avait toujours fait partie d'elle. Et elle l'avait perdu.

L'amour était une rose, disait la chanson, et il ne fallait pas la cueillir.

Elle l'avait cueillie et se retrouvait avec une poignée d'épines. Diana avait la rose, Rosie, le représentant ivre ; Alice, les épaulettes et la ceinture dorée.

*

Paul savait, en se servant un sixième (ou septième ?) verre de vin, qu'il allait faire une bêtise. Il l'éclusa avidement et, mettant son plan à exécution, abandonna sa charmante compagne pour se diriger vers la table d'Alice.

– Tu danses ?

Elle n'en avait aucune envie. Ça se voyait.

– Jolie robe, dit-il, un peu par défi.

Elle se leva. Il la connaissait, elle détestait se défiler. Elle le suivit sur la piste de danse.

Il la tint à bout de bras, la conduisant sur un air de swing. Elle avait légèrement rougi, et ça lui allait bien.

– Comment tu vas ? lui demanda-t-elle.

– J'ai vendu la maison, répondit-il avec un peu trop d'empressement.

Dans quelle mesure l'avait-il vendue pour le seul plaisir de le lui annoncer ?

« Il n'y a pas d'avenir, Alice. Pas d'espoir. Nos vies n'ont plus de point de contact. Tout ça, c'est du passé maintenant, officiellement. » S'il en était tellement persuadé, pourquoi guettait-il sa réaction avec tant d'intérêt ? Elle hocha la tête.

– C'est ce que j'ai entendu dire.

Argh ! Elle était au courant. Que pouvait-il inventer d'autre pour la blesser ?

– Je suis content d'en être enfin débarrassé.

Nouveau hochement de tête.

Que dire d'autre ? « Je vais me marier. Je ne t'ai jamais aimée. C'est quoi, ton nom, déjà ? » Il avait honte de lui et en même temps l'impression de n'avoir plus rien à perdre.

Quelle satisfaction ce serait s'il parvenait à lui faire perdre contenance ! Si au moins elle se mettait à hurler ou à l'accuser de n'importe quoi, quel soulagement ce serait ! Bien sûr, elle n'en fit rien. Jamais elle ne faisait ce genre de choses. Sinon il ne serait pas dans une telle panade.

Il aurait donné n'importe quoi pour ne plus l'aimer. Les vieilles ruses ne marchaient plus. D'ailleurs, elles n'avaient jamais marché. Comment cessait-on d'aimer quelqu'un ? C'était l'un des casse-tête les plus insolubles qui soient. Plus on s'entêtait, moins ça fonctionnait.

Le morceau fut suivi par un slow. Au lieu de s'en aller, ce qui aurait été plus malin, il l'attira à lui. Il sentit son odeur et se colla à elle, en la haïssant, en se haïssant lui-même. Maintenant, il devait en plus supporter la torture de deviner son corps sous sa robe. Il posa une main au creux de ses reins et serra, plus fort qu'il n'aurait dû. Il avait pitoyablement faim d'elle. Pourquoi ? Qu'avait-elle de spécial dont il avait tant besoin ?

Il vit ses yeux, brillants et un peu écarquillés. Elle regardait fixement par-dessus son épaule, mais il capta leur lueur.

Il la relâcha et repartit à sa table, excité, frustré et malheureux. Qu'était-il venu faire à ce stupide mariage ? Qui avait-il l'intention de torturer, au juste ?

CHAPITRE 17

Cryogénie

Pendant un moment, ils crurent que Riley aurait besoin d'une opération pour remplacer les feuillets endommagés de sa valve mitrale. L'information, qu'ils avaient interprétée comme une mauvaise nouvelle à la mi-novembre, avait fini par se muer en un vague espoir. La valve aortique était presque aussi abîmée. Les médecins espéraient soigner son arythmie grâce à un pacemaker. Mais même cet espoir-là s'amenuisa quand ils diagnostiquèrent d'autres lésions.

Chaque fois que Riley revenait de chez le médecin, elle disait :

– Ça a l'air d'aller.

Et elle disparaissait pendant quelques heures. Et chaque fois, tard le soir, sa mère donnait à Alice la version complète, agrémentée de ses craintes. Elle alignait les nouveaux flacons de médicaments : bêtabloquants, anticoagulants, antibiotiques. Le tout pour une fille qui ne supportait pas d'avaler un cachet.

Alice avait parfois l'impression que sa sœur Riley et la malade de Judy étaient deux personnes distinctes.

– À chaque examen, ils découvrent de nouveaux problèmes, dit sa mère à la fin de l'année. Ce n'est pas une intervention sur une valve ou une autre qui va tout régler.

*

Ils passèrent tout le mois de janvier comme figés, dans l'attente, sur le qui-vive. Riley se rendait régulièrement au centre de transplantation. En raison de son âge et de l'aggravation de sa maladie, elle figurait en haut de la liste. Comme l'avaient expliqué les médecins, quand son tour viendrait et qu'un cœur serait disponible, tout se jouerait en quelques heures.

Riley portait un bippeur sur elle en permanence. Ça pouvait prendre des jours comme des mois. Alors ils attendaient. Tandis que Riley allait et venait, Alice et ses parents gardaient les yeux rivés sur le bippeur.

Un matin où elle l'avait laissé sur la table de la cuisine, tous les trois étaient restés immobiles à le fixer comme s'il allait leur exploser dans les mains.

– C'est un bippeur, pas un cœur, leur avait signalé Riley, narquoise.

Restée seule dans la cuisine après son départ, Alice avait remarqué des choses qu'elle avait cessé de voir, comme l'étagère à épices que Riley avait fabriquée en primaire. Elle regarda l'horrible machin en terre cuite vernie, rapporté à la maison en CE2 et qui servait toujours à mettre le sel. Deux pots de lierre se tenaient compagnie sur l'appui de fenêtre, bloquant le peu de lumière qui tombait d'un coin de ciel. Alice et Riley les avaient rapportés d'une kermesse quand elles étaient petites, et Judy les avait arrosés et maintenus en vie tout ce temps. Il y avait de l'amour dans ces objets qu'on oubliait presque toujours de regarder.

Les jours et les semaines qui suivirent s'émiettèrent en heures et en minutes d'attente. Son père rentrait entre deux cours. Sa mère travaillait plus à la maison, et moins à la bibliothèque. Elle faisait ses courses au compte-gouttes. Leurs anciens projets s'étaient évaporés et ils n'en faisaient pas de nouveaux. Quand ses parents sortaient le soir, ils trouvaient des prétextes idiots pour téléphoner.

Alice n'osait même pas penser au lendemain. Elle vivait au jour le jour, et ses pensées n'allaient pas plus loin que la nuit suivante. Elle passait d'une activité à l'autre en pilotage automatique.

« On va tous à reculons », pensait-elle.

Fin janvier, Alice comprit que l'attente n'allait pas se limiter à quelques jours, et qu'on ne pouvait pas rester en état d'alerte pendant des mois. Les humains n'étaient pas configurés ainsi.

– Je ne suis pas sûre de vouloir un autre cœur, lui confia Riley un jour où elles se promenaient dans le parc.

Dès que la température dépassait 5 °C, elles se promenaient.

– Ce sera le tien, une fois qu'il sera dans ton corps, souligna Alice.

Ils la surveillaient de trop près. Alice ne pouvait pas s'empêcher d'imaginer les battements laborieux du cœur de Riley. Ils lui posaient trop de questions sur ses prises de médicaments, sa consommation de sel, sa rétention d'eau. Riley ne ratait pas une occasion de les fuir.

– Où tu étais passée ? lui demanda Alice d'un ton dégagé en la voyant rentrer, un soir glacial de février.

Jamais elle n'aurait avoué qu'elle avait vérifié la température dix fois depuis le déjeuner.

– Je suis allée voir Paul.

Alice faillit s'étrangler.

– J'espère que tu es restée à l'intérieur.

Riley la fusilla du regard.

– Alors, comment il va ? Tu lui as dit ?

Elle avait parlé un peu trop fort.

Riley ôta une à une ses couches de vêtements.

– Ça va. On s'est bien marrés, répondit-elle, un peu fort elle aussi. Et non, je ne lui ai pas dit. C'est bien plus sympa d'être avec des gens qui ne savent pas que je suis malade.

– Je te remercie.

– Sérieusement, Al. Je sais que tu te fais du souci pour moi. Mais tu es super-chiante.

*

Les gens laissaient des tas de choses derrière eux en entrant dans l'eau. Leurs habits, leurs affaires, leur maquillage, leur coiffure, leurs voix, leur ouïe, leur vue – du moins sous leur forme habituelle.

– Sous l'eau, les gens se ressemblent tous, lui avait dit un jour un instructeur de plongée.

Certains perdaient même leur personnalité, mais c'était sous l'eau que Riley se sentait le plus elle-même. Elle savait que l'eau était censée symboliser le renouveau, mais quand elle nageait – coupée du monde, seule et inaccessible – c'était comme si elle replongeait vers son moi profond.

L'océan, c'était le summum, évidemment. Il lui donnait un sentiment de liberté unique, et en même temps, l'impression de communier avec tous les êtres aquatiques. L'océan, c'était le summum, mais une piscine surchauffée en haut d'une tour sur la 68ᵉ rue Ouest, c'était pas mal non plus.

Riley donna une poussée contre le carrelage et fit une longue coulée en brasse sous l'eau. Elle avait parcouru les six cents premiers mètres en crawl et les suivants en dos crawlé. Elle s'était promis en arrivant qu'elle s'arrêterait à mille deux cents mètres. C'était la limite qu'elle s'autorisait.

Le mouvement répétitif de ses membres la mettait en état de méditation, l'étirement de ses muscles agissait comme un narcotique. Peu à peu, elle oublia la présence des autres dans la piscine, l'activité sur les bords, la rumeur de la ville derrière la verrière. Ici, la routine restait sur le pas de la porte. On pouvait échapper aux contraintes du monde. Sous l'eau, même celles qu'on s'imposait à soi-même semblaient s'éloigner et changer de direction. On ne pouvait pas parler, on ne pouvait pas entendre. On avait les oreilles pleines, mais c'était silencieux.

Longueur après longueur, Riley accéléra lentement le rythme, avant de ralentir vers la fin. Elle résista à la soixante-quatrième longueur. Stop.

L'ennui quand on nageait, c'était qu'il fallait bien finir par sortir. Il fallait se sécher et se rhabiller. Il fallait redevenir un peu plus soi-même, ou, dans son cas, un peu moins. Les contraintes étaient toujours là, qui attendaient.

*

En rentrant du parc, Alice vit le répondeur qui clignotait dans la cuisine. Envahie par un mauvais pressentiment, elle appuya sur le bouton avec des doigts tétanisés par le froid.

– Ici le bureau du Dr Braden, au centre de transplantation. Nous essayons de contacter Riley, disait le début du message.

La suite donnait des consignes de rappel urgentes et précises. La même secrétaire, sur un ton stressé, avait laissé un deuxième message, et le troisième provenait du Dr Braden en personne. Tous dataient des quarante dernières minutes.

Alice paniqua. Elle avait prévu cette panique, et l'avait même déjà expérimentée plusieurs fois. Les doigts toujours gelés, elle composa le numéro du bippeur de Riley, puis son numéro de portable, sans obtenir de réponse. Soit Riley était morte, soit elle était négligente.

Alice attendit dans l'angoisse. C'était presque devenu sa seule occupation au cours des derniers mois, pourtant elle n'était toujours pas douée. Elle ne s'améliorait pas avec la pratique.

Elle rappela, encore et encore. La sixième fois, Riley répondit :

– C'est quoi, le problème ?

– Tu as eu le Dr Braden ?

– Non. Pourquoi ?

Alice entendait sa sœur respirer au bout de la ligne.

– Regarde ton bippeur.

Il y eut un silence.

– Je te rappelle, dit Riley.

Elles se retrouvèrent à l'appartement. Entre-temps, Judy et Ethan étaient rentrés.

Riley, en chaussettes, avait un pied sur le bord de table et se balançait sur sa chaise.

– Tu es sûre que c'est trop tard ? demanda Judy, les mâchoires crispées.

– Oui, je suis sûre. Le Dr Braden aussi est sûr.

– Quelqu'un d'autre l'a eu ? insista Judy.

– Oui. Il y a un heureux receveur ce soir.

– Mais ce n'est pas nous, dit sa mère.

– Ce n'est pas moi, rectifia Riley.

– Chérie, comment se fait-il que tu n'aies pas reçu l'appel ? s'informa Ethan, cramponné au dossier d'une chaise. Je ne comprends pas ce qui s'est passé.

Alice se disait que Riley allait finir par perdre l'équilibre, à force de se balancer ainsi. Ce serait trop bête qu'elle se brise le cou après tout ça.

– S'il te plaît, explique-nous, dit sa mère d'une voix tendue. Ce n'est pas pour rien qu'on a mis ce système en place.

Riley rétablit la chaise sur ses quatre pieds dans un claquement.

– Je nageais, dit-elle d'un ton ferme. Voilà ce que je faisais.

*

Les jours suivants, Riley s'enhardit. Elle leur interdit de continuer à lui parler de la liste d'attente. Ils n'avaient plus le droit de mentionner la température extérieure, ni sa consommation de sel ou de médicaments, ni la balance.

– Je jure devant Dieu qu'autrement, je quitte la maison, menaça-t-elle.

Elle cessa de tenir les autres au courant de ses rendez-vous et refusa que sa mère l'accompagne. Quand elle en revenait, elle ne leur fournissait aucune information.

– Arrête de regarder ce bippeur, dit-elle sèchement à Judy, un matin où il traînait sur la table basse.

Tard un soir de la même semaine, Alice entendit Riley parler à son père.

– Je ne veux pas devenir cette maladie, disait-elle. Ça me donne l'impression qu'elle va m'engloutir et qu'il ne restera rien de moi.

*

Riley mit une bonne minute à reconnaître sa sœur sous les néons blafards du magasin. Le contexte était étrange et désagréable, mais ce fut l'expression d'Alice surtout qui la dérouta. Elle fut frappée de ne pas retrouver sur son visage la chaleur et l'animation que sa sœur exprimait toujours en sa présence. C'était instructif d'observer un proche à son insu ; une occasion particulièrement rare avec Alice.

Cachée derrière une pyramide de déodorants, Riley fit mine d'inspecter nonchalamment les brosses à dents. Alice se tenait derrière la seule caisse ouverte. Sans client à encaisser, elle regardait sans la voir l'allée des shampooings.

Une femme voûtée vint lui demander un billet de loterie. Un homme s'approcha d'un pas traînant et désigna quelque chose derrière le comptoir. Des piles, peut-être.

Cet endroit n'avait aucune connexion avec l'extérieur. Le cauchemar de Riley, en quelque sorte. Pas de fenêtres. De multiples portes pour empêcher l'air d'entrer. Non que l'air soit particulièrement frais sur la 11ᵉ Avenue. La lumière était d'un jaune pisseux. La musique tournait en boucle. Tout le monde avait l'air moche à Duane Reade, mais elle n'avait jamais vu Alice paraître aussi quelconque. C'était parfois dur à vivre d'avoir une sœur si belle, mais la voir enlaidie ne lui faisait pas plaisir.

Riley avait envie de partir, sans parvenir à se décider. Elle pouvait comprendre qu'Alice travaille au parc pour un salaire minimum, mais rien ne pouvait justifier qu'on travaille ici. Était-ce de là que venait l'argent de son inscription à la piscine ?

« Qu'est-ce que tu fous, Alice ? »

Alice sortait le soir en leur disant qu'elle allait retrouver des amis. Ses parents en retiraient un plaisir presque pervers. Il fallait bien que quelqu'un dans la famille mène une vie normale. Que penseraient-ils s'ils apprenaient la vérité ?

Elle était censée aller en fac de droit, pas vendre des billets de loterie. Chacun avait son rôle à tenir au sein de la famille. Alice était l'intello, la future cadre. Elle ne se montrait pas à la hauteur de sa mission.

Riley se rappela le jour où sa sœur avait reçu les réponses des universités où elle avait postulé. Après un hiver enneigé à Jackson Hole, Wyoming, Riley passait quelques semaines à l'appartement, avant de partir ouvrir la maison à Fire

Island. Ses parents avaient regardé Alice décacheter les enveloppes une à une avec une excitation croissante, et avaient explosé de joie en apprenant qu'elle était acceptée à six des huit écoles – dont Dartmouth, qu'elle avait fini par choisir.

Le soir, ils avaient organisé un dîner de fête au Moon Palace, à Broadway. Riley se réjouissait pour sa sœur. Théoriquement, en tout cas. Elle voulait s'en réjouir. Mais au dernier moment, elle avait esquivé le dîner, sous un prétexte quelconque. Elle avait couru autour du Réservoir à Central Park, kilomètre après kilomètre, dans le noir. Elle le regrettait, quand elle y repensait. Elle n'avait pas l'intention de gâcher le grand soir de sa sœur.

C'était impossible d'en vouloir à Alice.

– Si une seule fac m'accepte, je serai contente, avait-elle déclaré.

Elle aurait partagé sa richesse, si elle avait pu.

Riley, elle, avait reçu ses réponses trois jours plus tôt. Elle les avait ouvertes dans sa chambre, aussi secrètement qu'elle avait envoyé ses candidatures. Elle se réservait ainsi la possibilité de dire en recevant les lettres de refus : « Je veux suivre un programme de formatrice aux NOLS. C'est ce que j'ai toujours voulu. »

Et c'était peut-être vrai.

« C'est mon choix, voulait-elle pouvoir dire. C'est ce que j'ai choisi de faire. »

*

Les doigts engourdis dans ses gants de jardinage, Alice nettoyait les plates-bandes le long de la piste cavalière.

C'était une nouvelle tâche dans un nouveau décor, et ça l'arrangeait. Avec le temps, le décor précédent s'était imprégné de ses angoisses. Celui-ci en ferait sans doute autant.

Il n'y avait pas grand-chose à faire, mais l'équipe était restreinte. Tout le monde adorait travailler au parc au printemps et en été. En février, la plupart des bénévoles étaient partis et les salariés se comptaient sur les doigts de la main. Alice passait beaucoup de temps seule, et il faisait si froid que ses pensées tournaient au ralenti. Ça lui convenait.

Elle vit passer un cheval. Elle n'était jamais montée à cheval. Elle vit des gens et des chiens. Les gens semblaient frigorifiés, et les chiens, contents. Elle en vit un tout petit qui tenait dans sa gueule un énorme ours en peluche, et même si elle n'aimait pas les petits chiens, elle se dit qu'ils étaient mignons quand ils portaient des objets plus grands qu'eux.

Elle vit une femme qui passait à grandes foulées fluides, et elle pensa à Riley. C'était une foulée familière, mais qu'elle n'avait pas vue depuis longtemps. Elle revit Riley courant sur la plage, sur les trottoirs, sur la 97e rue. Elle avait plus de mal à l'imaginer en train de marcher. Riley couvrait généralement trois kilomètres tandis qu'Alice en parcourait la moitié.

Tout à coup, Alice se figea. Elle épousseta la terre glacée de ses vêtements et s'avança sur le chemin, le cœur battant. La femme filait devant elle, sur des jambes faites pour courir. Elle était encore assez proche pour qu'Alice l'appelle. Elle ouvrit la bouche, puis se ravisa. Elle se contenta de continuer à la regarder, envahie par une curieuse sensation, comme si elle avait reçu un seau d'eau froide sur la tête.

Si Riley voulait courir, elle ne pouvait pas l'en empêcher. Elle ne pouvait que la regarder. Et c'est ce qu'elle fit. Son image se mêlait à ses souvenirs, et le résultat fut une vision d'une étrange beauté.

*

Ce soir-là, Riley ne se sentait pas bien. Elle ne se plaignit pas, mais c'était évident. Alice savait très bien pourquoi. Judy voulut appeler le médecin, mais Riley refusa.

– Je suis majeure, dit-elle pour clore la discussion.

Plus tard, Alice vint s'asseoir sur le lit de sa sœur, dans sa petite chambre. Elle regarda les quelques objets qui étaient restés apres leur départ : une photo d'elles deux dans les bras l'une de l'autre, en haut d'une colline enneigée à Central Park, une vieille photo de Paul et de Riley avec un énorme poisson sur un bateau de pêche dans Great South Bay.

– Je bossais sur la piste cavalière aujourd'hui, fit Alice.

Elle regarda Riley, qui lui rendit son regard, et elles se comprirent parfaitement.

Riley avait les traits tirés. Alice réfléchissait à la meilleure façon d'aborder le sujet. Elle voulait trouver la bonne manière d'exprimer son désarroi, et aussi son amour. Puis elle se rendit compte qu'il n'y avait pas de bonne manière, parce que ces sentiments n'allaient pas ensemble.

Son bien-être et celui de Riley n'étaient pas forcément synonymes. Elle commençait à comprendre que leurs buts respectifs pouvaient être très différents. Il faut parfois savoir reconnaître les divergences pour pouvoir les dépasser.

– C'est sympa, ce coin-là, dit-elle enfin. Avec les chiens et les chevaux.

Riley mit quelques minutes à réaliser qu'Alice n'en dirait pas plus.

Au fil de la soirée, le visage de Riley se détendit jusqu'à retrouver sa douceur. Tandis qu'Alice feuilletait un magazine sur le grand lit, Riley s'endormit, la jambe sur celle de sa sœur.

*

Il fallut quelques secondes à Paul pour reconnaître le visage d'Ethan dans le hall de la fac. Sa première réaction fut la joie, sa seconde, la méfiance.

– Qu'est-ce que tu fais là? demanda-t-il.

– J'espérais tomber sur toi, dit Ethan.

Il lui parut vieux. C'était peut-être le fait de le voir en hiver. Ethan était un homme de l'été.

– Tu joues au détective ou quoi? Tu attends depuis combien de temps?

Ethan consulta sa montre.

– Vingt minutes. Riley m'a dit que tu avais un séminaire ici.

– Tu aurais pu m'appeler sur mon portable, observa Paul non sans hypocrisie.

– J'aurais pu.

Paul sortit dans la rue en serrant son manteau autour de lui, et Ethan le suivit.

– Tu étudies quoi? lui demanda-t-il.

– La philo.

Ethan ne perdit pas patience. Il avait essuyé tellement de rebuffades de ce genre qu'il était rodé.

– Oui, je suis au courant. Quel genre de philosophie ?

Paul se tourna vers lui.

– La philosophie morale.

Il hocha la tête.

– Et politique, ajouta Paul en marmonnant.

Quand il était petit, Ethan avait tenté de prendre son éducation en main. C'était lui qui lui avait appris à lire entre le CP et le CE1, alors que l'école menaçait de le renvoyer. Et après le CM1, profitant d'un été particulièrement pluvieux, Ethan leur avait lu toute la trilogie du *Seigneur des anneaux*. Paul ne l'aurait jamais avoué, mais il avait adoré. Riley et lui allongés tête-bêche sur le canapé, Ethan installé dans le gros fauteuil marron capitonné, qui faisait les voix de tous les personnages. Paul se disait parfois qu'il aurait pu être acteur.

Le murmure de la pluie et du vent se mêlait à celui de l'océan. Quelquefois, Alice venait se pelotonner avec eux. Paul sentait encore ses coudes s'enfoncer dans ses côtes tandis qu'elle se nichait entre lui et le dossier du canapé. Il râlait, mais il adorait ça aussi. Il se moquait parce qu'elle se cachait dès qu'un passage faisait un peu peur.

C'était le temps où Paul croyait qu'Ethan l'aimait, jugement qu'il avait révisé depuis. Ce n'était pas à lui qu'Ethan s'intéressait. Cet été-là avait été le plus heureux, mais il avait très mal fini.

– Ça te plaît ? demanda Ethan.

– Oui.

– Tu comptes préparer le doctorat ?

– C'est l'idée.

Ethan avait laissé tomber son doctorat d'histoire quelque part au milieu de sa thèse. Un jour, au cours du pique-nique annuel sur la plage de la baie, il l'avait entendu qualifier son parcours universitaire de TST, ce qui signifiait, comme il l'apprit plus tard, Tout Sauf la Thèse. Ça correspondait bien à Ethan, toujours débordant de projets, mais sans aucune persévérance.

Ils traversèrent Washington Square Park et passèrent sous l'arc de triomphe. Paul se demanda combien de temps Ethan allait le suivre. Il allait sans doute vite se lasser.

– Tu as vu les filles récemment ?

Là, Paul accéléra. Ethan savait-il quelque chose ? Ça ne lui était pas venu à l'esprit jusque-là, mais maintenant qu'il y pensait, l'hypothèse le perturba.

– J'ai vu Riley il y a une semaine, environ, répondit-il avec désinvolture.

Il ne voulait pas qu'Ethan soit au courant pour Alice et lui.

– Comment tu l'as trouvée ?

Paul ne l'entendait plus. Il vira brusquement dans la 8ᵉ Avenue.

– Écoute, j'ai un rendez-vous et je suis déjà en retard. Appelle-moi si tu as besoin de quelque chose, d'accord ?

Il planta Ethan sur la 5ᵉ Avenue et hâta le pas vers le West Side, sans aucune raison. Il fut soulagé qu'il n'essaye pas de le suivre.

Plus tard, il se rendit compte que, tout à sa mauvaise humeur et à ses petits problèmes, il avait oublié de lui demander ce qu'il voulait.

CHAPITRE 18

Un trou dans le filet

Début mars, Alice entama une nouvelle mission : le nettoyage d'un vieux terrain de jeux. Il se trouvait dans l'East Side sur la 84e rue, au nord du Metropolitan Museum. C'était l'un des plus grands terrains de jeux de New York. Alice le connaissait très bien. Quand ses parents les emmenaient au musée, Riley avait du mal à tenir en place, et sa récompense était toujours d'aller y jouer après.

Le travail d'Alice incluait le nettoyage des toilettes, ce qu'elle s'était dispensée de préciser à sa mère, sous peine de commentaires intempestifs sur l'intérêt d'avoir une licence d'histoire pour effectuer ce genre de tâche. Elle se réjouissait d'être en mars plutôt qu'en août, car en été l'odeur devait être intenable. Toute la ville était une véritable infection, raison pour laquelle tous ceux qui le pouvaient fuyaient sur la côte.

Au bout de son troisième jour au terrain de jeux, Alice fut heureuse de voir arriver Riley. Même s'il faisait froid.

– Qu'est-ce que tu fais là ? lui demanda-t-elle, sans être vraiment inquiète.

Le visage souriant de Riley ne pouvait annoncer une mauvaise nouvelle.

– J'ai pensé à toi, ici, sur ce terrain de jeux, et je n'ai pas pu résister, avoua sa sœur.

Alice balaya les feuilles mortes, tandis que Riley se balançait sur la corde à nœuds.

Le parc était presque désert. Sans doute à cause du froid, et parce qu'il y avait classe.

Quand Riley en eut assez de se balancer sur sa corde et d'escalader les jeux, elle vint s'asseoir par terre dans le sable, pendant qu'Alice ratissait.

– C'est sympa, tout ce sable, observa Riley.

Il y en avait partout sous les jeux. Quand elles étaient petites, leur mère les obligeait à ôter leurs chaussures pour les secouer avant de reprendre le bus.

Au bout d'un moment, Riley entreprit de ratisser aussi, avec les doigts, faute d'un outil adéquat.

– Dis donc, t'as vu ça ? lança-t-elle en brandissant un tesson de verre.

– Une chance que tu sois tombée dessus, dit Alice en lui prenant pour le jeter dans son sac-poubelle.

Riley travaillait vite, avec une satisfaction croissante à mesure qu'elle déblayait les détritus.

À l'heure du déjeuner, Mme Boxer, la supérieure d'Alice, fit une brève apparition. Elle fronça les sourcils en voyant Riley lui donner un coup de main.

– Je vous préviens, je ne paie pas deux personnes, souligna-t-elle.

– Pas de problème, répondit Riley aimablement.

– On s'en serait doutées, murmura Alice.

*

La semaine suivante, le temps changea. Alice soupçonna que ce n'était qu'une fausse promesse. Néanmoins il lui sembla que tous les pores de sa peau s'ouvraient pour absorber la douceur de l'air. La caresse du soleil sur son visage lui donna envie de pleurer. Heureusement que le terrain de jeux était désert.

Elle s'allongea sur le sable et sentit ses os se réchauffer. Ses muscles, sous tension depuis des mois, se relâchèrent. Elle n'était pas sûre d'arriver à reprendre son ratissage, ni même de pouvoir rentrer chez elle.

L'air sentait la plage et le soleil. À quelques dizaines de mètres de là, les toilettes sentaient les toilettes. Un peu plus loin, elle entendait le rugissement des voitures et des bus, qui jurait avec le ciel au-dessus de sa tête et le sable dans son dos.

Elle songea à Paul et aux grains de sable collés dans son dos la première fois qu'elle l'avait enlacé. Elle songea à Riley, aux sandwichs à l'œuf, au pédiluve, à la douche qui ne marchait pas. Elle songea à tout ce qu'elle avait perdu, laissant ses pensées aller et venir comme les vagues sur la plage.

Elle n'eut pas l'air bête quand Mme Boxer, projetant soudain son ombre au-dessus d'elle, lui demanda ce qu'elle fabriquait. Elle se releva vivement.

– Je me suis juste allongée pour une minute, bafouilla-t-elle en s'essuyant le nez et les yeux.

*

En rentrant à l'appartement, elle trouva Riley plongée dans un livre, sur le canapé.

– Qu'est-ce que tu lis ?

Riley lui montra la couverture. Elle affichait une rousse flamboyante à la poitrine débordant généreusement de son justaucorps, enlacée par un fier-à-bras aux cheveux longs. Alice s'esclaffa.

– *Anna et le pirate*. C'est bien ?

– Complètement idiot, mais sympa.

Alice ne se rappelait pas avoir vu une seule fois sa sœur lire de sa propre initiative.

Elle s'assit au bout du canapé, la peau encore gorgée de soleil.

– Il a fait un temps magnifique aujourd'hui, dit-elle. On se serait presque cru en été.

Riley hocha la tête. Elle avait l'air fatigué.

– Je suis allée me promener, tout à l'heure.

Alice resta là, assise en tailleur, pendant que sa sœur continuait à lire. Elle se sentait bien. L'appartement était calme, pour une fois. Les sirènes d'ambulance et les camions bruyants d'Amsterdam Avenue s'étaient tus.

Au bout d'un moment, Riley posa son livre et se poussa pour lui faire plus de place. Alice s'étala et elles se retrouvèrent tête-bêche, les pieds de Riley sur le ventre d'Alice et les orteils d'Alice sous le menton de Riley.

– Je peux te dire un truc ? demanda Riley.

– Vas-y.

– C'est à propos de papa.

Alice hocha la tête.

– Tu te souviens quand il a trompé maman, il y a des années, tu m'as demandé si je savais qui c'était ?

Alice hocha de nouveau la tête, le cœur battant.

– Je le savais.

– Ah ?

– Oui.

– Alors ?

– C'était Lia.

Le mot entra dans l'oreille d'Alice, mais sans pénétrer dans son cerveau. Comme s'il n'était pas capable de l'enregistrer.

– La mère de Paul ?

– Oui.

– Papa a eu une aventure avec Lia ? La mère de Paul ?

L'idée continuait à voleter dans le crâne d'Alice, sans se poser.

– Oui.

– Mais ce n'est pas possible. Papa disait toujours que c'était une emmerdeuse.

Riley expira lentement.

– Si je te le dis, tu peux me croire, Al.

– Comment tu le sais ?

– Je les ai vus.

– Tu veux dire… ensemble ?

– Autant que deux personnes peuvent l'être, confirma Riley en brandissant la couverture de son livre en guise d'illustration.

– J'y crois pas, murmura Alice.

– J'étais avec Paul. On était dans la baie, on essayait

d'attraper des appâts avec un filet. Tu te souviens du vieux filet avec le manche vert ?

Alice acquiesça. Elle voyait très bien.

– Comme il était troué, Paul a voulu boucher le trou avec du vernis à ongles de sa mère. Alors on a déboulé à l'étage pour aller le chercher à la salle de bains.

– Sans frapper, je parie...

– Comment t'as deviné ?

Une partie d'Alice avait envie d'entendre les détails sordides. Mais en voyant la tête de sa sœur, elle préféra ne pas insister.

– Et Paul a fait quoi ? se contenta-t-elle de demander.

– Il m'a attrapée par le bras pour m'entraîner dehors. Je me souviens que j'avais la tête qui tournait et envie de vomir. On s'est arrêtés au milieu de la Grand-Rue. On était paumés.

– Et après ?

– Après, je suis rentrée à la maison et il est parti je ne sais où. Je ne sais pas ce qu'il a fait. Il ne pouvait pas rentrer chez lui, en tout cas. On ne s'est pas revus pendant trois jours.

– Je crois que je m'en souviens.

– Le quatrième jour, il est venu manger des céréales comme si de rien n'était, et ça a été terminé.

– Comment ça ?

– Je veux dire pour nous. On n'en a jamais reparlé.

– C'est vrai ? fit Alice, interloquée.

Riley haussa les épaules.

– Ben non. Pas directement. On n'y arrivait pas.

– C'est dingue !

– Papa a bien essayé d'aborder le sujet, mais j'ai refusé de l'écouter. Il m'a envoyée chez la psy de l'école au début du CM2.

– Ça aussi, je m'en souviens.

– En fait, je n'en ai jamais parlé à personne, conclut Riley.

Alice restait abasourdie, un peu nauséeuse. Elle faillit demander à sa sœur ce qui l'avait soudain décidée à rompre le silence, s'il fallait un cœur à moitié fichu pour ça, mais elle n'était pas sûre de vouloir connaître la réponse.

Elle regarda Riley d'un air suspicieux.

– Tu as d'autres scoops à m'annoncer ?

Après réflexion, sa sœur secoua la tête.

– Non, et toi ?

*

Si la visite surprise de sa sœur au terrain de jeux lui avait fait plaisir, Alice fut nettement moins ravie de la voir surgir sous l'éclairage fluo de Duane Reade.

– C'est quoi cette soudaine fascination pour les endroits où je bosse ? lui demanda-t-elle.

Elle avait la tête pleine de Lia, de son père et de tous les souvenirs qui leur étaient liés, et qui faisaient soudain que le passé n'était plus un abri douillet où se réfugier.

– Inspection du travail, répliqua platement sa sœur.

– Sérieusement, qu'est-ce que tu fabriques ici ?

– Je suis tombée sur ton uniforme, et je me suis doutée qu'il n'était ni à papa ni à maman. Alors je t'ai suivie.

– Bravo, Sherlock.

Riley regarda le décor.

– Tu me fais de la peine, Al.

Celle-ci enfonça quelques touches au hasard sur sa caisse.

– Qu'est-ce que tu fous, Al ? insista Riley. Pourquoi tu bosses ici ?

– On croirait entendre maman.

– Tu t'imagines que tu fais ça pour moi ?

Alice secoua la tête.

– Parce que si c'est le cas, arrête !

Elle regarda ses ongles.

– Tu devrais avoir un bon boulot. Un vrai boulot. Tu mérites bien mieux que ça. T'es censée être l'intello de la famille.

Alice se mit à pleurer dans la manche de sa blouse. Le tissu était trop épais et trop synthétique pour absorber ses larmes. Elle était incapable de dire un mot.

Si elle l'avait pu, elle aurait volontiers cédé tous ses talents à Riley. À défaut, elle était prête, pour leur bien à toutes les deux, à faire semblant de ne pas en avoir.

Une vieille dame vêtue d'un pull shetland vert s'approcha avec un paquet de brosses à dents.

– La caisse est ouverte ?

– Oui, répondit Riley.

Elle se glissa derrière le comptoir, écarta Alice toujours en larmes et prit le paquet de brosses à dents.

– Ça fera huit quatre-vingt-dix-neuf.

– Vous travaillez ici ? s'informa la vieille dame.

– Pas en temps normal, répliqua Riley, qui avait une vague idée du fonctionnement d'une caisse enregistreuse.

La cliente lui tendit un billet de dix et elle lui rendit la monnaie, accompagnée de son ticket.

– Merci, ajouta-t-elle. Bonne fin de journée.

À travers ses larmes, Alice l'observait maintenant avec amusement.

– Un jour, j'aurai un bon boulot, dit-elle enfin en s'essuyant le nez.

– Qu'est-ce que t'attends ?

Alice haussa les épaules.

*

Le trajet en métro était long, familier. Autrefois, Riley était portée par l'excitation ; elle avait l'esprit serein ; ses pieds n'étaient pas aussi lourds.

L'interdiction faite à ses parents d'exprimer leurs angoisses lui laissait plus de temps et de silence pour écouter les siennes. Elle porta une main à sa poitrine, un tic qu'elle avait pris.

À l'entrée de l'aquarium, elle acheta son billet et franchit le tourniquet. Le guichetier lui proposa un plan des lieux qu'elle refusa poliment. Ici, elle avait ses repères. Elle traversa le grand hall sombre pour se diriger vers la paroi vitrée du bassin des dauphins.

D'abord, elle ne vit rien. Puis l'un d'eux apparut. Ce devait être Marny. Sa peau autrefois épaisse et luisante ressemblait maintenant à du parchemin. Elle se faisait vieille. Riley eut presque mal de la voir ainsi.

Elle n'arrivait pas à recréer l'illusion d'un habitat naturel. Les tuyaux, la plomberie, les taches dans le plâtre lui sautèrent aux yeux. L'eau avait une teinte jaunâtre, un peu sale. Elle ne parvenait pas à faire abstraction du décor pour se convaincre qu'il s'agissait d'un coin d'océan.

Lentement, elle fit le tour des aquariums et des pavillons. C'était un mardi matin et l'endroit était presque désert, à l'exception d'un groupe de collégiens maussades. Ils devaient être en 5ᵉ ou en 4ᵉ· Des mouettes grincheuses piquaient en poussant de grands cris pour venir picorer du pop-corn sur l'asphalte.

Généralement, Riley s'intéressait surtout aux grosses bêtes, celles qui avaient de grosses têtes et de grosses nageoires ; mais aujourd'hui, les paisibles otaries et les phoques aux yeux globuleux semblaient prisonniers, pas à leur place dans leur bassin. Cela faisait-il une quelconque différence pour eux qu'on vienne les voir ou pas ? Elle resta longtemps à étudier les petits aquariums peuplés d'une multitude de créatures qui rampaient ou nageaient, où l'on retrouvait l'apparence d'un écosystème. Ces bêtes-ci, indifférentes à la présence ou à l'absence de l'homme, ne s'en portaient pas plus mal.

D'habitude, elle dédaignait les reconstitutions de la vie sous-marine locale, qu'elle trouvait ternes. Aujourd'hui, elle se montra plus attentive et découvrit plus de choses. Elle lut les panneaux.

Elle avait les jambes lourdes et la tête lui tournait un peu lorsqu'elle monta les marches qui menaient au delphinarium. Le bassin était toujours isolé par des cordes, comme au temps où il y avait des spectacles.

Un employé solitaire récurait les parois de l'aquarium avec un grand balai-serpillière. Riley respira les odeurs salées de vieux hareng et d'eau croupie, si fortes qu'elles s'accrochaient aux narines. Elle chercha des yeux le dos familier de Marny, mais celle-ci ne fit pas surface.

– Qu'est devenu Turk ? lança Riley à l'homme à la serpillière.

L'homme leva la tête.

– Il est mort l'an dernier. On en attend deux autres.

Riley hocha la tête et fit lentement le tour du bassin, en se demandant ce que cela impliquait pour Marny. Elle aurait voulu la voir apparaître, rien qu'une ou deux minutes, et fendre l'air avant de retomber dans un grand plouf, comme autrefois. Ça lui aurait fait du bien.

En sortant de l'aquarium, Riley poussa jusqu'à la plage de Coney Island. Un vent printanier se faufilait sous son anorak et sous son bonnet. Le sable, la mer et le ciel formaient trois larges bandes bien distinctes de couleurs primaires.

Elle scruta l'eau de son œil expert. Elle pensa à Turk avec des sentiments mêlés de tristesse et de joie. Il était mort, mais il était enfin libre. Pour Marny, elle n'éprouvait que de la tristesse.

*

Paul fut étonné que Riley lui propose de prendre un café. Elle n'aimait pas le café et ne supportait pas d'être enfermée entre quatre murs. Quand elle arriva, elle lui parut voûtée, fatiguée.

– Qu'est-ce qui se passe ? demanda-t-il.

– Attends, dit-elle.

Elle alla au comptoir et en revint avec deux chocolats chauds. Elle lui en tendit un, alors qu'il avait déjà un café.

C'était bizarre de la voir dans ce cadre, marchant au milieu d'inconnus, comptant de l'argent.

– Tout va bien ? demanda-t-il de nouveau.

– Euh… C'est pour ça que je voulais te voir.

Il sentit une boule se former dans son ventre. Il posa les mains sur ses cuisses, les pieds bien à plat par terre.

– J'aurais dû te le dire il y a des mois, seulement je n'avais pas envie. Alice voulait t'en parler mais je lui ai interdit.

Elle essayait de remuer la crème dans son chocolat.

– Bon, fit il avec un signe de tête.

Il avait l'impression qu'on le forçait à regarder une chose qu'il ne voulait pas voir.

– Je n'ai pas envie d'entrer dans les détails, ni de répondre aux questions.

Il hocha la tête de nouveau. Le malaise était palpable, maintenant, tout autour de lui.

– J'ai eu une fièvre rhumatismale. Probablement deux fois. La première fois, quand j'étais toute petite. La seconde, l'été dernier, et c'était plus sérieux.

Il avala une gorgée de café. Puis une gorgée de chocolat.

– J'avais peut-être un autre problème cardiaque sous-jacent, on ne sait pas trop. Toujours est-il que ça s'est aggravé.

Nouveau hochement de tête. Les formules classiques de compassion ne valaient pas grand-chose aux yeux de Riley. Son visage trahissait une légère impatience.

– Bref, ça a bousillé mon cœur. Voilà l'idée. Il m'en faut sans doute un autre.

Là, il ne réussit pas à cacher le choc qu'il ressentit.

– Un autre ?

– Un nouveau cœur.

– Quoi ?

– C'est l'idée.

– Quoi?

– Écoute, Paul. Mes parents sont en miettes. Alice est en miettes. Je t'aime bien quand tu es solide, alors fais-moi ce plaisir. Ça me rendrait service.

Il hocha la tête. Il avait soudain très envie de se cacher quelque part pour pouvoir, ne serait-ce qu'un instant, être en miettes. Mais dans l'immédiat, ça ne faisait pas partie des options.

– Merci, fit-elle.

Il remarqua soudain qu'elle avait le visage marbré et les yeux brillants.

– Tu as toujours été mon meilleur ami, reprit-elle. Tu m'as toujours comprise.

Il mit sa main devant sa bouche, parce qu'il ne pouvait pas lui laisser voir son expression.

– Toi aussi, bafouilla-t-il enfin.

Elle parla encore une minute, un truc à propos de Coney Island, mais il ne l'écoutait plus. Il regardait la petite cicatrice qui barrait son sourcil en cherchant désespérément une pensée qui puisse lui apporter un peu de réconfort. Sinon, il allait étouffer. Il allait mourir.

Il était encore hanté par la première fois où il avait découvert la fragilité de Riley. Parmi les images les plus culpabilisantes stockées dans sa mémoire, il y avait une Riley de dix ans qui le fixait, interloquée, l'œil et la joue en sang. Il avait voulu lui faire mal, oui, mais jamais il n'aurait cru qu'il en avait le pouvoir. Il ne la voyait pas comme un être humain ordinaire. On ne pouvait pas lui faire de mal. C'était ce qu'il avait eu envie de lui crier. Il lui en avait voulu pour ça. Il ne pouvait pas éprouver de compassion pour elle.

Ils se levèrent pour partir. Elle dit qu'elle devait aller quelque part. Il la suivit dans une sorte de brouillard, repoussant le moment de reprendre le cours de sa vie avec cette idée qui germait dans sa tête. Il ne voulait pas qu'elle parte, qu'elle le laisse seul avec le risque de se transformer en loque.

– Tu vas pouvoir en avoir un autre ? demanda-t-il, dans un filet de voix qu'il ne reconnut pas.

– Je ne suis pas sûre d'en vouloir.

Quoi ? Qu'est-ce que ça voulait dire ? Qu'est-ce qui se passerait sinon ? Il la suivit dans la rue, brûlant de lui poser la question tout en sachant qu'elle n'y répondrait pas. Elle s'engagea dans l'escalier du métro.

– À plus, dit-elle.

Elle n'avait pas plus envie de voir sa fragilité à lui qu'il n'aimait être confronté à la sienne.

– C'est arrivé quand ? demanda-t-il, d'une voix tremblante dont il eut honte.

– Quoi ?

– C'est rien, dit-il dans son dos.

Il savait déjà.

*

Paul appela le soir même. Il fut soulagé d'entendre la voix d'Ethan.

– C'est Paul.

Il était assis à son bureau, grattant une tache de cire rouge qui avait coulé là il y a longtemps. Déménagement après déménagement, il avait réussi à conserver son bureau.

– Salut, Paul, dit Ethan, déguisant sa lassitude sous un ton enjoué. Tu veux parler à qui ?

– À toi, s'il te plaît.

Ethan laissa passer quelques secondes.

– Pas de problème.

– Je voulais te dire que je suis désolé.

Ethan attendit de nouveau. Ce n'était pas les raisons d'être désolés qui leur manquaient, à l'un ni à l'autre.

– Quand tu es venu me voir il y a quelques semaines, je ne t'ai pas écouté.

– Ça ne fait rien. Tu étais pressé. Tu avais raison, j'aurais dû t'appeler.

– Non, j'aurais dû te laisser une chance de parler.

Ethan prit une inspiration.

– Bah ! considère-toi comme pardonné.

Ethan avait toujours été trop indulgent avec lui. Il se disait que s'il restait sympa, s'il l'excusait sans cesse, Paul s'en voudrait de continuer à le détester. Il se disait qu'à force de pardonner, il l'inciterait à pardonner à son tour.

– Je ne le mérite pas, dit Paul. En fait, quand je t'ai vu arriver, j'ai cru que tu venais me proposer un truc. Un billet pour un match de base-ball ou un concert, comme avant. Et je réalise seulement maintenant que tu attendais peut-être quelque chose de moi. Si c'est le cas, je regrette de ne pas avoir été là.

Il crut qu'Ethan avait posé le combiné. Quand il répondit, ce fut d'une voix étouffée :

– Merci, Paul. Ça me touche.

CHAPITRE 19

Une cuisinière et une cheminée

Quand le temps se radoucit, en mai, Paul retourna à Fire Island. Il écouta plus de cent disques en quatre jours. Il tourna sur lui-même dans le fauteuil de son père. Il traîna sur la moquette. Il pensa beaucoup à Riley.

Il mit soigneusement de côté quarante-deux disques – ceux qui lui évoquaient des souvenirs, comme Ian et Sylvia, *Godspell* * ou Joni Mitchell – notamment l'album où on la voyait nue, de dos, qu'il se rappelait avoir fixé avec des yeux ronds quand il était petit. Il tomba sur un enregistrement de chants de dauphins et de baleines qu'il garda pour Riley, et fourra le reste dans des cartons. Il pourrait toujours les vendre sur eBay ou trouver quelqu'un à qui les donner. Il était temps d'en finir avec le musée de Robbie.

Il jeta sept sacs-poubelle pleins de bazar ; une victoire.

* NdT : comédie musicale des années 1970.

Plus il passait de temps au milieu des affaires de son père, plus il s'en détachait et plus il lui était facile de les jeter.

Ça continuait à l'étonner. Lui qui croyait qu'ouvrir la fenêtre sur tous ces souvenirs liés à la grande tragédie de son enfance ne ferait qu'attiser la douleur, il découvrait qu'au contraire elle se dissipait à l'air et à la lumière.

Il posa l'album de *Hair* sur le tourne-disque. Il revit sa mère chanter à tue-tête sur l'air de *Let the Sunshine In*. C'était un souvenir si joyeux et si déprimant à la fois qu'il dut s'asseoir pour rire. *Let ze sunshaïne iïn !*

Comment une personne pouvait-elle changer à ce point ? Autrefois, cette maison avait été bordélique, chaotique, avec la musique à fond et un perpétuel va-et-vient d'amis. Et sûrement pas mal de drogue. On mangeait sur une table de ping-pong. Maintenant, il y avait des meubles en acajou verni, trois services en porcelaine, des tiroirs débordants de draps en lin et de couverts en argent massif. Quand il repensait à la chevelure de sa mère, il n'arrivait pas à l'imaginer sur sa tête d'aujourd'hui. Elle symbolisait une époque à jamais révolue.

Son père appartenait à cette époque et il avait disparu avec elle. Certaines personnes, comme Lia, s'adaptaient bien aux changements. D'autres, comme son père, non.

Paul éprouvait une sorte de nostalgie pour cette époque, même s'il était né trop tard. Cela venait en partie des histoires qu'Ethan lui racontait, au temps où il l'écoutait.

Paul passa en revue les photos, qu'il garda presque toutes. Les premières montraient des rassemblements sur les campus universitaires et des manifs pacifistes. Son père était toujours torse nu, les cheveux jusqu'au nombril, accroché à un poteau ou braillant devant l'objectf. Il y avait deux articles de journaux rapportant son passage éclair en prison, et une photo d'identité judiciaire pour enfoncer le clou. Il avait l'air aussi fier qu'un jeune diplômé, sur cette photo. Il n'y avait aucun cliché d'une quelconque cérémonie de remise des diplômes, d'ailleurs. Il s'était déjà fait virer depuis longtemps.

Robbie avait vécu quelque temps à Washington. Il avait travaillé sur la campagne présidentielle de George McGovern*, la première d'une série de défaites spectaculaires.

Selon la légende, il avait dormi dans sa voiture pendant trois mois glacials, et s'était fait arrêter en train de fumer un joint sur le capot de sa voiture. Sur une photo, on le voyait en homme-sandwich devant la Maison-Blanche.

Comme un Beatles, Robbie était allé en Inde pour expérimenter de nouvelles drogues et avait rapporté en souvenir quelques prises de vue psychédéliques. À ce stade, sa propre mémoire était sans doute déjà explosée.

Il avait rencontré Lia à un festival de musique en Georgie à la fin des années 1970. Il avait acheté ses fameuses sandales à un artisan de Virginie, sur la route du retour. Ils avaient emménagé ensemble dans l'East Village. Sur leur unique photo de mariage, Lia, les cheveux en bataille, arborait fièrement son ventre rond. L'officiant était nu-pieds, et les grands-parents de Paul ne brillaient pas par leur présence.

* NdT : candidat démocrate aux élections présidentielles de 1972, battu par Nixon.

Les années 1970 étaient finies. Leurs dernières vapeurs se dissipaient. Il y avait quelques photos de Paul enfant après 1982, mais plus trace des dessins délirants de Robbie, de sa poésie hallucinée et de ses paroles de chansons engagées. Plus de pamphlets politiques ni d'articles de journaux de gauche. Apparemment, Robbie avait presque cessé d'acheter des disques. Un ou deux albums de jazz, peut-être.

Paul n'était pas sûr des dates, mais il savait que, pendant un moment, son père s'était tourné vers Dieu. Il avait redécouvert son disque de *Godspell* quand Paul était tout petit. Celui-ci n'avait pas conscience de toutes les chansons qu'il connaissait jusqu'à ce qu'il le réécoute. Cette musique le rendit mélancolique, surtout quand l'acteur à la voix douce qui jouait Jésus priait Dieu de sauver les hommes. Peut-être parce que Dieu n'avait visiblement pas beaucoup aidé Robbie.

Sans savoir pourquoi, Paul avait l'impression que Lia avait montré une certaine impatience durant cette période.

Sur les quelques photos de cette époque, Robbie avait les cheveux courts. Il paraissait mince, un peu perdu, et plissait presque toujours les yeux. Il y en avait une belle où il portait Paul sur ses épaules au zoo de Central Park. Ils posaient, mais elle était chouette quand même.

C'était à peu près l'époque où ils avaient acheté la maison de la plage. Robbie avait fait la connaissance d'un couple de gauchistes, qui étaient devenus propriétaires à Fire Island, et Lia avait choisi cette grande villa avec vue sur la mer. Paul trouva une photo de lui avec Riley et Robbie, et même une où on les voyait tous les trois tenant fièrement une minuscule Alice hurlante. Il lui arrivait d'oublier que la vie de son père avait chevauché celle d'Alice.

Deux ans après, ses parents avaient acheté la maison dans le quartier chic de Brooklyn Heights. Lia l'avait également choisie pour la vue. Elle avait fait tapisser les fauteuils de tissus assortis aux rideaux et insisté pour qu'ils achètent une cuisinière haut de gamme. Paul avait toujours cru qu'elle datait de l'ère post-Robbie, mais il la repéra sur une photo où l'on voyait son père dans la cuisine.

D'après Ethan, il ne se droguait pratiquement plus au moment de sa mort. Apparemment, c'était fréquent dans ce genre d'histoires.

– Robbie était à fond dans la contre-culture, avait confié Ethan à Paul et à Riley, un soir, après quelques bières. C'est dur à comprendre pour vous aujourd'hui, parce que tout a changé. On parlait de la guerre du Vietnam, de musique, de politique. Maintenant, on ne parle plus que d'actions boursières et d'immobilier.

Quand Paul y pensait, quand il regardait autour de lui, ne serait-ce que cette maison et cette ville, il éprouvait un élan de sympathie pour des gens comme son père ou Riley, qui n'étaient pas doués pour le changement. Il n'arrivait pas à savoir s'il les admirait d'être restés fidèles à eux-mêmes ou s'il les plaignait de ne pas avoir évolué.

En un sens, il se réjouissait que son père n'ait pas vécu assez longtemps pour voir ce qu'étaient devenus sa femme, cet endroit, ce monde.

*

Il faisait déjà chaud, pour un début mai. Riley avait envie d'y aller – elle insistait même lourdement – et Alice aussi. C'était juste que… elle se demandait ce qui motivait Riley. Elle craignait qu'elle ne s'y rende pour dire adieu à Fire Island.

Sur le ferry, elles avaient pris place sur le pont supérieur. Alice se surprit à imprimer mentalement des images pour les garder dans l'album de ses souvenirs.

– Le printemps arrive bien plus tard, ici, fit remarquer Riley en débarquant sur le quai.

Les branches étaient couvertes d'un duvet de bourgeons vert tendre. Alice alla chercher un chariot pour y mettre les sacs, et fut soulagée que Riley ne cherche pas à en faire autant.

– Je garde mes forces, commenta celle-ci d'un ton snob.

Alice éclata de rire, mais ne lui demanda pas dans quel but.

Elle était résignée à se passer d'eau pour la journée. Elles pourraient toujours faire pipi dans les buissons, ou aux toilettes de la salle des fêtes, si elle était ouverte. Mais une heure plus tard, elle se retrouva sous la maison, les bottes de pêcheur de Riley aux pieds, une clé anglaise à la main, devant un labyrinthe de tuyaux déconcertant. Riley lui criait des instructions qu'elle s'évertuait à suivre. Par superstition, elle ne voulait pas se mettre à la plomberie, mais sa sœur ne lui avait pas laissé le choix. « Ne t'imagine pas qu'on va te lâcher aussi facilement », avait-elle envie de lui dire.

Quand elle tira la chasse d'eau, Alice fut très fière de constater que ça marchait.

Elles allèrent marcher sur la plage. Riley montrait le poing à tous les 4x4 qui passaient.

– C'est pas une autoroute ! leur criait-elle en jurant.

C'était l'un des inconvénients de venir hors saison.

Lorsqu'elles atteignirent Fair Harbour, Alice s'aperçut que Riley avait du mal à respirer. Il y avait comme un râle dans ses poumons, qui l'inquiéta.

– J'ai faim, déclara-t-elle. Je meurs de faim. On devrait rentrer.

À la maison, en ouvrant le congélateur pour le dégivrage annuel, Alice découvrit qu'il y avait sûrement eu une coupure d'électricité.

– Hé ! devine quoi, lui lança Riley en débarquant dans la cuisine alors qu'elle préparait la sauce des spaghetti. Il y a de la lumière chez Paul.

– Ah bon ? Les nouveaux ont déjà emménagé ?

– Ça m'étonnerait. Paul n'a pas fini de vider la maison, paraît-il. Il n'arrête pas de remettre à plus tard.

– Tu crois que ça peut être lui ? demanda Alice, soudain nerveuse.

Son estomac se noua. « On a tout gâché, eut-elle envie de dire à sa sœur. C'est toi qui avais raison. »

– Ou alors il a oublié d'étcindre en partant la dernière fois.

– C'est sans doute ça.

– On va le savoir tout de suite, prédit Riley.

– Ah bon ?

– Ben, ouais. Tu es en train de faire la cuisine, non ?

En effet, pile au moment où elles passaient à table devant une bougie et un grand plat de spaghetti, on frappa à la porte et il entra. La situation était aussi surréaliste qu'elle était familière.

– Je ne savais pas que vous veniez !

Alice lui trouva l'air plutôt calme. Différent des deux dernières fois où elle l'avait vu.

Le temps qu'il s'approche, Riley avait posé une troisième assiette sur la table.

– Vous êtes sûres qu'il y en a assez ?

– Ne fais pas ton timide, Paul. Tu nous gênes !

Il rit. C'était vrai qu'il avait l'air timide. Timide et hésitant, prudent, et plutôt adulte, trouva Alice.

Elle se ferma comme une huître. Elle n'était pas capable de traiter toutes les pensées qui l'assaillaient. Elle avait passé les derniers mois à mouliner un nombre d'idées très restreint. À analyser, espérer, redouter, sur la base de quelques maigres indices. Elle s'était habituée à fonctionner à bas régime. Là, brusquement, devant cet afflux soudain de données, ses circuits lâchaient en grésillant.

Elle ne pouvait pas ouvrir la bouche, sous peine de se trahir. Elle aurait avoué que Riley était malade. Elle aurait avoué qu'elle avait fait l'amour avec Paul, sans cesse et sans vergogne, et que leur vieille amitié était fichue. Elle ne pouvait pas le regarder. Elle ne pouvait pas regarder Riley. Elle ne pouvait même pas regarder ses propres mains. Elle fixait sa fourchette. Elle se sentait à peine capable de garder en tête tout ce qu'elle ne devait pas dire. Elle détestait les secrets. Les siens, et tous les autres.

Pourtant, en relevant le nez, elle vit que Paul et Riley riaient. Ils étaient en train d'engloutir leurs pâtes alors qu'elle avait à peine touché aux siennes. Pourquoi était-elle la seule à être malheureuse ? Ce n'était pas juste, ça ne l'avait jamais été. Ils la semaient toujours en route. Dès qu'elle intégrait les règles du jeu, ils passaient au suivant.

– Si on jouait au poker ? suggéra Riley après le repas.

Quand ils étaient ados, en été, ils y jouaient presque tous les soirs. Les autres prenaient de l'ecstasy, se saoulaient et couchaient ensemble, et eux jouaient au chien rouge, au nullot ou au stud à cinq cartes. Riley était une vraie championne et Alice était nulle. Elle soupçonnait qu'ils lui avaient mal expliqué les règles exprès pour la plumer.

– Je vais faire la vaisselle, proposa-t-elle.

– T'es obligée de jouer, insista Paul.

Alice le regarda. À sa connaissance, c'était les premières paroles qu'il lui adressait directement depuis le début de la soirée.

– Pourquoi ?

Sa propre voix lui parut bizarre, lointaine.

– Parce que t'es obligée.

– Parce que tu veux me mettre sur la paille, supposa-t-elle.

– Parce qu'on ne peut pas jouer à deux.

– Peut-être que si, dit-elle.

Elle finit par céder, évidemment. Paul et Riley allumèrent un feu dans la cheminée pendant qu'elle terminait la vaisselle. Puis Paul distribua les cartes. Alice, assise en tailleur sur le canapé, perdit deux fois au chien rouge. Riley rafla la mise, en jubilant, comme d'habitude.

Dehors, le vent soufflait, l'océan rugissait et Alice se faisait plumer.

Elle regarda les visages de Paul et de sa sœur. Toute déphasée, déprimée, désespérée qu'elle était, elle éprouvait un étrange sentiment de réconfort à se retrouver là avec eux ; malgré les dégâts en profondeur, les apparences avaient si peu changé.

*

Riley monta se coucher et Alice raccompagna Paul à la porte, une formalité dont elle ne se serait jamais embar rassée auparavant. Ils se dirent au revoir pratiquement sans se regarder, en maintenant entre eux une distance de plusieurs mètres. Il avait des milliers de choses à lui dire, mais tout se bousculait, et rien ne sortait. Que lui dire ? Quels mots pouvaient exprimer ce qu'il ressentait ? Elle lui manquait horriblement. Il avait de la peine pour elle. Maintenant, il la comprenait. Sa colère s'était envolée, ne laissant derrière elle qu'un sentiment de honte.

Au fil des années, il s'était obstiné à la rabaisser. Il s'était délibérément acharné à miner son assurance, sa confiance en elle, sa personnalité. Et tout cela avec perversité, au nom de l'amour. Il avait dévalorisé ses ambitions, sa vie amoureuse, toutes les possibilités qui s'offraient à elle. Il en avait toujours été conscient, mais sans en réaliser les conséquences. Maintenant, il était accablé. Comment avait-il pu la traiter ainsi ?

Il avait tellement l'habitude de lui envier sa sécurité affective, sa famille, tout cet amour qu'on lui donnait si facilement, alors que c'était si difficile pour lui. Et Dieu sait qu'il ne facilitait pas les choses. Elle avait tout ce qu'il n'avait pas. Elle paraissait si gâtée par la nature, comparée à lui, que rien de ce qu'il pouvait dire ou faire ne pouvait l'atteindre. Mais que restait-il à Alice, maintenant? Ironie du sort, il avait eu ce qu'il voulait. On pouvait souhaiter quelque chose sans désirer que ça arrive. Désirer le manque, mais pas qu'il soit comblé.

À la fin de l'été, il n'avait pas compris pourquoi elle avait disparu. Principalement parce qu'il était un connard. Il était tellement absorbé par ses petits problèmes qu'il était incapable de voir ceux des autres. Ça le dégoûtait de l'admettre, mais autant le savoir. Il avait honte en repensant à ses lamentables tentatives pour rendre Alice jalouse. S'il l'avait imaginée coupable de toutes sortes de cruautés et de trahisons, pas une seule seconde il n'avait envisagé que son changement soudain d'attitude n'ait rien à voir avec lui.

Il n'avait pas la foi. C'était une lacune criante chez lui, la pire, peut-être. Et peut-être celle dont découlaient toutes les autres. Il pataugeait dans le doute et se montrait incapable de croire. Alice, elle, avait la foi.

« Je comprends, maintenant, aurait-il voulu lui dire. Moi aussi, je l'aime. Je ressens ce que tu ressens. J'aurais fait pareil que toi. »

Ce qu'Alice et lui avaient fait ensemble, ils l'avaient fait dans le dos de Riley, l'acte en lui-même et la dissimulation constituaient une trahison. Que ce soit bien ou mal, c'était une réalité. Il n'avait pas voulu le voir sur le moment, mais maintenant c'était clair. Ils avaient essayé de l'esquiver, de lui échapper discrètement, sans explications. Ça aurait pu se justifier dans un monde régi par les règles habituelles, mais ils en avaient choisi d'autres, tous les trois. Ils ne pouvaient pas les ignorer totalement. Aucun amour, si fort soit-il, n'excusait cela.

Mais qu'étaient-ils censés faire, Alice et lui ? Quelle était l'alternative ? Auraient-ils pu laisser indéfiniment les choses où elles en étaient ? Ça paraissait impossible.

Il aurait pu rester en Californie. C'était une option. Il aurait pu s'y installer définitivement et construire un autre genre de vie. En revenant à Fire Island l'été dernier, il s'était dit qu'il pourrait simplement passer en coup de vent, dire bonjour et repartir. Mais, au fond, il savait qu'en venant, il avait choisi Alice et Riley, pour le passé et pour l'avenir. L'ennui, c'est que les deux ne collaient pas ensemble.

Oh ! Riley. Il la revit concentrée sur ses cartes pendant la soirée, remportant main après main. Tout ce qui lui arrivait n'avait pas ébranlé sa ténacité, son étrange innocence. On ne peut ni t'emmener, ni te laisser derrière nous. Il se rendit compte que c'était déjà vrai avant que ses problèmes cardiaques ne se déclarent.

*

Alice essayait de faire le vide dans sa tête, pour trouver le sommeil, quand Riley apparut à la porte de sa chambre.

– Je suis gelée, dit-elle.

Son teint bleuâtre inquiéta Alice.

Elle souleva sa couette.

– Viens près de moi.

Quelle équipe, Paul et Riley ! Toujours en train de l'embêter, de la dépouiller, avant de venir chercher un peu de chaleur dans son lit.

– On n'aurait pas dû rester cette nuit, dit Alice d'un ton un peu maternel qu'elle regretta aussitôt.

– Mais si.

– À cause du froid.

– Ici, ça va.

– Dans ce cas…

Alice laissa sa sœur coller ses orteils glacés contre ses mollets. Elle prit ses doigts gelés pour les fourrer au creux de son bras. Elle aurait voulu être en colère, mais cette proximité lui faisait du bien. C'était plus fort qu'elle.

– Dis, Al…

– Oui.

– Je l'ai dit à Paul.

– Tu lui as dit quoi ?

Alice recula contre le mur pour faire plus de place à sa sœur.

– Pour mon cœur.

– C'est vrai ?

Elle sentit ses circuits grésiller une dernière fois avant de sauter définitivement.

– Oui.

– Ce soir ?

– Non. Ça fait presque un mois.

*

Alice était sûre qu'elle n'arriverait jamais à s'endormir. Elle était trop en colère, trop confuse, trop fatiguée. Paul savait. Il le savait depuis un mois. Pourquoi Riley ne l'avait-elle pas mise au courant tout de suite ?

« En quoi ça te regarde ? Quel droit as-tu de savoir ? »

Elle n'arriverait plus jamais à dormir. Mais quand elle

ouvrit les yeux le lendemain matin, le soleil tapait si fort sur la fenêtre qu'elle était en sueur sous sa couette. Elle enfila un jean en regardant le réveil. Presque onze heures. Riley était partie.

Elle avait la tête lourde et l'estomac creux. Elle se serait bien acheté un sandwich à l'œuf, mais l'épicerie n'ouvrait que fin mai. Elle se prépara un bol de céréales ramollies par l'humidité, qu'elle enfourna, les yeux dans le vide.

Elle emporta un livre et une serviette à la plage. Le soleil cognait, presque trop, même si elle en rêvait depuis des mois.

Les vagues étaient fougueuses, et l'eau d'un joli bleu vif. C'était tout sauf une plage mollassonne, et pourtant, elle avait un effet agréablement apaisant.

Elle vit une tête brune au loin. Puis une seconde non loin derrière. Comme deux petites têtes rondes de phoque. Elles s'arrêtèrent pour scruter les alentours avant de prendre la direction du phare. Alice les observa longuement avec une pointe d'envie, et un intense soulagement. Elle était bien contente de ne pas être là-bas, au large.

Elle réalisa qu'elle n'avait vu ni Riley ni Paul depuis son réveil. Ils devaient être en train de pêcher ou à la recherche d'un bateau pour sortir en mer.

Alice se demanda jusqu'à quel point Riley avait été honnête avec Paul au sujet de ses problèmes cardiaques.

Au moins, il savait quelque chose. Riley lui avait dit... quoi ? Alice pouvait-elle lui parler en face ? Pouvaient-ils réparer au moins partiellement leur amitié ? Comprendrait-il ? Ou était-il trop tard ?

Les nageurs se rapprochèrent de la côte. Alice les suivit des yeux avec un pressentiment désagréable qui se mua bientôt en soupçon, puis en inquiétude. Elle se leva et commença à marcher, puis à courir. Le phare était à six cents mètres, mais l'air était si pur qu'il lui semblait juste devant elle. Son cœur battait trop vite.

« Qu'est-ce que tu fais ? se demanda-t-elle. Pourquoi ? »

Elle n'avait pas vu les visages des nageurs, mais n'avait plus aucun doute sur leur identité.

Alice retourna lentement s'asseoir sur sa serviette. Que pouvait-elle faire ? Que pouvait-elle dire ? Ce n'était pas son cœur à elle.

*

Paul surgit dans la cuisine en fin d'après-midi, chargé de cartons et de sacs. Il faisait le vide, annonça-t-il. Il faisait enfin ses adieux à la grande maison.

Riley était rentrée de son bain deux heures plus tôt, euphorique, mais si épuisée qu'elle pouvait à peine marcher. Elle s'était traînée jusque dans sa chambre et endormie aussitôt. Alice affronta Paul seule, et extrêmement mal à l'aise.

– Je dois prendre le ferry, dit-il, brisant le silence pesant.

– D'accord, fit-elle.

L'expression tendue et bravache qu'il arborait au mariage avait disparu. Ses yeux noirs semblaient incertains. Il avait l'air plus jeune, ou plus vieux, elle ne savait pas trop.

– Bon.

– Ben, salut.

Il posa ses affaires et, à la stupéfaction d'Alice, marcha vers elle comme un automate et la prit dans ses bras. Ils s'étreignirent maladroitement. Alice songea à la grâce naturelle avec laquelle leurs corps s'accordaient autrefois.

– Je suis désolé, Alice.

Rien n'était plus pareil qu'avant, mais leurs corps communiquaient toujours. Elle savait qu'il voulait lui dire qu'il comprenait.

CHAPITRE 20

C'est moi qui t'ai aimée d'abord

La veille du week-end du Memorial Day, Paul reçut un chèque de trois millions de dollars pour la vente de la maison de Fire Island. Le même jour, il reçut un chèque de deux cent soixante et onze dollars pour la vente de la collection de disques de son père. Et dire que, aux yeux de Robbie, la seconde avait tellement plus de prix que la première.

Paul fourra les deux chèques dans son portefeuille qu'il mit dans sa poche arrière. Il sortit en direction du nord. Une fois dans la 27ᵉ rue, il prit à l'est, presque jusqu'au fleuve. Il entra dans l'hôpital Bellevue. Le temps de parcourir vingt et quelques rues, sa colère contre cet argent était retombée, et il était même plutôt content.

– Puis-je parler à quelqu'un de la comptabilité? demanda-t-il à l'accueil.

À la comptabilité, il expliqua ses intentions à la femme plutôt patiente qui le reçut. Elle le dirigea sur la secrétaire administrative du service des abus de substances toxiques. Quand il lui présenta les deux chèques et qu'elle découvrit la somme, celle-ci perdit de sa réserve professionnelle et se tortilla nerveusement sur sa chaise.

– C'est sérieux ?

Elle avait la quarantaine, un visage avenant et un charmant accent jamaïcain.

– Oui. Mon père est mort ici. Vous voulez bien accepter cet argent ?

Elle réfléchit. Le détailla, de ses chaussures éraflées jusqu'à sa tignasse en bataille. Il la déroutait.

– Eh bien, pourquoi pas ? Vous pouvez me laisser un numéro de téléphone au cas où ?

– Bien sûr.

Il accepta avec joie sa carte de visite.

Elle inspecta de nouveau les chèques.

– Vous êtes sûr que c'est ce que vous voulez ?

– Absolument… (il regarda son badge) Jasmine.

« J'y ai beaucoup réfléchi », s'apprêtait-il à dire. Mais il aurait menti. C'était ses chaussures qui l'avaient mené jusqu'ici, et elles avaient tendance à être plus fiables que lui.

– Ce ne sont pas des chèques en bois, au moins ? demanda-t-elle.

Elle attendit quelques secondes avant de lui adresser un sourire, qu'il lui retourna aussitôt.

– J'espère que non.

Visiblement, l'argent de Paul ne l'impressionnait pas. Elle restait un peu méfiante, et il ne l'en apprécia que davantage.

– Vous voulez parler au directeur du service ? lui proposa-t-elle. Je suis sûre qu'il vous recevrait.

– Non merci. Je suis ravi d'avoir été reçu par vous.

Il se sentait en présence d'une vraie mère. Il avait toujours eu des antennes pour les reconnaître.

– Vous êtes quelqu'un de bien, monsieur...

– Paul. Je m'appelle Paul.

Elle lui tendit la main pour la lui serrer.

– Vous êtes quelqu'un de bien, Paul.

– Vous veillerez à ce que cet argent aille à ceux qui en ont besoin ? Vous les connaissez mieux que moi.

Elle lui sourit à nouveau.

– C'est promis. Si la banque accepte vos chèques.

Il repartit en longeant l'East River. Un soleil resplendissant égayait les rues de ses rayons rose et orange. Tout à coup, il eut une idée qui le rendit plus heureux qu'il ne l'avait été depuis longtemps.

Il était plein de fric, et ses grands-parents encore plus. Il allait se renseigner sur les greffes du cœur, sur les meilleurs centres de recherche. Et ce, dès ce soir. Il ne pouvait pas acheter un nouveau cœur à Riley, mais il était prêt à tout donner si ça pouvait l'aider.

Il marchait vite, d'un pas élastique, comme Riley autrefois. Peut-être avait-il enfin trouvé dans quelle direction aller.

*

Un soir, au début du mois de juin, Alice était allongée sur le canapé en face de Riley dans l'appartement de la 98ᵉ rue Ouest. Elle s'aperçut que sa sœur n'était pas sortie de la journée. Elle avait lu un de ses romans, elle avait dormi, et à peine mangé. Alice échangea un regard inquiet avec sa mère, qui se trouvait dans la cuisine, puis elle annonça :

– J'ai eu une idée, aujourd'hui.

Sa sœur posa son livre sur sa poitrine.

– Laquelle ?

– Je crois que j'ai une idée de ce que je voudrais faire.

Riley se redressa un peu.

– Raconte.

Elle l'avait laissée lui vernir les ongles de pied dans une jolie teinte coquillage, qu'Alice apercevait maintenant à travers sa chaussette trouée.

– En ville, je passe parfois devant l'Institut de formation des travailleurs sociaux. C'est à Washington Square, tu connais ? J'y suis entrée jeter un coup d'œil il y a quelques semaines. Et en repassant devant ce matin, j'ai décidé de leur demander un dossier de candidature. J'ai commencé à le remplir.

– C'est vrai ?

– Oui, j'ai rendez-vous au bureau des admissions la semaine prochaine. Je vais au moins me renseigner. Je pourrais travailler avec des enfants et des ados. Comme assistante sociale, par exemple. Tu m'as dit toi-même que j'étais plutôt douée pour m'inquiéter pour les gens.

Riley la regarda d'un air pensif.

– Tu es douée pour t'occuper des autres, Al. Tu l'as toujours été.

– Mais, la plupart du temps, ils ne veulent pas de mon aide, répliqua Alice.

– Mais bien sûr que si, Al. C'est juste que tu as la générosité de les laisser prétendre qu'ils n'en ont pas vraiment besoin.

Alice fut frappée par l'interprétation de Riley. Elle n'y avait jamais pensé avant. « C'est ce que les enfants attendent, songea-t-elle. De leur mère. »

– Bon, ça paye infiniment moins bien qu'avocat, mais je crois que ça me plairait plus.

Riley hocha la tête et serra les pieds d'Alice dans ses mains.

– C'est aussi mon avis.

– Même si je suis acceptée, je ne pourrai sans doute pas commencer avant janvier, mais ça vaut le coup d'essayer.

– Tu seras prise, j'en suis sûre, affirma Riley.

– L'ennui, nuança Alice, c'est que ça m'obligerait sans doute à laisser tomber mon boulot chez Duane Reade.

Riley éclata de rire, et Alice eut l'impression que cela lui demandait un effort.

– Toute bonne action exige des sacrifices, conclut sa sœur.

*

Le deuxième samedi de juin, Riley voulut aller se promener, et malgré son état, Alice n'eut pas le courage de refuser. C'était une magnifique journée, le parc était superbe et, pour une fois, elle n'était pas en uniforme. En fait, c'était un jour à aller à la plage. Alice et ses parents pensaient que Riley demanderait à partir pour Fire Island, mais non.

Elles déambulèrent jusqu'à Strawberry Fields* et passèrent un moment au centre du cercle de mosaïque noir et blanc où on lisait *Imagine.*

* NdT : du nom d'une chanson des Beatles, mémorial à la mémoire de John Lennon, situé dans Central Park, non loin de l'entrée du Dakota où il fut assassiné en 1980.

À un stand au bord de l'allée, Riley acheta des glaces chimiques qui leur firent les lèvres violettes.

– Alice, comment ça se fait que tu n'aies pas de copain ? demanda Riley tandis qu'elles descendaient vers la route.

– Quoi ?

Elles s'arrêtèrent sur la terrasse qui donnait sur le lac et la fontaine Bethesda.

– Belle comme tu es, tu n'aurais pas de mal à en trouver un si tu voulais.

Alice essaya de cacher sa stupéfaction en lui adressant un sourire tout violet.

– Qu'est-ce que tu racontes ? Et d'abord, pourquoi tu n'en as pas, toi ?

Elle avait parlé d'un ton léger, mais Riley la fixait d'un air un peu trop sérieux à son goût.

– Je crois que je n'ai pas le cœur à ça.

D'habitude, on pouvait toujours compter sur Riley pour faire de l'humour à tout va, mais aujourd'hui, elle ne plaisantait pas. Sa réponse attrista Alice.

– Sans doute que moi non plus, dit-elle.

– Je pense que si, rectifia sa sœur en s'appuyant sur la balustrade.

– Ah bon ?

– C'est à cause de Paul ?

Alice essaya de garder ses idées bien en place, sans les laisser se disperser. Elle mit plusieurs secondes à trouver une réponse qui n'en était même pas une.

– Comment ça ?

– Je vous ai vus ensemble l'été dernier.

Paniquée, Alice envisagea un instant de faire l'innocente,

voire l'idiote. D'essayer de savoir ce qu'elle avait vu exactement, et évaluer l'étendue des dégâts avant d'avouer. Mais l'heure était à la sincérité, elle ne pouvait se laisser aller à ce genre de ruse. C'était bon pour ceux qui se cramponnaient à leur propre version de la vérité, ce qui ne lui ressemblait pas.

– Je suis désolée, dit enfin Alice.

– Pourquoi désolée ?

– Désolée que ce soit arrivé. Désolée pour tout. J'aurais dû te le dire au lieu que tu le découvres comme ça.

Riley jeta le bâton de sa glace dans une poubelle.

– Tu n'es pas obligée de me raconter ta vie.

– Mais ça, j'aurais dû, persista Alice.

Un petit cabot roux s'arrêta pour lui renifler la cheville. Elle lui gratta machinalement les oreilles, et Riley l'imita.

– Tu t'es dit que ça me ferait de la peine.

Alice se tourna pour la regarder dans les yeux. Elle y lut tant de franchise que cela n'avait pas de sens d'esquiver le sujet.

– Ça t'en a fait ?

Sa sœur s'accouda à la balustrade et cala son menton dans sa main. Elle n'avait pas de réponse préfabriquée. Alice fut touchée qu'elle ait l'honnêteté d'y réfléchir devant elle. Elle lui faisait toujours confiance, malgré tout.

– Oui, peut-être, mais j'avais surtout peur.

Alice hocha la tête. Elle n'était pas sûre d'avoir déjà entendu Riley avouer qu'elle avait peur de quoi que ce soit.

– De quoi ?

Riley se mordilla l'intérieur de la joue. Cala son menton dans l'autre main.

– J'avais peur de vous perdre tous les deux. Que vous me laissiez dans les choux.

Alice effleura les cheveux de sa sœur, qui lui arrivaient maintenant aux épaules.

– C'est ce que je craignais aussi. C'est pour ça que je suis désolée.

*

L'honnêteté ne faisait pas de cadeaux, conclut Alice ce soir-là, en s'asseyant sur son lit avec ses aiguilles et ses pelotes de laine. Elle avait commencé une nouvelle écharpe pour Riley, mais elle ne pouvait pas le dire, parce que sa sœur se fâcherait en pensant qu'elle la couvait. Quand on commençait à laisser l'honnêteté s'installer, il devenait difficile de la contenir ou de la circonscrire à un aspect de sa vie. Comme du lierre, ou un invité qui s'incruste. Une fois qu'elle était là, on n'avait plus de prise sur elle. Il fallait vraiment lutter pour l'empêcher de prendre le pouvoir.

Il fallait bien avouer que l'amour qu'elle portait à sa sœur la mettait en danger, considérant la fragilité de la vie de Riley sur cette Terre.

– Parfois, je voudrais me fâcher contre elle, lui avait confié sa mère quelques semaines plus tôt. Je pense aux choses qu'elle fait, qui me rendent dingue. Mais je sais que c'est juste pour me faciliter la vie.

Depuis, Alice y avait souvent réfléchi. C'était tentant de maintenir un mur entre Riley et elle. Elle cherchait des raisons de ne pas l'aimer. Parce que plus douce était leur relation, plus grande serait la peine qui l'attendait.

Il y avait un autre sujet que l'honnêteté la poussait à creuser. Pour être parfaitement sincère, Alice ne pouvait continuer à tenir Paul à distance. Même si elle ne l'avait pas revu, qu'elle ne lui avait pas parlé depuis Fire Island, sa présence s'imposait de nouveau. Il occupait de nouveau ses pensées. Il lui manquait.

On pouvait décider de se fermer, pour se protéger, mais dès qu'on s'ouvrait aux émotions, il n'y avait plus moyen de faire le tri. C'était le problème, quand on les laissait entrer, elles mettaient une belle pagaille.

*

– C'est à toi ? demanda Alice en brandissant un exemplaire d'*Huckleberry Finn*.

Elle rentrait de son travail au jardin d'hiver. Riley était allongée sur le canapé du salon, enfouie sous une couverture malgré la température de la pièce.

– C'est à Paul. Il me fait la lecture. Il est venu me lire quelques chapitres aujourd'hui.

En s'installant avec son tricot, Alice ressentit de nouveau un pincement, une sensation de manque.

– J'adore ce livre, dit-elle s'asseyant là où elle pensait qu'il s'était assis.

Elle imagina qu'elle pouvait encore sentir sa chaleur sur le canapé. Elle ôta ses chaussures et ses chaussettes et s'allongea tête-bêche avec Riley, comme d'habitude.

– C'était sympa. On a parlé de son père. Il avait plein de photos à me montrer.

– Ah bon ? Il ne parle presque jamais de son père.

– C'était la première fois. Il voulait que je lui raconte tout ce dont je me souvenais.

Alice pouvait imaginer la chaleur de Paul sur le canapé, mais ça, elle ne pouvait pas.

– Et alors ?

– J'ai essayé, répondit Riley en glissant un doigt entre deux mailles de la couverture. Et puis, il voulait savoir comment tu allais.

– Ah ? Et qu'est-ce que tu as dit ?

Alice ne prenait plus la peine de faire semblant de feindre l'indifférence.

– Que tu allais bien, mais que je trouvais que tu devrais avoir un copain.

– Tu déconnes.

– Non, c'est ce que j'ai dit.

– Et il a réagi comment ?

– Il a été plutôt honnête. Il a admis qu'il ne préférerait pas.

Alice sentit ses sourcils monter si haut qu'ils auraient pu disparaître sous ses cheveux.

– Il a dit ça ?

Riley se tut quelques instants, et serra sa couverture autour d'elle.

– Paul t'a toujours aimée, Alice. Il sait que je le sais. Je sais qu'il m'aime, aussi. Mais autrement.

Alice ouvrit la bouche, mais au début rien n'en sortit.

– Il m'aimait. Mais je crois que c'est du passé, rectifia-t-elle lentement.

– Bien sûr que non. Ça n'a même pas commencé.

Riley prit le pied nu d'Alice dans sa main et le tapota.

– Mais je l'ai prévenu qu'il avait intérêt à bien te traiter. Quand tu es née, je lui ai dit que je voulais bien te partager. Mais je lui ai rappelé que tu étais ma sœur. C'est moi qui t'ai aimée d'abord.

CHAPITRE 21

Vol et restitution

En rentrant de Duane Reade ce soir-là, Alice sortit sa clé de son sac et vit que la porte était ouverte. Elle lâcha la clé et ferma les yeux. Elle n'avait pas besoin d'entrer pour savoir ce qui s'était passé.

*

Alice arriva à l'hôpital presbytérien juste avant minuit. Elle gardait un espoir, mais elle savait.

Ses parents l'attendaient dans le hall. L'espoir commença à s'envoler... Ils la prirent dans leurs bras.

– Le temps qu'ils l'amènent ici, c'était trop tard, laissa échapper sa mère.

Alice hocha la tête dans l'épaule de son père.

– Ils pensent que c'était un caillot, ajouta Judy. On en saura bientôt plus.

Quelle importance que ce soit un caillot, un anévrisme ou

une attaque ? Ils avaient fini par se préparer à tout. Ça ou autre chose…

— Ils n'ont rien pu faire.

Alice sentit les odeurs familières de ses parents. Le shampooing antipelliculaire de son père, le parfum de rose et de cire du rouge à lèvres de sa mère, et la combinaison unique, si particulière, de ces deux odeurs. « C'est dans le cou qu'on sent le mieux l'odeur des gens », songea Alice, hors de propos. En se concentrant, elle sentait encore l'odeur du cou de Riley.

Des gens passaient devant eux. Visiblement, il leur suffisait de regarder Alice et ses parents pour deviner qu'ils venaient de perdre quelqu'un. Comme devant un accident de la route, certains avaient du mal à cacher leur curiosité. « Dites, qui est-ce qui est mort ? » semblaient-ils demander.

« Ma sœur, leur fille. Elle venait d'avoir vingt-cinq ans », avait envie de leur répondre Alice. Il fallait vraiment qu'elle ait quelque chose qui clochait pour penser aux autres dans un moment pareil.

— Ça s'est passé très vite, murmura sa mère.

Lui tendait-elle la perche pour qu'elle pose des questions sur les détails concrets du drame ? Alice ne souhaitait ni poser de questions ni connaître les réponses, et elle en voulut à sa mère de l'y inciter. Il fallait vraiment qu'elle ait quelque chose qui clochait pour en vouloir à sa mère en un moment pareil.

Alice savait que le chagrin changeait les gens, mais elle fut surprise de découvrir qu'il vous laissait aussi vos petits travers.

— Vous l'avez vue ?

– On était avec elle, répondit son père.

– J'aurais voulu être là…, murmura Alice.

Un sanglot s'échappa de sa gorge.

– Tu étais là, affirma Ethan.

*

Ethan, en pleurs, tremblait comme un enfant, et Paul se sentit vieux et adulte. Il était venu à l'appartement de la 98ᵉ rue parce qu'il savait qu'il pouvait y apporter un peu de réconfort. Lui, qui n'avait pas laissé Ethan lui effleurer l'épaule depuis ses dix ans, le prit dans ses bras. Il ressentait son chagrin. Il avait le sien, mais ils ne se confondaient pas. Ils ne pouvaient pas partager.

– On savait que ça arriverait, sanglota Ethan. On a essayé de se préparer, mais…

– On ne peut jamais être prêts, répondit Paul.

Il regarda l'appartement avec des yeux étonnés. Il se sentait anesthésié, déconnecté de ce qui se passait à l'intérieur de lui et totalement en phase avec l'extérieur. Pour lui, le vrai foyer de la famille était la maison de Fire Island, parce qu'elle l'incluait. Mais c'était ici qu'ils vivaient. Il n'était venu que rarement, compte tenu du lien qui les unissait. Il s'aperçut qu'il avait une vision plus objective ici qu'à Fire Island, où il manquait de recul. Il fut par exemple frappé par l'exiguïté et le manque de lumière naturelle. Il avait toujours poétisé leur sens de l'économie, comme si c'était un style, un choix de vie. Mais l'état de leur mobilier, les dégâts des eaux au plafond, les étagères qui s'affaissaient trahissaient une vie de privations.

– Il y a des choses que je voudrais pouvoir changer, déclara Ethan au bout d'un moment.

Si pénible que ce fût de le voir pleurer, Paul dut reconnaître qu'Ethan y mettait une certaine élégance.

– Il y a des moments de ma vie que je revivrais autrement.

Paul hocha la tête. Il voyait à quoi il faisait allusion.

– Pour Riley. Et pour toi, aussi, ajouta Ethan.

Reprenant ses propres mots, Paul répondit :

– Considère-toi comme pardonné.

Il se rendait compte qu'il se substituait à Dieu, mais c'était ce dont Ethan avait besoin.

– Rien de tout ça n'a plus d'importance.

Ethan avait l'air trop accablé pour accepter ce fait immédiatement, et en même temps, pressé de voir arriver cet instant.

– Vraiment, insista Paul.

Et pour la première fois, il était conscient d'être sincère.

*

Alice était incapable de rester chez elle avec ses parents. Elle ne tenait pas entre quatre murs. Tout juste si elle était capable de rester enfermée dans sa propre peau – mais elle n'avait pas le choix. Alors, elle alla se promener seule dans Central Park.

Là, elle se baladait comme tout le monde, comme si tout allait bien. « Vous vous rendez compte de ce qui s'est passé ? » avait-elle envie de demander au ciel, aux arbres et à tous ceux qu'elle croisait, jusqu'aux bébés et aux chiens. « Non, vous ne vous rendez pas compte ! » aurait-elle voulu leur crier. Elle n'aurait pas imaginé que la douleur pouvait rendre narcissique.

En fin de matinée, elle ne tenait plus dans le parc, ni dehors, au milieu d'inconnus. Elle rentra chez elle, où ce n'était pas mieux. Si seulement elle avait pu dormir! Et si elle décrétait que la journée était finie? Et le lendemain aussi, et le jour d'après… Elle aurait voulu pouvoir dormir tous les jours suivants, et pourquoi pas tout l'été. Mais le temps ne risquait-il pas de perdre ses propriétés curatives si on le traversait en dormant?

Elle se coucha tout habillée. Les transitions habituelles, comme se déshabiller, semblaient ouvrir une brèche par laquelle la douleur pouvait vous sauter dessus sans crier gare.

Par la porte entrouverte de sa chambre, son père l'aperçut dans son lit.

– Paul est passé. Il espérait te voir.

*

Paul n'arrivait pas encore à pleurer pour lui-même, mais il se surprit à pleurer pour Alice en descendant Columbus Avenue, après avoir quitté l'appartement. Au lieu de penser pour lui-même, il se surprit à penser pour Alice. Sa propre peine était difficile à ressentir, mais pas celle d'Alice. Imaginer son visage et son chagrin avait la magie presque instantanée de transformer les abstractions en sentiments.

Riley était la vaillante protectrice d'Alice, son pare-chocs. Il se demandait parfois si c'était le fait d'avoir Riley comme bouclier, pour prendre les coups à sa place, qui avait permis à sa sœur de devenir aussi adorable. Les difficultés vous rendaient plus fort, mais visiblement pas plus heureux.

Et lui dans tout ça? Il imagina sa villa là-bas sur la dune, battue par le vent, la pluie, le sel et le sable, dressée devant leur petite maison pour la protéger. Quelle chance, se disaient les autres, d'avoir une immense demeure les pieds dans l'eau avec ces vues d'éternité. Ils avaient peut-être raison. Mais rien ne se dressait entre lui et le ciel implacable. Pour prix de ces vues, on prenait parfois une trempe.

Plus de Riley. Plus de maison. Il avait rudoyé Alice, lui avait fait du mal, lui avait refusé le peu de réconfort qu'il aurait pu lui apporter. Il la revit lors de leur dernière rencontre, éteinte, les gestes lents, la voix atone.

Il aurait voulu pouvoir réparer. Il aurait fait n'importe quoi pour lui rendre ce qu'il lui avait pris, même si ça impliquait de renoncer à elle. C'était peut-être le mieux qu'il puisse faire pour elle. Toutes ses tentatives pour l'aimer n'avaient abouti qu'à la blesser. En rentrant chez lui, il tomba sur les piles d'articles qu'il avait rassemblés sur les recherches en cardiologie, les greffes et les cœurs artificiels. Son bureau en était couvert. Il avait arrêté tous ses travaux universitaires afin de s'en occuper. Il avait déjà rempli presque tous les dossiers pour faire un don au nom de Riley à l'hôpital presbytérien de Columbia.

Mais maintenant, assis à son bureau, il ne voulait plus les regarder. Il resta immobile à fixer le mur devant lui, le menton dans une main, attentif aux clichés fugaces de Riley qui défilaient dans sa tête. Et il sut qu'elle ne voudrait pas être associée une fois pour toutes à sa maladie de cœur. En cherchant, il pensa à des choses qui lui plairaient : la protection de la nature sur Fire Island, un nouveau poste de sauveteur pour surveiller la longue étendue de plage au-delà de Cutter Walk, des fonds pour la protection du dauphin blanc.

Il enfouit la tête entre ses bras et se laissa de nouveau envahir par Riley.

*

Freeport, Merrick, Bellmore, Wantagh, Seaford, Amityville, Copiague, Lindenhurst, Babylon.

Ces noms résonnaient comme un étrange poème aux oreilles de Paul. Il n'était jamais descendu à aucun de ces arrêts, mais ils avaient pour lui quelque chose de légendaire, d'autant qu'il faisait sans doute le voyage pour la dernière fois.

Il descendit à Bay Shore. Il commença par attendre un taxi, mais perdit patience en moins d'une minute et partit à pied. Le soleil était couché depuis longtemps. C'était un mardi soir. Il se demanda combien de ferries partaient encore ce jour-là. Il courut au port, où il arriva juste après le départ du dernier. Alors il prit le bateau de Saltaire, puis il marcha.

Dans un drôle de rêve éveillé, il déboucha sur la Grand-Rue, si familière qu'il ne la voyait même plus. Ce soir, il la vit avec les yeux de Riley. Et avec ceux d'Alice.

Il alla directement chez lui, en s'efforçant de ne plus y penser comme à sa maison. Encore un drôle de tour de passe-passe de l'argent : il suffisait d'en transférer une grosse somme d'une personne à une autre pour perdre tout lien officiel avec un endroit qui concentrait tous les moments les plus importants de votre vie. En un sens, ce serait plus facile si les nouveaux propriétaires l'abattaient. Comme ça, la vie qu'il y avait vécue reposerait dans la terre, au lieu d'être recouverte par une nouvelle couche de vies et de souvenirs. Il fallait qu'il pense à cette maison comme à un corps dont l'âme se serait envolée.

Il mit au point son explication en parcourant les derniers mètres. Personne ne répondit quand il frappa à la porte. Il alla à la porte de derrière, sans trop y croire, car il n'y avait pas de lumière. Elle était fermée à clé. Il essaya toutes les autres, y compris les portes-fenêtres. Tout était verrouillé.

Jamais ils n'avaient fermé cette maison. Qui fermait à clé ici ? À quinze ou seize ans, il entrait dans toutes les maisons qui bordaient les dunes pour se servir à boire et à manger. Mais c'était avant qu'elles coûtent trois millions de dollars.

Que pouvait-il faire, maintenant ? Il n'avait qu'un but en tête. Il ne devait pas s'en écarter. Il ne renoncerait pas. S'il pouvait arranger ça, le reste pouvait peut-être s'arranger aussi.

Il alla frapper chez les Weinstein, deux rues plus loin. Il eut un peu mauvaise conscience en voyant apparaître M. Weinstein en peignoir.

– Désolé de vous déranger. Barbara est là ?

– Une minute.

Barbara, heureusement, n'était pas en pyjama.

– J'ai un service à vous demander, lui dit-il. Je pourrais avoir une clé de la maison ? J'ai juste besoin d'y entrer quelques minutes.

Barbara le regarda un peu de travers.

– Paul... (elle regarda sa montre), il est onze heures du soir et vous me demandez la clé d'une maison qui ne vous appartient plus.

– Désolé. Je me rends bien compte que je vous dérange. Je ne resterai pas longtemps, c'est promis.

– Vous ne comprenez pas, Paul. Je ne peux pas faire ça.

– Pourquoi ?

Il réalisa qu'il avait l'air négligé, avec ses cheveux en bataille et sa barbe de trois jours. Sa chemise était sale et ses yeux probablement hagards.

– Cette maison n'est plus à vous. Vous n'avez pas plus de droit dessus que sur n'importe quelle autre maison de l'île. Je ne peux pas vous donner cette clé plus qu'une autre.

Il n'allait pas se mettre en colère. Il n'allait pas lui faire remarquer qu'elle avait touché une commission de plus de cent mille dollars sur la vente.

– On a vécu ici pendant vingt-trois ans, dit-il. Cette maison m'appartenait encore il y a trois semaines.

« Riley est morte. Vous comprenez ça ? »

– Je regrette, dit-elle. Si je pouvais vous aider, je le ferais.

Il ne laisserait pas tomber. Il retourna chez lui. Il ne voulait pas regarder la plage. C'était trop. Il fut assailli par le souvenir de tout ce qui s'était passé ici, il ne pouvait y échapper. Il s'était mis en danger en revenant.

L'immensité pouvait être terrifiante. Le volume de l'univers suspendu au-dessus de nos têtes. Le mystère de l'océan qui vous liait au monde froid des profondeurs.

Il y avait un moyen. Il escalada les jardinières jusqu'au premier avant-toit. Le vent s'était mis à souffler, et il s'attendait vaguement à être déséquilibré et projeté dans le noir. Y retrouverait-il Riley ? Il s'agrippa au rebord de la fenêtre tandis que son pied gauche dérapait, cherchant un appui. Un bardeau se détacha. Il le regarda faire un tour sur lui-même avant de s'écraser au sol. Enfin son pied trouva une prise et il cala son gros orteil dans le petit renfoncement libéré par le bardeau. Il se hissa jusqu'au rebord de la fenêtre, porta son poids sur ses genoux et glissa les doigts sous le châssis pour le soulever. Évidemment, il était verrouillé. C'était quoi, leur problème, à ceux-là ? Qu'avaient-ils de si précieux à protéger ?

En dernier recours, il pouvait toujours casser la vitre. Il longea la façade à l'horizontale, d'une fenêtre à l'autre. Il entendit l'océan rugir derrière lui. Et, beaucoup plus inquiétant, des voix. Des gens passaient sur la plage, alors qu'il se trouvait agrippé à la façade d'une maison comme une araignée empotée. Il s'immobilisa. Ses doigts crispés sur leur prise commençaient à trembler. Le bruit de la conversation se rapprocha puis, au bout de ce qui lui parut être une éternité, il s'éloigna. Il remercia le ciel qu'ils n'aient pas levé la tête.

Le problème, c'était l'angle de la maison. Coup de chance, l'adrénaline vint à son secours, le rendant sourd à la douleur musculaire. Il y avait une gouttière. Dans son souvenir, c'était une grosse gouttière, mais elle lui apparut soudain bien frêle, surtout comparée à son propre poids. Il baissa les yeux vers la terrasse et s'imagina étalé dessus. D'une main, il saisit la gouttière. Merde. Elle s'écarta du mur en grinçant, mais il réussit à s'y maintenir le temps de se cramponner au cadre de la fenêtre, avant qu'elle ne se détache en l'entraînant dans le vide.

Riley s'éclaterait, pensa-t-il malgré lui. Riley s'éclaterait à faire ça. Il ressentit sa présence, lui qui ne croyait pas à ce genre de phénomènes.

Une fois stabilisé sur le rebord de la fenêtre, il évalua l'état de la gouttière, maintenant tordue et décollée du mur. Il faudrait sans doute qu'il rembourse aux nouveaux propriétaires le coût des réparations.

De là, il descendit jusqu'à l'étroit balcon qui longeait la maison. Il avait dû s'y tenir deux fois dans sa vie, en se demandant chaque fois pourquoi personne n'y allait. Franchement, on ne voyait jamais personne sur les balcons. L'intérêt, c'est que la porte ne fermait pas. Elle était équipée d'un de ces loquets ridicules qui faisaient un tour complet pour peu qu'on les tourne assez fort. De fait, elle s'ouvrit docilement, et il pénétra dans sa maison. Qui n'était plus la sienne.

« On peut appeler ça un cambriolage », songea-t-il. Pouvait-on être poursuivi pour être entré par effraction dans une maison qu'on avait possédée pendant vingt-trois ans afin d'y reprendre un effet personnel ?

Il entra doucement dans sa chambre, retrouvant les vieux grincements de toujours. Il n'alluma pas, mais le clair de lune lui montra que son bureau et son lit avaient disparu, ce lit où il ne dormait que rarement et où il avait fait l'amour maintes fois avec Alice. Il ressentit un élancement, une douleur physique dans le bas du ventre. Il y avait un berceau, une table à langer et une balancelle, et un tapis brodé de libellules.

Il se dirigea vers le placard où il ouvrit un vieux tiroir intégré, poissé par plusieurs couches de peinture. Il glissa la main tout au fond. Il était là, pile où il l'avait fourré quinze ans plus tôt.

Il referma le poing dessus, descendit l'escalier. En sortant par la porte de derrière, il s'avoua qu'il n'était pas revenu reprendre un effet personnel. Plutôt récupérer une chose qu'il avait volée. Selon les mathématiques de la morale, deux mauvaises actions n'étaient pas censées aboutir à une bonne. Mais son cœur lui disait que c'était parfois possible.

*

Dans le train du retour, Paul garda le chapelet d'Alice dans sa main en sueur.

Il pensa à Dieu, en qui il n'avait pas beaucoup cru jusque-là. Ni au Père ni au Fils. Mais le chapelet était tiède, et il se sentait coupable de le tenir ainsi alors qu'il n'était qu'un mécréant, sans la moindre idée de l'usage qu'on était censé en faire. Ça lui rappela la fois où il était allé à l'église avec Alice et Riley et où il avait communié par erreur.

Il ne voulait pas se fâcher avec Dieu, ne serait-ce que parce qu'Alice était croyante. S'il s'excusait et si Dieu existait, l'entendrait-il ? « Désolé », lui dit-il, au cas où. Maintenant que Riley était quelque part là-haut, il espérait que oui, en un sens. Il pensa à son père, ce qui éveilla une nouvelle vague de culpabilité. « Ce n'était pas ta faute », dit-il à Dieu, au cas où.

*

L'église du Saint-Sacrement de la 71ᵉ rue était remplie de visages dévastés, à commencer par les leurs. Compte tenu du nombre de fois où ils étaient venus ici en retard et en tenue négligée, toujours anonymes, c'était déplaisant d'être traités comme des VIP sous prétexte qu'ils étaient les plus malheureux.

Alice avait l'impression d'assister aux obsèques d'un enfant. Le public était composé de la communauté qui les avait vues grandir : amis de la famille, mais surtout de leurs parents ; camarades de classe, mais surtout ceux qui connaissaient son père ; amis d'enfance de Fire Island. Il y avait trois copains des années de Riley aux NOLS, un formateur et deux anciens élèves. Et aussi un type avec qui elle avait travaillé dans un restaurant de Jackson Hole l'hiver où elle était allée y skier. Riley n'avait pas étudié ni travaillé dans une institution classique. C'était peut-être plus difficile de se créer un cercle de relations quand on n'aimait pas s'intégrer.

Puis, alors que la cérémonie allait commencer, les sauveteurs arrivèrent. Voilà, songea Alice. Ça, c'était le monde de Riley. Une nouvelle vague de larmes lui monta aux yeux. Ils étaient venus en force : au moins vingt-cinq, dont Chuck, Jim et deux anciens. Tous étaient droits et dignes. Ils comprenaient la grandeur de sa sœur.

Alice chercha Paul du regard. Elle avait espéré qu'il viendrait s'asseoir avec eux, mais ce n'était pas son style. Il était l'ami d'enfance de Riley, celui qui avait partagé avec elle des milliers d'aventures. C'était le seul, à sa connaissance, à qui Riley ait jamais écrit une lettre. Le genre d'ami à côté de qui tous les autres devaient paraître de pâles imitations.

C'était déprimant de dire au revoir à Riley dans une église. Elle qui ne supportait pas de rester assise dans la pénombre pendant la messe, alors qu'Alice, elle, en tirait un plaisir secret.

Paul fut sans doute le dernier à arriver. Il s'approcha d'eux, mais pas pour s'asseoir. En murmurant qu'il avait quelque chose pour elle, il lui glissa une chaîne dans la main. Elle ne comprit ce que c'était qu'en baissant les yeux. Les souvenirs l'assaillirent.

Il le lui avait pris. Il le rendait. Elle le questionna du regard. Il avait les traits tirés et les yeux gonflés.

– Désolé, articula-t-il sans bruit.

Et il disparut pour aller se chercher une place au fond de l'église.

Elle tenait son vieux chapelet à deux mains. Elle le trouvait tellement joli à l'époque.

– Tu crois que ce sont de vraies pierres ? avait-elle demandé à sa mère, en espérant très fort que oui.

– Non, ce doit être du verre, avait répondu Judy.

Elle se rappelait les soirs où elle avait récité ses *Je vous salue Marie* et *Notre-Père* en boucle, avec le sentiment d'être transportée, en se demandant si elle l'était réellement.

C'était donc lui qui lui avait pris. Sur le coup, elle l'avait soupçonné, mais elle lui avait accordé le bénéfice du doute, comme toujours.

Quelle tristesse, en un sens. Quelle bêtise. C'était pour lui qu'elle priait, alors.

*

Paul appela sa mère pour lui annoncer la mort de Riley. Il ne se souvenait pas de la dernière fois où il avait dû localiser Lia et composer son numéro. Il estimait qu'il devait le faire, sans bien savoir pourquoi.

Il pleurait silencieusement au téléphone. Puis il se contenta d'écouter les questions de Lia et ses remarques de circonstance.

– Quel malheur ! Quelle tragédie pour sa famille ! commenta-t-elle.

Et presque sans transition, elle se lança dans une tirade sur une vieille amie qui lui avait volé de l'argent.

Paul écarta le combiné en se demandant pourquoi il l'avait appelée.

Peut-être parce que Lia avait connu Riley autrefois, quand tout était différent. Quand elle était une autre Lia, avec des cheveux différents, une manière d'être différente. Peut-être une partie de lui espérait-elle encore pouvoir accéder à cette ancienne version de sa mère et, dans la tempête de la tragédie, la retrouver le temps d'une minute.

En raccrochant, il comprit son erreur.

Lia avait de la chance, en un sens, que Robbie ne soit pas mort plus tard. Elle considérait la mort de son mari comme le drame de sa vie, mais Paul réalisait maintenant que ç'avait été une aubaine pour elle.

En regardant les vieilles photos, il y avait vu quelque chose qu'il savait déjà. Ses parents avaient pris des directions diamétralement opposées bien avant la mort de son père. Il devinait aisément ce qui se serait passé si Robbie était toujours parmi eux, comment les choses auraient fini.

Dans les circonstances, Lia pouvait s'imaginer qu'ils

auraient été heureux. Se persuader qu'elle était apte au bonheur, qu'elle était fondamentalement quelqu'un de bien, que, oui, elle pourrait à nouveau être heureuse.

Paul ne s'était-il pas complu dans le même fantasme ? Tant qu'il pouvait se raconter qu'il aurait pu aimer et être aimé si son père avait vécu, il s'autorisait à rester passif et sceptique. Mais si c'était faux ? Ethan l'avait aimé et Paul avait trouvé un prétexte pour le rejeter. L'idée de l'amour était toujours plus facile que sa mise en pratique.

Il avait fallu la mort de son père pour rendre cette illusion possible. Ils pouvaient le remercier. Il était leur martyr et leur avait laissé un bien précieux. Au moins, eux, ils pouvaient toujours se raccrocher à ça.

CHAPITRE 22

Les gens ne sont pas des cendres

Alice et ses parents se rendirent ensemble à Fire Island la dernière semaine de juillet. Jusque-là, ils avaient toujours reporté à plus tard. Ils marchèrent jusqu'au phare, puis se mirent en maillot et entrèrent dans l'eau. Les vagues déferlaient avec force sur le rivage. Alice vit la panique se peindre sur le visage de sa mère, elle qui ne se baignait presque jamais dans l'océan. En réaction, elle se sentit plus confiante, comme si elle était réellement dans son élément. Elle rejoignit sa mère pour lui donner la main. Son père marchait d'un pas ferme et majestueux, portant l'urne au-dessus de sa tête.

Difficile d'avoir l'air franchement majestueux en maillot de bain, quand on recrachait l'eau de mer en tentant d'éviter les rouleaux. C'était justement l'intérêt : la scène était presque risible.

Alice aurait voulu que Paul soit là. Il avait sa place dans

cette cérémonie. Mais il n'avait plus de maison sur l'île. Il aurait pu loger chez eux, se dit-elle vainement. Mais où aurait-il dormi ? Dans le lit de Riley ? Dans le sien ?

Ethan vérifia le sens du vent avant d'agir. Il était toujours changeant, aux abords de l'océan, mais aujourd'hui, Alice estima qu'il soufflait du nord-ouest. Ils se mirent dos au vent. Ethan dévissa le couvercle en marquant un temps d'arrêt. Déjà, les cendres s'élevaient dans l'air. Croyant que son père allait dire quelque chose, Alice tenta de se recueillir. Ce n'est pas toujours évident de ressentir les bonnes émotions au bon moment. En général, elles refusent de monter quand on est prêt à les accueillir. Mais Ethan ne dit rien. Il tendit l'urne à Judy.

À regret, Alice lâcha la main de sa mère. La souffrance était si palpable sur son visage qu'il faisait mal à regarder. Une souffrance brute, intense. Mais celle-ci accepta sa tâche avec courage. Elle avait porté Riley jusque dans ce monde, c'était à elle de l'accompagner dans le prochain. Elle n'avait pas eu l'occasion de la materner beaucoup entre les deux.

Les cendres semblaient à la fois lourdes et légères. Certaines voletèrent en scintillant, d'autres retombèrent aussitôt. L'océan les accueillit avec indifférence. C'était dans sa nature ; l'océan ne s'occupait pas des affaires des autres.

Les cendres tournoyèrent un moment à la surface avant de s'enfoncer, englouties par les profondeurs. Alice se demanda si ces cendres étaient vraiment censées être Riley. À la réflexion, non. Un individu ne se réduit pas à un tas de cendres. Encore une de ces réalités objectives qui n'ont pas de sens.

Les mains de sa mère ne tremblaient pas, elle était déterminée. L'espace d'un instant, dans un éclair, Alice entrevit Riley, mais pas dans les cendres. Elle la vit dans le geste de sa mère.

*

Alice s'était portée volontaire pour rester sur l'île régler le dossier de la maison, à savoir trouver un agent immobilier pour la mettre en vente, conclure l'affaire et vider les lieux. Ça ne la dérangeait pas. Elle n'avait nulle part où aller, rien à penser, personne à aimer.

Il y avait toutes les hiérarchies subtiles, les petits malheurs et les petits bonheurs, les péripéties qui jalonnaient les heures et les minutes de la vie, et d'un seul coup, une tragédie faisait un grand trou au milieu. À quoi bon tenter de reconnecter ces lambeaux pour recommencer où l'on s'était arrêté ? Mais avait-on vraiment le choix ?

Le deuxième matin, Alice se réveilla seule. Elle sortit sur la terrasse avec son bol de céréales et les mangea au soleil. Après la perte d'un proche, les rituels étaient à réinventer.

Elle tourna la tête vers la maison de Paul, avec une certaine appréhension. Elle redoutait d'y voir des gens nouveaux, qui effaceraient les existences qu'elle avait hébergées auparavant. La seule idée de leur présence l'agressait, comme s'ils avaient le pouvoir de lui voler une partie de sa vie. Maintenant que Riley n'était plus là, cette partie était close. On ne pouvait rien y ajouter. Ça en faisait furieusement grimper le prix.

Elle avait résolu de s'activer toute la journée, mais l'après-midi, elle se retrouva à lire un polar sur la plage. Bien que lourde de conséquences, sa mission ne réclamait pas tout son temps. À dix heures du matin, elle avait rendu visite aux deux agences immobilières de l'île et la maison était en vente. Comparés à leur impact, les événements qui changent une vie tiennent dans un laps de temps incroyablement court. Comme la mort, par exemple. Ou changer un ami en amant.

– Salut, Alice.

Relevant la tête, elle vit le petit Gabriel Cohen. Il s'assit à côté d'elle. En moins d'une minute, sa serviette de plage était toute chiffonnée et pleine de sable.

– Comment ça va ? demanda-t-elle.

Ses cheveux blond foncé tombaient sur son front en un rideau soyeux. Il s'était étoffé. Ses bras et ses jambes s'étaient allongés et musclés. Quelquefois, elle se disait que les adultes devraient continuer à grandir et à changer physiquement au même rythme que les enfants, rien que pour se rappeler à quel point le temps avait un effet spectaculaire. Quand il était invisible, on pouvait se laisser aller à croire qu'il n'existait pas.

– J'ai fait une piscine.

– C'est vrai ?

– Là-bas.

Il désigna du doigt un monticule de sable près de l'eau.

– Helen m'a aidé.

– Qui est Helen ?

– Une fille, répondit-il. T'as un goûter ?

Alice rit. Baby-sitter un jour, baby-sitter toujours.

– Non. Mais j'en ai chez moi. Tu veux que j'aille t'en chercher ?

– Je veux bien.

Elle se leva, et il l'imita.

– Tu veux venir ? proposa-t-elle.

– Je veux bien.

– Où est ta mère ? Tu devrais la prévenir.

Il courut jusqu'à sa mère, installée sous un parasol. Mme Cohen se redressa et agita la main, et Alice lut sur son visage la même expression que sur tous les autres. Mme Cohen était sensible à leur tragédie, elle était au courant, comme tout le monde ici. Elle n'aborderait pas le sujet de front, n'en ayant pas été informée en personne, mais elle tenait à prendre un air de circonstance. Alice, avec un certain soulagement, se tourna vers Gabriel, qui lui ne demandait que des gâteaux.

Il revint en courant, traînant dans son sillage une blondinette plus jeune que lui.

– Helen peut venir ?

– Bien sûr, répondit Alice, supposant que la bénédiction de Mme Cohen valait pour eux deux.

Helen avait de petites cuisses rondes qui frottaient l'une contre l'autre quand elle marchait. Elle avait un carré taillé à la serpe, un maillot une pièce jaune, et une toute petite bouche charnue.

Les deux enfants étaient couverts de sable, comme deux beignets au sucre. Alice envisagea un instant de les rincer au jet avant de les faire entrer, mais elle laissa tomber. Elle se rappela la blague de sa mère quand ils salissaient des monceaux de casseroles pour préparer un festin dans la cuisine.

– Jetons tout, on rachètera, disait-elle, comme si elle était Marie-Antoinette.

– Gaufrettes, pommes ou… fromage ? proposa Alice aux enfants en inspectant les placards et le frigo.

Des voisins attentionnés lui avaient apporté des sucreries, mais tant qu'à faire, elle préférait leur proposer des goûters plus diététiques.

Helen regarda Gabriel.

– Des gaufrettes, trancha-t-il.

– Des gaufrettes, décida Helen.

Visiblement, elle était soucieuse d'éviter le faux pas. Étant la plus jeune, elle devait faire ses preuves. Gabriel pouvait la bannir d'un claquement de doigts.

– Comment va ton frère ? s'enquit Alice.

– Il est allé au baby-foot, l'informa Gabriel en recrachant dans la foulée la moitié de sa gaufrette.

– Dis donc ! Il est assez grand pour ça ?

– Il a sept ans, dit Gabriel, presque avec déférence.

Il jeta un coup d'œil à Helen pour voir si elle avait bien enregistré cette information.

– Et toi, tu as quel âge ? demanda Alice à la petite.

– Quatre ans.

– Ben moi, cinq ans un quart, riposta Gabriel, pour bien asseoir son statut d'aîné.

– Je sais, tu avais quatre ans l'été dernier, dit Alice.

Gabriel eut l'air légèrement dépité qu'on lui rappelle cette réalité.

– J'ai quatre ans, répéta Helen avec un peu plus d'assurance

Ils sortirent sur la terrasse pour finir leurs gaufrettes.

– T'habites ici ? voulut savoir Helen.

Alice entendait presque les grains de sable crisser sur ses jeunes molaires. Elle aurait dû lui passer les mains à l'eau.

– Oui. Et toi, où tu habites ?

Helen se retourna et pointa un doigt plein de sable sur la maison de Paul.

– Là.

*

Dès lors, le petit déjeuner cessa d'être solitaire. Ayant découvert les trésors que recelait la maison voisine, Helen rappliqua le lendemain accompagnée de sa sœur, Bonnie, qui n'avait que deux ans. Elles expliquèrent qu'elles auraient pu amener aussi Henry, leur petit frère, mais qu'à sept mois, il ne savait pas encore marcher. Vers la fin du petit déjeuner, leur mère vint se présenter. Elle s'appelait Emily.

– J'espère qu'elles ne vous dérangent pas.

Son petit dernier sous le bras, elle avait un air débraillé qui ne manquait pas de charme, dans son short kaki et son haut de maillot de bain.

– Pas du tout, l'assura Alice. Ça me fait plaisir qu'elles me tiennent compagnie.

Les trois filles avaient pris un bol de Cheerios sur la terrasse, même si Bonnie avait renversé la moitié du sien.

– Vous êtes seule ici ? demanda Emily.

Alice fut agréablement surprise par son côté direct. Tous ceux qu'elle connaissait évitaient de poser la moindre question par principe.

– Pour l'instant, oui. En général, mes parents y passent leurs week-ends, mais je ne suis pas sûre qu'ils viendront cet été.

– C'est dommage. Mais je suis ravie de faire votre connaissance. Je suis contente de vous avoir comme voisine.

Alice regarda Emily, avec sa queue-de-cheval défaite de maman débordée et son air de savoir où elle allait. Elle tenta de se remémorer ses a priori hostiles. Qu'avait-elle contre cette personne, déjà ? Pas moyen de s'en souvenir.

– Allez, les filles, dit Emily.

– On reste avec Alice, décréta Helen.

– Chérie, Alice a des choses à faire, objecta sa mère.

Non, Alice n'avait rien à faire. Tout à coup, elle ne voulait plus qu'Helen et Bonnie s'en aillent. La petite pouvait bien renverser tout ce qu'elle voulait dans la maison, elle l'y aiderait.

– Elles peuvent rester, affirma-t-elle. Franchement, ça me fait plaisir. Je vous les ramènerai pour le déjeuner.

Emily repartit en lui adressant un regard reconnaissant.

Alice coupa une pastèque et leur montra comment recracher les graines du haut de la terrasse.

– On va faire une forêt de pastèques ! s'exclama Helen.

Alice sortit ses vieux crayons et dessina avec elles un paysage sous-marin. Elles décidèrent de donner un air gentil à tous les animaux, même ceux qui avaient des grandes dents. Alice dessina un dauphin

Elle retrouva sa vieille collection de livres d'images et leur lut ses histoires préférées de William Steig et du Dr Seuss. Elles admirèrent les colibris qui voletaient sur place autour de la bignone. Alice, soulevant Bonnie pour qu'elle voie mieux, fut attendrie par son petit corps compact comme une boulette.

– Bon, numéro un et numéro deux, il est l'heure de rentrer chez vous.

Face à leurs protestations, elle imagina un subterfuge.

– Suivez-moi, je vais vous montrer quelque chose.

Elle les fit passer par l'arrière et se faufila avec elles le long du sentier de roseaux jusqu'à leur porte.

– C'est un passage secret, un raccourci, leur chuchota-t-elle d'un ton de conspirateur. C'est le chemin que notre ami prenait pour venir nous voir, ma sœur et moi.

Le lendemain matin, elle venait juste de s'installer sur la terrasse avec un bol et le paquet de céréales, au soleil, quand deux petites têtes blondes apparurent entre les roseaux du passage secret. « La vie continue », songea-t-elle.

*

Pendant un mois, Alice fit l'animation pour sa petite bande – Helen et Bonnie, mais aussi Gabriel et les autres. Elle découvrit qu'elle aimait bien leur apprendre des choses. Elle leur montra comment attraper des crabes, creuser pour trouver des puces de mer, faire du body-surf. On ne pouvait pas laisser ces traditions se perdre. Elle leur apprit à tuer un poisson d'argent et à améliorer leur vitesse pour écraser les moustiques entre leurs mains.

Elle apprit à Helen, Gabriel et un autre garçon de cinq ans à faire du vélo sans roulettes. Et du tricycle à Bonnie. Puis, elle leur apprit à rouler sans les mains. « Ceux qui ne savent pas faire n'ont plus qu'à enseigner », songeait-elle.

Elle recommençait à voir la beauté de cet endroit. Pas tant la beauté des belles choses que celle des choses ordinaires, comme les poteaux téléphoniques alignés le long de la Grand-Rue, et leurs câbles qui scintillaient au soleil. La façon dont les arbres s'inclinaient au-dessus des sentiers, dessinant un tunnel vert qui débouchait sur un rond de mer bleue. Elle remarqua la vitesse à laquelle les roseaux poussaient entre les planches et comment, en une saison, les nouvelles planches orange se patinaient pour prendre la teinte grise des anciennes.

Un jour où elle était sur la plage avant un orage, l'eau recula si loin qu'elle vit les fondations et la cheminée d'une vieille maison emportée depuis longtemps.

Parfois, elle observait son petit troupeau et avait envie de le mettre en garde : « Méfiez-vous, les petits. » Cet endroit avait le don de vous attraper pour ne plus vous lâcher. On pouvait passer le reste de sa vie à tenter de retrouver un unique moment idéalisé qui n'avait peut-être même jamais existé.

Le soir, Alice tricotait une écharpe pour personne. Elle l'avait commencée pour Riley, et elle se sentait comme un devoir de la finir. Puis, dans une illumination soudaine, elle décida qu'elle la donnerait à Emily. Elle n'eut jamais le courage de la lui offrir, mais une tricoteuse a toujours besoin de savoir pour qui elle tricote.

CHAPITRE 23

D'un monde à l'autre

Le premier jour de septembre, un visage souriant et familier apparut sous la tonnelle de bignone. Ce gars-là prenait trois ou quatre fois la place de ses visiteurs habituels.

Le corps d'Alice se figea en plein mouvement. Helen et Bonnie levèrent la tête.

– T'es qui ? demanda Helen, un peu contrariée qu'un inconnu vienne interrompre leur dessin.

– Moi, c'est Paul. Et toi ?

– Helen, répondit la fillette. J'habite là.

Elle lui montra sa maison.

Alice vit l'éclair de compréhension frapper le visage de Paul.

– C'est vrai ? Et ça te plaît ? lui demanda-t-il.

– On aime bien venir voir Alice.

Paul rit, et la fillette, surprise, fut ravie de son effet.

– Moi aussi, dit-il.

– Elle, c'est Bonnie.

– Bonjour, Bonnie.

Bonnie continua à barbouiller sa feuille de bleu pour faire la mer.

– C'est ma sœur.

– Tu en as, de la chance !

– On connaît un passage secret, lâcha Helen.

Puis elle regarda Alice, craignant d'en avoir trop dit.

– C'est bon, la rassura celle-ci. Il est au courant.

*

Paul, assis à la table en bois de la terrasse, suivit des yeux les deux petites têtes blondes qui disparaissaient dans les roseaux. Il avait du mal à regarder Alice, face à lui, les pieds sur sa chaise, les bras autour des genoux, dans son short en jean préféré et un tee-shirt blanc qui avait dû être à lui. Elle avait repris des couleurs. Le soleil teintait sa peau d'un caramel qui n'appartenait qu'à elle, faisait ressortir ses taches de rousseur, illuminait ses cheveux d'éclairs roux, faisait scintiller dans ses yeux verts des étincelles d'or. Autant de promesses d'épanouissement qui la rendaient éblouissante. « Et elle ne le sait même pas », songea-t-il. Elle n'en avait aucune conscience. Ça se voyait à sa façon de se tenir. Ça se voyait à ses ongles mal soignés.

Il aurait pu se laisser envahir par le sentiment familier qui s'ouvrait devant lui comme un couloir, l'invitant à l'emprunter. Il aurait pu lui en vouloir d'être aussi belle. Il aurait pu se sentir de nouveau menacé par elle. Par le fait qu'elle avait déjà gagné l'adoration de deux petites filles qui vivaient maintenant chez lui. Le parcours qu'il avait suivi n'avait rien d'original. Qui pouvait vivre à côté d'Alice sans tomber amoureux d'elle ? Et elle, pour qui il était si facile de se faire aimer, avait-elle vraiment besoin de son amour à lui ? Que pouvait-elle en faire ? Qu'avait-il à offrir ?

Il connaissait bien cette envie de la rabaisser. D'exiger d'elle des choses qu'il ne savait pas donner. Mais il ne laisserait pas cette envie l'emporter. Autant se lever et retourner prendre le ferry pour ne plus jamais la revoir. Il était revenu une fois. Et une seconde. Il ne méritait pas une nouvelle chance. Il s'était promis qu'il ne s'autoriserait à la revoir que s'il était capable de l'aimer mieux.

Il devait lui faire confiance. Avec les dons qu'elle possédait, elle aurait pu prendre à la vie ce qu'elle voulait. Elle aurait pu l'exiger. Mais elle ne prenait pas ; elle donnait. Même si elle avait conscience de ses pouvoirs, elle les utiliserait à bonne fin. Il devait lui faire confiance.

Et, le plus dur, il devait avoir confiance en leur amour. Ce n'était pas tant un défi pour elle, si douée pour aimer et être aimée, que pour lui, qui avait tant de mal à faire l'un et l'autre.

– Tu restes jusqu'à demain ? demanda-t-elle.

– Je ne sais pas.

Il ne voulait pas l'effrayer.

– Je vais peut-être loger chez les Cooley ou les Loeb. J'ai fait la traversée avec Frank. Ils doivent avoir des chambres libres, maintenant que les enfants sont partis. Il a du poil qui pousse dans les oreilles, tu as vu ?

Elle rit. Puis le silence s'installa.

– Tu veux faire une promenade avec moi ? proposa-t-il. Une longue balade fatigante, en plein cagnard ?

Elle sourit en acquiesçant. Il vit qu'elle s'apprêtait à poser une question.

– Pourquoi es-tu venu ?

Il testa plusieurs réponses. « J'avais quelques affaires à régler pour la maison. » « Tom Cooley me harcèle pour que je participe au tournoi de base-ball. » « Je n'avais rien de mieux à faire et il faisait beau. »

– Pour te voir.

*

Alice tourna la tête pour regarder Paul, qui marchait à côté d'elle. Il se tenait un peu plus droit qu'avant. Il s'était enfin fait couper les cheveux. Chez un vrai coiffeur. Il ressemblait à un adulte normal. À un homme. Il avait beau avoir les mêmes yeux très sombres et la même mâchoire que son père, il ne ressemblait pas du tout à Robbie tel qu'elle l'avait vu sur les photos.

Elle essayait de comprendre son état d'esprit. Était-il en colère ? Voulait-il lui demander pardon ou au contraire lui pardonner ? À moins qu'il ne s'agisse d'une sorte d'autopsie ? Passerait-elle sa vie entière à ruminer ce qu'ils se diraient aujourd'hui, en sachant que c'était l'épisode final ?

Quand il la regardait, il y avait quelque chose derrière son regard. Une sorte de question, vacillante comme une flamme. Qui venait puis repartait. Il avait une question à lui poser, mais il n'y arrivait pas.

– Un jour, il y a un an, je suis venu te chercher, et tu étais partie, dit-il enfin.

Alice acquiesça. Elle avait une autre raison de s'en souvenir.

– Je t'ai attendue chez toi. Je suis allé chez les Cohen voir si tu travaillais. J'ai essayé le yacht-club, le court de tennis, la plage. Je ne vous ai pas trouvées, ni toi ni Riley. J'ai passé des heures assis dans ta cuisine. À attendre.

Elle savait ce que c'était que d'attendre. Auparavant, c'était elle qui attendait, jamais lui.

– C'est là que je t'ai trouvé en rentrant, confirma-t-elle.

Il hocha la tête.

– Tu sais où j'étais ? demanda-t-elle.

Quelque part, la responsabilité d'avoir un secret à garder continuait à la terrifier.

– Je crois. Maintenant, oui.

– Riley ne voulait pas que tu sois au courant. Je ne pouvais pas te le dire.

– Je sais.

Toute la compassion qu'elle avait comprimée, enfermée, contenue pendant des mois commença à s'exprimer. De la compassion pour lui, qui avait été exclu sans une explication. De la compassion pour eux deux, parce qu'ils s'aimaient. Et le plus compliqué peut-être, de la compassion pour elle-même, pour une année d'épreuves, de perte et d'expiation. Elle avait cru qu'elle pourrait aider. Elle avait cru qu'elle pourrait apaiser. Et elle s'était trompée.

Ils longèrent Lonelyville, dépassèrent les cabanons et les bungalows construits de guingois. De toutes les villes, celle-là semblait ne jamais changer.

Il tendit la main pour prendre la sienne. C'était tellement étrange, de le toucher. Ça évoquait des milliers d'autres fois, chacune avec une signification différente.

– Nous ne sommes pas responsables de sa maladie, dit-il.

Je sais que c'est l'impression que ça peut donner, mais ce n'est pas le cas.

Instinctivement, elle serra sa main plus fort. Les yeux brouillés de larmes, elle ne voyait même plus où elle allait. Elle déglutit et essaya de parler :

– C'est l'impression que ça donnait.

– Je sais, Alice.

Il se tourna face à elle pour lui prendre l'autre main. Il la fit asseoir sur le sable et l'entoura de ses bras en lui tapotant le dos. Il écarta les cheveux de son visage pour essuyer ses larmes, comme à un enfant. Réconfortée par ce corps qui l'enveloppait, elle se laissa aller, émue qu'il laisse de côté son chagrin, pour écouter le sien.

– C'est comme si on l'avait abandonnée. On l'a trahie.

Elle le sentit qui hochait la tête.

– Je sais.

– Et on a été punis pour ça.

Paul hocha de nouveau la tête, et les poils de son menton s'accrochèrent dans les cheveux d'Alice. Il y eut un long silence. On n'entendait que le bruit des vagues et les cris de quelques nageurs.

– Qui nous a punis, d'après toi ? demanda-t-il lentement. Riley ?

Alice se redressa, l'obligeant à déplacer sa tête.

– Non, non. Pas elle.

– Comment tu le sais ? demanda-t-il, pensif.

– Parce qu'elle nous aimait. Ça lui faisait peur, elle me l'a avoué une fois. Mais elle m'a dit qu'elle l'avait toujours su.

– Alors, qui a voulu nous punir ?

Alice coinça ses cheveux derrière ses oreilles.

– Je ne sais pas, Dieu. Le destin. Moi. Peut-être qu'on s'est punis nous-mêmes.

Ils restèrent assis un moment sur la plage, à regarder l'eau. Elle appuya son épaule contre la sienne. Un chien passa devant eux, puis une ambulance tout-terrain. Elle pensa à Riley, qui injuriait les voitures qui roulaient sur la plage. On ne pouvait pas franchement injurier une ambulance.

Paul se leva et lui tendit la main pour l'aider.

– On a le droit de grandir, dit-il.

*

Ils reprirent leur promenade, mais Alice n'ouvrit plus la bouche jusqu'à ce qu'ils aient dépassé l'embarcadère d'Ocean Beach. Là, de toutes les choses qu'elle avait à lui dire, celle qui sortit la surprit elle-même.

– Combien de fois me suis-je répété cet été : « Je sais que je me retiens. Que j'attends. Que j'ai peur d'avancer. Parce que je ne sais pas quel chemin prendre. »

Il ne répondit pas, et elle poursuivit :

– Quelquefois je vois ça comme une montagne escarpée entre deux vallées. Ou comme un détroit périlleux entre deux terres. J'ai peur de le traverser, mais aussi de ne pas pouvoir revenir. Peur de me retourner et de voir que la montagne est recouverte de nuages. Ou que les eaux ont monté, m'empêchant de rentrer à la maison.

Paul hocha la tête. Il lui reprit la main, et ça lui fit du bien.

– Mais ce n'est même pas ce qui me fait le plus peur.

Il lui sourit, d'un drôle de sourire sans joie, mais plein d'affection.

– Qu'est-ce qui te fait le plus peur ?
– Ce serait de ne plus vouloir rentrer.

*

– Tu sais qu'on a mis la maison en vente ? lui annonça-t-elle peu après avoir dépassé Seaview.

Elle n'était pas très pressée de le lui annoncer.

Il la regarda avec une expression incrédule.

– Votre maison ? Ici ?

– Oui. Je suis censée m'en occuper, la faire visiter et conclure la vente, mais c'est lent. En un mois, je n'ai vu qu'une personne intéressée, et elle est repartie sans même être montée voir l'étage. Elle a demandé s'il était possible d'abattre la maison pour en construire une plus grande.

Paul avait l'air chiffonné.

– Je ne comprends pas pourquoi tes parents la vendent.

– Hum-hum ! fit-elle en inclinant la tête. Tu as bien vendu la tienne.

– Mais la vôtre, c'est différent. Elle a une vraie valeur.

– Va le dire à l'agent immobilier, répliqua Alice.

– Les agents immobiliers ne connaissent pas la valeur des choses.

Alice marchait en traînant les pieds, traçant sur le sable une longue empreinte ininterrompue.

– C'est sérieux ? demanda Paul.

– Mes parents ne veulent pas revenir ici sans Riley, expliqua Alice. Ça se comprend.

– Mais c'était sa vie, cette maison. En la gardant, vous garderiez un peu de Riley, non ?

Alice pensa aux jours et aux nuits qu'elle avait passés ici. L'absence de sa sœur se faisait cruellement sentir, mais sa présence encore plus.

– C'est aussi ce que je pense, admit-elle avec un haussement d'épaules. Mais tu parles d'un choix : soit tu te drapes dans ta douleur, soit tu l'évites et elle te tombe dessus au moment où tu t'y attends le moins.

– Il n'y a pas d'autre alternative ?

– Tu en vois une ?

– Aller de l'avant ?

Alice réfléchit à cette hypothèse tandis qu'ils passaient devant Ocean Bay Park. Elle réalisa qu'elle n'y était jamais entrée. Elle s'était toujours contentée de passer devant.

– Bref, la femme qui l'a visitée a fait une offre de démolition, comme elle appelle ça, et mes parents ont refusé. Ils ne voudraient pas qu'elle soit démolie, mais l'agent dit qu'on n'y peut rien. Elle dit que de toute façon, quel que soit l'acheteur, il voudra certainement démolir.

Paul secoua la tête.

– Tous les ans, quand on revient, il y a des maisons en moins.

– Pour un peu, je serais contente que Riley ne soit pas là pour voir ça, dit Alice.

*

Sur la plage de Point O'Wood, Paul se souvint d'une anecdote.

– Mon père était ami avec un type qui avait perdu sa jambe dans un accident de moto. Un jour, quand j'étais petit

– je devais avoir dans les quatre ans, parce que mon père était toujours en vie –, il est venu chez nous ici à Fire Island, et pendant que mes parents étaient dans la pièce d'à côté, il m'a montré l'endroit où le chirurgien lui avait coupé la jambe.

– La vache. Pourquoi il a fait ça ? s'étonna Alice.

– Bah ! il ne devait pas avoir beaucoup de plomb dans la cervelle.

– C'est le moins qu'on puisse dire,

– Après, ça m'a obsédé. Pendant des années, avant de m'endormir, dans mon lit, j'angoissais en me disant qu'un jour, j'aurais une moto et qu'il m'arriverait un accident.

– Je ne savais pas.

– Je détestais les motos. J'ai dit à ma mère que je n'en aurais jamais. Et elle m'a répondu : « On ne peut jamais savoir ce dont on aura envie quand on sera grand. » Après, le truc qui me faisait le plus peur, ce n'était pas tant la moto que de devenir quelqu'un qui en voudrait une. J'étais terrorisé à l'idée de devenir quelqu'un de totalement différent, quelqu'un d'étranger à moi-même.

– Mm ! je comprends.

– Alors, vers neuf ans, je me suis écrit une lettre. Je l'ai retrouvée en vidant la maison au mois de mai, avec plein d'autres trucs.

Il jubila devant son air amusé.

– Elle disait quoi ?

– Je m'adressais à mon futur moi en disant : « Même si tu as super envie d'en avoir une, surtout, n'achète pas de moto ! » Après, j'avais écrit en gros : « RAPPELLE-TOI LA JAMBE D'HENDERSON. »

Elle réfléchit.

– Tu as déjà eu envie de t'acheter une moto ?

– Jamais.

*

– Je reprends les cours à la rentrée, annonça Alice sur la route de sable qui menait à Sunken Forest.

– Ah bon ?

Il essaya de garder un visage neutre. Il s'était déjà sermonné sur le sujet. L'aimer, ça voulait dire, entre autres, mettre de côté ses préjugés et ses opinions, et la laisser devenir avocate si ça lui plaisait.

– Oui. C'est Riley qui m'a décidée.

Il rit.

– Sans blague ?

– Elle m'a surprise en train de bosser au Duane Reade de la 11e Avenue. Elle m'a fait remarquer que j'étais censée être l'intello de la famille. Elle était furax.

– Bah ! justement, les études de droit, c'est plutôt pour les intellos, dit-il d'un ton qu'il voulait enthousiaste.

– Je ne vais pas en fac de droit.

– Non ?

– Non, je me suis inscrite à l'Institut de formation des travailleurs sociaux. Ils ont été sympas, ils m'ont acceptée en retard. J'ai reçu la réponse début août.

– Waouh ! tu m'épates. Eh bien, félicitations.

De même qu'il avait essayé de garder pour lui son opinion sur la fac de droit, il ne s'autorisa pas à montrer la joie que lui causait cette décision.

*

– On se faisait confiance à nous-mêmes, quand on était petits, non ? observa Alice, quelque part entre Sunken Forest et Sailor's Haven.

– Riley, oui. Nous aussi, à un degré moindre.

– On avait confiance en Riley.

– Voilà.

– Mais on n'avait pas confiance en l'âge adulte. On ne voulait pas se faire avoir.

Paul réfléchit.

– Les adultes qu'on avait autour de nous n'avaient pas de quoi faire envie. Ils nous montraient tellement d'exemples à ne pas suivre que c'était dur d'entrevoir d'autres possibilités.

Elle chercha dans son visage des traces d'amertume, mais n'en trouva pas.

– Je suis au courant pour Ethan et Lia, fit-elle.

– Ouais. Riley m'a dit.

Elle continua à marcher en silence, sentant le soleil lui chauffer le cou, le sable humide s'enfoncer sous ses pas, les muscles de ses mollets tirailler. Soudain elle eut une idée qui lui plut.

– Tu sais ce que je pense ?

– Non. (Il serra sa main dans la sienne.) Peut-être.

– À mon avis, Riley savait qu'on devait faire notre chemin ensemble, et qu'on s'en sortirait.

*

– Je vois la lune, dit Alice quand ils parvinrent à Talisman, juste avant Water Island.

C'est là qu'ils avaient décidé de faire demi-tour vers l'ouest.

– Je trouve qu'on devrait continuer, dit Paul. On devrait marcher jusqu'à demain.

Le soleil commençait à descendre sur la baie, offrant un modeste spectacle. Ce n'était pas un soir pour frimer.

– On n'a même pas d'eau, objecta Alice.

Il faisait chaud. La sueur lui coulait dans le cou et dans le dos.

– Exact. Mais j'ai mon portefeuille…

C'était un signe qui ne trompait pas. Seuls les touristes de passage avaient leur portefeuille sur eux.

– alors on peut en acheter à Cherry Grove.

Ils firent mieux que ça. Ils burent deux Martini chacun et assistèrent à un spectacle de travestis au Ice Palace, avec la participation exceptionnelle de monsieur Cuir Fire Island.

– Cette année, on est très crocs et morsures, leur précisa le barman. C'est le dernier fétichisme à la mode.

– Quand on parle de Fire Island, les gens pensent tout de suite qu'on est gay, observa Paul quand ils eurent regagné la plage.

– S'ils savaient ! fit Alice.

Ils étaient encore à onze kilomètres de la maison, le sable était doux, la lune avait le ciel pour elle toute seule, et ils étaient ivres.

– Deux hétéros qui s'enlacent sur la plage, on va les choquer, observa Alice en s'affalant à côté de lui au bord de l'eau.

– Bah !… Ils ont l'esprit ouvert, dans le coin, répliqua Paul.

Il posa la tête d'Alice sur sa poitrine, la serra contre lui, et ils s'endormirent.

*

Quand Paul rouvrit les yeux, le soleil n'était pas encore levé, mais il éclairait déjà la surface de la mer. Pendant quelques secondes, il se demanda où il était et comment il était arrivé là. Puis il prit conscience qu'Alice était là, contre lui.

Elle dut le sentir bouger, car elle ouvrit les yeux. Il adorait la regarder à son réveil. Il lui semblait surprendre un instant secret en la voyant passer de son monde intérieur au monde réel. Il avait l'impression de la connaître chaque fois un peu mieux. Il aima la trace de bave qu'elle avait laissée sur sa clavicule.

– On est demain ? murmura-t-elle.

– Oui.

Il se sentit à la fois courbatu et détendu quand ils s'étirèrent et se levèrent pour reprendre leur marche vers l'ouest, vers la maison. Il lui prit la main. Ils n'avaient nulle part où se rendre, rien à faire, personne qui les attendait. Le sable s'étendait sur des kilomètres devant eux, mais le vide qui hier avait des relents de solitude avait pris un nouveau goût.

C'était la même plage, la même mer, le même soleil. Les mêmes vêtements. La même fille qui marchait à côté de lui. Et pourtant, tout semblait différent.

...surtout, n' achète pas de moto !

En fait, quelqu'un les attendait. Deux personnes, même.

– On n'a pas pris notre petit déjeuner, annonça Helen, en levant les paumes vers le ciel.

Le ton ne permettait pas de savoir s'il s'agissait d'une requête, d'une réclamation ou d'un simple constat.

– Je crois que Bonnie a faim.

– Parfait, dit Alice. Moi, je meurs de faim. Des Cheerios, ça va ?

Helen pointa un doigt sur Paul.

– Il est pas parti.

– Eh non, confirma Alice en entrant dans la cuisine.

Elle revint avec quatre bols et quatre cuillers dans une main, un paquet de céréales et une brique de lait dans l'autre. Il adorait son instinct nourricier et maternel. Elle avait toujours été comme ça. Dès le début.

Ils s'assirent en rond sur la terrasse, les planches imprimant leur trace sur leurs cuisses.

Paul releva la tête.

– Oh, là, là, regardez ! Les papillons sont là.

Les fillettes se relevèrent.

– Alice ! Regarde ! T'en as déjà vu autant ?

Alice resta médusée. Il y avait des centaines, des nuées de papillons. Sous leur regard ébahi, ils ralentirent leurs battements et se posèrent dans la bignone.

Les fillettes sautaient sur place pour mieux voir.

– Chut ! restez tranquilles ou vous allez leur faire peur, murmura Alice.

C'était l'un des plus beaux spectacles que Paul ait jamais vus. Les fleurs orange enveloppées d'un nuage de papillons orange.

– Ce sont des monarques, précisa-t-il aux fillettes. On ne les voit que très rarement ici.

Elles tendaient le cou pour mieux voir. Ça n'avait pas que des avantages, de mesurer moins de un mètre. Il prit Helen dans un bras et Bonnie dans l'autre. Il fut touché par les efforts qu'elles déployaient pour contenir leur excitation et ne pas faire de bruit.

Les papillons s'envolèrent tous ensemble, et il entendit Alice pousser un petit soupir devant toute cette beauté. Toutes ces ailes orange dans le ciel bleu. Elle lui prit le bras tandis qu'ils les suivaient des yeux. Les filles filèrent peu après pour aller raconter ce qu'elles avaient vu à leur mère.

Alice et Paul restèrent longtemps allongés sur la terrasse, épuisés par le soleil, et encore sous le charme. En fermant les yeux, Paul ne voyait que des ailes.

Au bout d'un moment, il se redressa.

– J'ai eu une sensation très bizarre, tout à l'heure. Enfin, pas vraiment bizarre. Sans doute normale, même. Mais bizarre pour moi.

– Oui ? dit Alice en se redressant à son tour.

– J'ai soulevé ces petites filles dans mes bras et, le temps que les papillons repartent, je ne les voyais plus comme l'enfant que j'aurais pu être, mais comme celui que je pourrais avoir, un jour. Tu crois que notre passé peut devenir notre avenir en aussi peu de temps ?

*

Paul coucha sur le vieux canapé. Lui qui avait toujours détesté ce canapé le détestait encore plus maintenant que c'était la dernière nuit qu'il passait dessus.

Impossible de trouver le sommeil. Il sortit sur la terrasse. Regarda son ancienne maison. Chercha la lune. Se rappela les papillons. Alice arrivait-elle à dormir ? Il l'imagina dans son sommeil. Sur la pointe des pieds, il monta jusqu'à sa chambre. La porte était entrouverte. Il se faufila à l'intérieur, avec un coup au cœur.

Elle dormait, les trois quarts du visage cachés par ses cheveux. Était-ce mal de la réveiller ? Il avait quelque chose à lui dire, et il n'allait pas avoir la lâcheté de le lui dire une seconde fois pendant son sommeil. Il repoussa doucement quelques mèches. Elle ouvrit les yeux et se tourna vers lui.

– Alice ?

Elle lui sourit.

– Oui ?

Il s'agenouilla par terre, de sorte que leurs deux têtes soient au même niveau. Il voulait la regarder dans les yeux sans qu'elle ait à se redresser.

– J'ai un truc à te dire.

– Oui.

Elle cligna des paupières pour chasser le sommeil et attendit.

Il ne faisait rien pour se faciliter les choses, mais c'était le but du jeu.

– Alice ?

– Oui ?

Elle avait une patience d'ange.

– Je t'aime.

Comme c'était bon de le dire enfin, pour les millions de fois où il l'avait ressenti.

Elle sourit de nouveau.

– Je sais.

– Bon, fit-il. Alors, bonne nuit.

Il regagna son canapé et se recoucha. Peut-être arriverait-il à dormir maintenant.

*

À l'aube, elle descendit sans bruit. Elle ne put s'empêcher de rire en le voyant étalé sur le canapé trop petit pour lui. Dans son grand tee-shirt, les jambes nues, elle s'installa sur une chaise pour le regarder dormir. Il avait repoussé la mince couverture qu'elle lui avait trouvée, découvrant ses épaules et son torse. Un bras était tourné vers le haut, révélant l'intérieur de son avant-bras et de son poignet. En suivant des yeux les minces veines bleues qui couraient sous sa peau, elle vit quelque chose.

Elle s'approcha et se pencha, devinant peu à peu ce que c'était. Sur la face interne du bras, juste au-dessus du poignet, il avait un petit tatouage bleu. Il semblait très récent, à peine cicatrisé, mais il s'agissait clairement d'un dauphin.

*

Alice alla se percher sur la balustrade de la terrasse, d'où l'on pouvait voir le soleil se lever sur la mer, derrière la maison d'Helen et de Bonnie. Elle y resta longtemps, les mains crispées sur la rambarde, les jambes pendantes, l'arête du bois s'enfonçant dans ses cuisses. Elle attendit que le soleil se soit libéré de l'eau et qu'il ait pleinement pris sa place dans un ciel bleuissant, avant de rentrer.

Paul était assis sur le canapé, les pieds par terre, la tête entre les mains. Elle s'amusa de voir ses cheveux aplatis d'un côté et tout hérissés de l'autre. Il releva la tête à son arrivée.

Elle s'approcha. Il tendit les bras vers elle et elle se glissa sur ses genoux. Ils n'avaient pas oublié comment faire ça. Elle posa la tête sur son épaule et le serra fort dans ses bras, retrouvant le bonheur de son étreinte.

En le tenant enlacé entre ses jambes, elle pouvait difficilement ignorer ce qui se passait dans le corps de Paul. Elle resserra son étreinte, et savoura aussi ce bonheur-là.

– Excuse-moi, Alice, dit-il, mi-riant, mi-suffoquant. J'y peux rien. Il va falloir que tu bouges.

– Je suis très bien comme ça. Je ne veux pas bouger.

Peut-être l'avait-il oublié, mais c'était la dernière position dans laquelle ils avaient fait l'amour, plus d'un an auparavant.

Elle se souleva pour lui retirer son caleçon. Il lui ôta son tee-shirt et la pressa, torse nu, contre lui.

– On peut… tout de suite ? murmura-t-il, avec des yeux un peu écarquillés qui la firent craquer.

– On a intérêt à en profiter avant que la maison soit démolie, murmura-t-elle à son tour.

Il s'emballait, comme un gars qui n'en croit pas sa veine. Son désir la fit rire.

Elle sentit sa main qui tirait sur sa culotte. Puis il se figea.

– On n'a pas de…

Elle ne voulait pas qu'il s'arrête, mais elle comprit ce qu'il voulait dire, et apprécia qu'il se montre responsable.

– Attends une minute. Je crois que j'en ai.

Elle s'écarta de lui.

– Ah bon ?

L'information n'avait l'air de lui plaire qu'à moitié.

– Oui, d'avant. Tu en as laissé.

– Exact.

Elle rit de nouveau.

– T'en avais plein les poches !

– C'est vrai, en plus.

– Je reviens tout de suite.

Non seulement elle trouva un préservatif, mais elle pensa à fermer à clé la porte de la terrasse, au cas où les petites filles viendraient réclamer leur petit déjeuner de bon matin.

Il l'attendait avec impatience. Il l'empoigna dès son retour et finit de la déshabiller avec ardeur. Il l'allongea sur le canapé et lui fit l'amour, le visage grave, le corps joyeux.

C'était différent, cette fois-ci. Ils avaient perdu des choses depuis l'été précédent. Elle se demanda s'il le ressentait aussi. La dernière fois, ils se sentaient clandestins, projetés dans un monde parallèle, comme des fugitifs, des déserteurs. C'était une sorte de putsch. Là, ils occupaient leur place dans le monde. Une place moins privilégiée, peut-être, mais qui leur offrait un avenir.

*

Il prit le ferry avec Alice. Chaque fois qu'il prenait ce ferry pour quitter l'île, il croyait que c'était la dernière, mais il y en avait toujours une autre. Ce coup-ci, il décida de laisser l'option ouverte.

C'était un jour de grands retours, le fameux Labor Day qui marquait la fin des vacances. Il tâcha de se mettre dans la peau de tous ces ados qui s'étreignaient en pleurant autour d'eux.

Mais lui, il avait Alice. Il lui tenait la main, osant à peine croire qu'il pourrait la garder dans la sienne jusque sur le bateau, et même pour en descendre. Ils n'avaient jamais quitté l'île ensemble. Quel bonheur de ne pas avoir à lui dire au revoir. La personne qu'il aimait le plus sur cette île, il l'emportait avec lui. Enfin, songea-t-il dans un sursaut, l'une des deux personnes qu'il aimait le plus. Cette pensée lui fit mal. Pas une douleur aiguë, plutôt de celles avec lesquelles on s'habitue à vivre.

Ils montèrent sur le pont supérieur et trouvèrent un banc

près du bastingage. Il posa une main sur la cuisse d'Alice. Il était heureux de pouvoir faire ce geste. Il regarda le ciel, d'un bleu pur, et chercha la fragile lune de jour, qu'il lui semblait ne jamais voir ailleurs qu'ici.

*

Tandis que les moteurs ronflaient, que les gens s'activaient autour d'eux, la main dans celle de Paul, Alice se demandait si elle était en train de passer à un autre stade de sa vie.

« Alors, ça y est ? Est-ce qu'on le sait, quand c'est le moment ? Est-ce que je suis prête ? Vais-je y arriver ou bien me défiler ? Est-ce que je le saurai quand je dirai au revoir ? En me retournant, pourrai-je encore voir ce que je laisse derrière moi ? »

Elle s'était toujours dit qu'elle le saurait, quand ça arriverait, mais là, tout à coup, elle n'en était plus si sûre. Cela pouvait sans doute se produire de mille manières différentes, sans qu'on en soit forcément conscient. Il n'y avait peut-être pas de rupture, pas de fossé à enjamber. On ne s'oubliait pas d'un seul coup. Peut-être qu'un beau jour on regardait autour de soi en se disant : « Tiens ! » Et l'on avait franchi le pas.

Paul se leva, et elle fit de même quand le moteur s'emballa et que le ferry entama laborieusement sa marche arrière. Les ados sur le pont faisaient de grands signes à leurs amis, qui poussaient des hurlements.

Paul prit la main d'Alice et la posa sur son cœur. Ils regardèrent le petit groupe de jeunes restés sur le quai tendre les bras au-dessus de leur tête et plonger.

✳

REMERCIEMENTS

Je souhaite témoigner toute ma reconnaissance (doublée d'un certain soulagement) à la vaillante Sarah McGrath ainsi qu'à Geoff Kloske et Susan Petersen Kennedy pour leur patience, leur talent et leur soutien. Je remercie Jennifer Rudolph Walsh, remarquable agent et amie.

Merci à mon amie Elizabeth Schwarz pour sa sagesse et ses conseils.

Tout mon amour va à Jacob, Sam, Nate et Susannah, et comme toujours à mes merveilleux parents, Jane et Bill Brashares.

Loi n° 49-956
du 16 juillet 1949 sur les publications
destinées à la jeunesse

PAO : Dominique Guillaumin
Imprimé en France
sur les presses de la Société Nouvelle
Firmin-Didot
Dépôt légal : juin 2008
ISBN 978-2-07-061938-2
Numéro d'édition : 157 969
Numéro d'impression : 90662